Jeanne Rubner
Das Energiedilemma

Schriftenreihe Band 661

Jeanne Rubner

Das Energiedilemma

Warum wir über Atomkraft neu nachdenken müssen

bpb:
Bundeszentrale für politische Bildung

Jeanne Rubner, Jahrgang 1961, studierte Physik in Regensburg, Straßburg und Seattle. 1989 promovierte sie an der Technischen Universität München über Theoretische Biophysik. Seit 1991 ist sie Redakteurin bei der Süddeutschen Zeitung, zunächst im Ressort Wirtschaft, seit 2005 in der Außenpolitik-Redaktion. Sie hat außerdem Sachbücher zu verschiedenen Themen aus Politik, Wirtschaft und Wissenschaft verfasst.

Bonn 2007
Lizenzausgabe für die Bundeszentrale für politische Bildung
Adenauerallee 86, 53113 Bonn

Umschlaggestaltung: Michael Rechl, Kassel
Umschlagfoto: © ullstein bild – Imagebroker.net; Strommasten im Ruhrtal zwischen Essen und Bochum im Morgennebel

Lektorat: Annalisa Viviani, München
Satz: Ditta Ahmadi, Berlin
Druck und Bindung: GGP Media GmbH, Pößneck

ISBN: 978-3-89331-820-9

www.bpb.de

Inhalt

Einleitung

Den gelben Aufkleber konnte man wirklich nicht übersehen. Vor allem nicht in dieser noblen Gegend. Als ich in einem ruhigen Münchner Wohnviertel gemächlich vor mich hin joggte, stach mir ein Sonnensticker in die Augen. Unübersehbar klebte er an einem Papierkorb ausgerechnet zwischen den gepflegten Villen, wo die Menschen mit Geländewagen zum Brötchenholen fahren. Tatsächlich, da war sie wieder, die lachende Sonne mit den Zacken und der geballten Faust. Atomkraft? Nein, danke! Jahrelang war sie praktisch verschwunden gewesen, die Anti-Atom-Sonne, die so plakativ das Solarzeitalter einläuten und das Nuklearzeitalter ausklingen lassen sollte. Man sah sie allenfalls auf der Toilettentür eines alternativen Cafés oder auf der Heckklappe eines rostigen VW-Käfers.

Die Sonne war unser Symbol gewesen, das Symbol der Atomkraftgegner. Wir waren stolz darauf. Wir klebten es auf die Leitzordner mit den Vorlesungsskripten, pinnten es als Anstecker an den selbst gestrickten Pullover. Gingen zu den Treffen der neu gegründeten Bürgerinitiative gegen Atomkraft. Als ich anfing zu studieren, das war 1979 in Regensburg, gehörte es irgendwie dazu, gegen Atomkraft zu sein. Zumindest für all jene, die sich politisch engagierten und nicht Jura oder Betriebswirtschaft studierten. Alle, die irgendwie »links« waren, fanden Kernkraftwerke zu gefährlich. Sie hielten den Staat, der sie durchsetzen wollte, für repressiv und die Energiekonzerne, die daran auch noch verdienen wollten, für verbrecherisch.

Die Studentengeneration vor uns hatte noch Marx von vorne bis hinten analysiert. Doch in diesen Jahren verflüchtigte sich der Glaube an die kommunistische Beglückung. Der Einmarsch der Russen in Afghanistan im Dezember 1979 nahm vielen den letzten Funken Hoffnung auf Frieden durch Sozialismus. Die älteren Semester schwärmten noch vom Sozialistischen Deutschen Studentenbund SDS. Doch den gab es nicht mehr, und die etwas verquere Marxistische Gruppe oder der Marxistische Studentenbund Spartakus erschienen vielen von uns als zu dogmatisch.

Die Atomenergie kam gerade recht als neuer Kristallisationspunkt des Protestes. Sie hatte alle Ingredienzien für eine linke Bewegung: die Repression des Staates, der seine friedlichen Bürger von besetzten Bauplätzen mit Knüppeln vertrieb; die bedrohliche Nähe der Technik zur Rüstung. Wer gegen Kernwaffen war, musste doch auch gegen Atomkraft sein; hinzu kam die Profitgier der kapitalistischen Energieunternehmen, die mit mafiösen Methoden Geld verdienten. Darüber bestand kein Zweifel, spätestens seitdem am 28. März 1979 der Atommeiler von Harrisburg durchgebrannt war. Der »größte anzunehmende Unfall«, der GAU, war also nicht nur ein Menetekel, eine düstere Vorahnung durchgeknallter Atomkraftgegner, sondern Gewissheit. Jetzt glaubte man der »Atomlobby«, die das stets heruntergespielt hatte, kein Wort mehr. Dass in Harrisburg angeblich niemand zu Schaden gekommen war, konnte nur Vertuschung sein.

Wer Linke als »Ratten und Schmeißfliegen« bezeichnet, ist selbstredend eine Hassfigur. Als Bayerns Ministerpräsident Franz Josef Strauß Deutschland zeigen wollte, wie man eine Atomanlage durchsetzt, schaffte er damit endlich ein konkretes Projekt, gegen das sich so richtig kämpfen ließ. Wiederaufarbeitung – das war noch ein Schritt weiter auf dem Weg zum totalen Atomstaat, den Robert Jungk bereits 1977 vorhergesagt hatte. Das Hüttendorf im Taxöldener Forst bei Wackersdorf wurde zum Wallfahrtsort, das Motto hieß: »Stoppt den WAAhnsinn«. Es war klar, dass wir Silvester 1985 dort feierten und es als Sieg betrachteten, dass das Camp im Wald zwei Wochen lang stand – eine Räumungsaktion wollte die Polizei so kurz vor Weihnachten wegen der Negativschlagzeilen nicht riskieren. Zeitungen schrieben von »Besetzung« und »Bürgerkrieg«. Dass bei einer Demo ein Asthmakranker an einem Anfall starb, passte zum Bild des unmenschlichen Staates.

Die Reaktorkatastrophe von Tschernobyl bestätigte die schlimmsten Befürchtungen. Ob der Unfall in der Ukraine der Wiederaufarbeitungsanlage den Todesstoß versetzte, ist umstritten. Fest steht jedoch, dass Tschernobyl die Saat der Angst vor der Atomkraft in den deutschen Köpfen endgültig aufgehen ließ. Der Widerstand war nicht mehr nur die Sache der jungen Partei der Grünen, geschweige denn von ein paar Bürgerinitiativen. Die Volkspartei SPD ließ sich anstecken vom Anti-Atom-Virus – bereits bei ihrem Parteitag im Herbst 1986 schrieb sie den Ausstieg im Programm fest.

Dass Tschernobyl in Deutschland so nicht passieren konnte, spielte für den Widerstand keine Rolle. Denn jene Kernkraftgegner, deren Ablehnung sich mehr von einer dumpfen Angst als von Argumenten nährte, hätte man vom Gegenteil ohnehin nicht überzeugen können. Und den anderen war es egal, sie pochten auf die Risiken durch deutsche Kraftwerke, auf die Risse von Stade und die Leukämiefälle von Krümmel.

Ganze Politikergenerationen sind durch den Kampf gegen die Kernkraft sozialisiert worden. Es gehört in Deutschland einfach dazu. Der Ausstieg aus der Kernenergie, fünfundzwanzig Jahre nach dem Erwachen einer Volksbewegung vollzogen, schien logisch zu sein. Nach dem Motto: Wenn alle dafür sind, kann es ja nicht falsch sein. Wer daran zweifelte, dass Kernkraft nicht verantwortungslos und gefährlich sei, zweifelte lieber im Stillen. Sich gegen kollektive Bewegungen zu stemmen, ist immer mühsam.

Es gibt zweifelsohne gute Gründe, gegen Kernkraft zu sein. Atomreaktoren sind komplizierte Anlagen, Menschen machen Fehler. Das Risiko eines Unfalls besteht immer, mit erheblichen Folgen. Doch Risiko wird bekanntlich völlig subjektiv bewertet. Dass man sich ins Auto setzt, obwohl man dabei einen tödlichen Unfall riskieren könnte, ist eine persönliche Entscheidung. Wenn der Staat mit einem Kernkraftwerk seine Bürger einem tödlichen Risiko aussetzt, dann tolerieren es die meisten Menschen nicht – selbst wenn das Risiko zu sterben, um Größenordnungen geringer ist. Das ist legitim, aber nicht rational.

Die Irrationalität gewisser Argumente gegen die Kernkraft störte mich als Physikerin zunehmend. Zweifel daran, dass Atomkraftwerke aus Gründen der Sicherheit nicht vertretbar waren, kamen mir bei einer meiner ersten Zeitungsrecherchen. Für die Wochenzeitung *Die Zeit* war ich 1990 zum Kernkraftwerk Stade im Alten Land bei Hamburg gefahren, um das seit längerem heftig gestritten wurde. Gegner bezeichneten die Anlage, die damals mit knapp zwanzig Betriebsjahren eine der ältesten der Bundesrepublik war, als »Schrottreaktor« und versuchten, eine Stilllegung zu erzwingen, wobei sie auf die Unterstützung der neuen rot-grünen Landesregierung in Niedersachsen hofften. Der Betreiber PreussenElektra hielt dagegen, das Kraftwerk könne ohne Bedenken noch mindestens ein Jahrzehnt betrieben werden.

Bei dem Streit ging es um feine Haarrisse im Stahl des Reaktordruckbehälters und um die Zahl der Neutronen. Es war eine höchst akademische Diskussion mit zahlreichen Hypothesen und Vermutungen über die Langzeitversprödung von Stahl, über die Zahl der Neutronen und die Ausbreitung von Rissen. Gutachten um Gutachten wurden geschrieben, es war, als ob Gegner und Befürworter sich viele Runden Schattenboxen lieferten.

Niedersachsen hatte sein Stade, die rot-grüne Koalition in Berlin ihren Forschungsreaktor am Hahn-Meitner-Institut (HMI). Die grüne Umweltsenatorin Michaele Schreyer hatte einen Grund gefunden, dem Minireaktor die weitere Betriebsgenehmigung zu verweigern – wegen ein paar Kilogramm Abfall, von denen unklar war, wo man sie hinschaffen würde. Zuvor hatten Horrorszenarien einer möglichen radioaktiven Verseuchung Westberlins die Runde gemacht.

Der Forschungsreaktor BER II und Stade sind längst heruntergefahren, doch im Rückblick erscheinen die Gefechte, die um sie und viele andere Atomanlagen ausgetragen wurden, als haarspalterisch. Andererseits: Wer mochte schon für die Atomenergie auf die Straße gehen? Auch wenn die Verbissenheit der Gegner mehr von Ideologie als von seriösen Argumenten getragen zu sein schien – der Konsens war einfach zu breit, dass Kernkraftwerke zu gefährlich sind, um sie in Deutschland weiterzubetreiben.

Als die rot-grüne Koalition im Jahr 2000 den Ausstieg beschloss, konnte man zumindest argumentieren, dass damit die Zeit der gewalttätigen Anti-AKW-Auseinandersetzungen beendet war. Viele ahnten, dass es aus Gründen der Wirtschaftlichkeit nicht wirklich vernünftig war, Kernkraftwerke nach dreißig Jahren Laufzeit abzuschalten. Doch der Atomausstieg diente immerhin dem gesellschaftlichen Frieden, der bis heute andauert und nur gelegentlich von Protesten gegen die Castor-Transporte gestört wird.

Möglicherweise hätte man sich damit abgefunden, obwohl

es teilweise unberechtigt und ökonomisch irrational war, funktionierende Kernkraftwerke abzuschalten. Wäre da nicht der Klimawandel gewesen. Dass der Globus sich erwärmt, ist zwar keine neue Erkenntnis. Bereits Anfang der Neunzigerjahre warnten Klimaforscher vor den Folgen des ungezügelten Verbrennens fossiler Brennstoffe. Doch die Klimamodelle waren zunächst noch ungenau, die vorhergesagten Fieberkurven der Erde klafften auseinander, und es fehlte der Beweis, dass die Erwärmung, die bereits eingesetzt hatte, tatsächlich Menschenwerk war. Immer wieder erhoben sich die Stimmen von Klima-Dissidenten, welche die Erderwärmung als natürlich bedingte Warmzeit bezeichneten, die sich irgendwann wieder ins Gegenteil umkehren würde. Die Zweifel an einem menschengemachten Treibhauseffekt wurden vor allem von Politikern in den USA gierig aufgegriffen und sogar geschürt.

Bis die Hinweise sich verdichteten, dass hinter der Erderwärmung doch die Menschen mit ihrem Energiehunger steckten. Wirkungsvoller als die trockenen Zahlen und Modelle, die mit jährlich steigender Sicherheit die Klimakatastrophe vorhersagten, ist freilich die Realität: Der verheerende Wirbelsturm *Katrina*, der im Spätsommer 2005 eine Schneise der Verwüstung im Südosten der USA hinterließ, brachte ein ganzes Land zum Umdenken. *Katrina* war zugleich Folge und Vorbote der Energiewende: Mit großer Sicherheit sind die immer häufigeren Stürme bereits eine Konsequenz der aufgeheizten Erde. Und *Katrina* führte den Menschen in den USA plastisch vor Augen, wie abhängig sie vom Erdöl waren: Als plötzlich Ölplattformen und Raffinerien im Golf von Mexiko stilllagen, verdoppelte sich mancherorts der Benzinpreis.

Fast wie Schuppen fiel es vielen Menschen von den Augen, dass die Vertreibung aus dem Energieparadies begonnen hatte. Und zwar gleich zweifach. Dass die Vorräte an Öl und Gas irgendwann einmal knapp würden, war längst bekannt. Doch der Mensch ist ein Meister der Verdrängung, wenn es um seinen Lebensstandard geht. Inzwischen aber ist der Energiehunger der Schwellenländer nicht mehr übersehbar. Chinesen, Inder und Südamerikaner fordern jetzt den Wohlstand ein, der ihnen bislang verwehrt blieb. Die Preise für Öl und Gas steigen – und der Markt ist so angespannt, dass er singuläre Einbrüche wie die durch *Katrina* ausgelöste Knappheit in den USA nicht mehr ausgleichen kann. Der Wohlstand des Westens ist bedroht, weil Energie knapp wird. Und die gesamte Erde ohnehin, weil sie sich unaufhörlich erwärmt.

Die Energiefrage hat eine dramatische Wendung genommen. So schnell wie möglich muss sich die Menschheit vom Öl abnabeln und sich Alternativen zum Erdgas überlegen. Kohle, die noch reichlich vorhanden ist, darf in Zukunft nicht mehr verfeuert werden, wenn es nicht gelingt, das schädliche Kohlendioxid zurückzuhalten und zu lagern.

Womit aber den Energiehunger der Menschen stillen? Vor allem die Industrieländer, die bereits viele Reserven verprasst haben und einen großen Teil der Schuld am Klimawandel tragen, werden sparen müssen. Sonne, Wind, Wasser und Biomasse sind schier unerschöpfliche Energiequellen und werden in Zukunft mehr Strom und Wärme liefern müssen als bisher.

Doch reicht das aus? Ich fürchte nicht. Das legen zahlreiche Einschätzungen von Experten aus aller Welt nahe. Um die Temperaturerhöhung des Globus auf zwei Grad zu begrenzen – das ist die rote Linie, die nach Ansicht der Klimaforscher nicht überschritten werden sollte –, muss der Ausstoß an Kohlendioxid bis zum Jahr 2050 mindestens halbiert werden im Vergleich zu 1990. Das ist nach dem jetzigen Stand nicht zu schaffen, wenn nicht auch die Kernkraftwerke zumindest für eine Überbrückungszeit weiterlaufen. Insbesondere Deutschland, das sich sehr ehrgeizige Klimaziele gesetzt hat, kann diese nicht einhalten, wenn es am Atomausstieg festhält.

Warum wir vermutlich aus dem Ausstieg aussteigen müssen, soll dieses Buch erklären. Es will kein bedingungsloses Plädoyer für die Kernenergie sein, die durchaus schwerwiegende Nachteile hat. Auch diese werden auf den folgenden Seiten zur Sprache kommen. Es wäre genauso irrational, die Kernkraft nun zu beschönigen, so wie es irrational war, sie jahrzehntelang zu verteufeln. Wie vielen anderen Menschen, die als Kinder, Jugendliche oder Studenten eine Zeit der Angst vor der atomaren Verseuchung erlebt haben, fällt es mir nicht leicht, das Denkgerüst von damals umzuwerfen und ein neues aufzubauen. Doch im Lichte der drohenden Erderwärmung müssen manche Nachteile der Atomenergie neu bewertet werden.

Die ersten Kapitel beschreiben, wo wir heute stehen: Warum der Treibhauseffekt keine Marotte von ein paar Klimaforschern ist, und was die Welt erwartet, falls die Temperatur des Globus tatsächlich um drei, vier oder fünf Grad steigen sollte. Und warum es richtig ist, dass ein Bewusstseinswandel eingesetzt hat und Europa zumindest versucht, Vorreiter beim Klimaschutz zu sein. Es wird die Rede davon sein, wie sehr die Industrienationen am Öl hängen und wie davon auch die Weltpolitik beeinflusst wird.

Der zweite Teil des Buches zieht eine Bilanz für Deutschland: Wird es möglich sein, Kohle klimaschonend zu verbrennen, indem man das Kohlendioxid abscheidet und lagert? Können Windräder tatsächlich bereits im Jahr 2030 ein Siebtel des deutschen Strombedarfs decken? Lohnt es sich hierzulande, die Energie der Sonne anzuzapfen? Welches Potenzial steckt in der bislang wenig genutzten Biomasse? Und schließlich: Wie viel unseres Energiebedarfs können wir in den kommenden zehn, zwanzig Jahren einsparen?

Im dritten Teil des Buches geht es um die Kernenergie. Ich versuche zu erklären, warum gerade die Deutschen sich so sehr davor fürchten, und ob es tatsächlich weltweit eine Renaissance dieser Energiequelle gibt. Ein Kapitel handelt vom Risiko eines Unfalls, ein weiteres von den Schwierigkeiten, den atomaren Müll sicher unter der Erde zu lagern. Weitere Einwände gegen die Kernkraft betreffen die Verfügbarkeit des immer teurer werdenden Urans, die Kosten des Atomstroms sowie die »Proliferation«, die Verbreitung des strahlenden Materials, das für Bomben missbraucht werden kann. Sollten wir deshalb lieber Kraftwerke abschalten? Das beleuchten weitere Kapitel. Der letzte Abschnitt schließlich versucht, eine Kohlenstoffbilanz zu zeichnen: Wird es Deutschland gelingen, seine Klimaziele einzuhalten?

Ohne Kernkraft wohl nicht – lautet die Antwort im Schlusskapitel. Deutschland laviert, weil die große Koalition in der Atomfrage zutiefst gespalten ist. Doch es ist höchste Zeit, sich von ein paar hartnäckigen Mythen zu verabschieden und ehrliche Antworten auf die drängenden Fragen der Energiewende zu finden.

Ein Planet im Fieber

Klimaforscher müssen hartnäckige Zeitgenossen sein. Sie dürfen nicht müde werden, Botschaften zu wiederholen: immer und immer wieder die gleiche nervende und unpopuläre Aussage, dass wir Menschen die Erde aufheizen und geradewegs auf eine Katastrophe zusteuern.

Wer die Klimaforscher Hartmut Graßl und Hans Joachim (»John«) Schellnhuber kennt, weiß, dass sie ziemlich hartnäckig sein können. In Deutschland, aber auch weltweit, waren die beiden Mahner in den letzten knapp zwanzig Jahren nicht zu überhören, wenn man ihnen denn zuhören wollte. Weil sie beharrlich ihre Klimaprogramme verbesserten und konsequent auf die sich immer stärker abzeichnende Gefahr durch die Erderwärmung hinwiesen, ist auf ihre Aussagen Verlass. Sie wollten keine Marktschreier der Klimakatastrophe sein, aber Warner. Das macht sie so vertrauenswürdig.

Vielleicht hat ihre Beharrlichkeit ein wenig mit ihrer bayerischen Herkunft zu tun. Der Physiker Graßl stammt aus Berchtesgaden und war von 1988 bis 2005 Direktor am Hamburger Max-Planck-Institut für Meteorologie. Zwischendurch ging er nach Genf, wo er das höchstrangige Gremium der Klimaforscher, das International Panel on Climate Change (IPCC) der Vereinten Nationen leitete. Schellnhuber ist in einem kleinen Ort in der Nähe von Passau geboren und verbrachte seine Studenten- und Assistentenzeit in Regensburg. Am Institut für Theoretische Physik, wurde er zum Experten für statistische

Fragen – ein gutes Rüstzeug für die Klimamodelle, die von vielen unsicheren Faktoren abhängen. Schellnhuber ist seit 1993 Direktor des Potsdam-Instituts für Klimafolgenforschung, zwischendurch leitete er das Klimazentrum im englischen Tyndall und beriet die britische Regierung.

Graßl und Schellnhuber gehören zu den renommiertesten Klimawissenschaftlern weltweit, sie erforschen seit langem den menschengemachten Treibhauseffekt. Auch als der Klimawandel noch nicht ganz oben auf der Agenda der Politik stand, hat Hartmut Graßl mithilfe von immer raffinierteren Modellen untersucht, wie sich die Atmosphäre aufheizen wird. Schellnhuber hat als erster Forscher in Deutschland überhaupt die Folgen des Klimawandels untersucht: Wie schnell wird das Eis an den Polen schmelzen? Wird man in fünfzig Jahren in Norddeutschland noch Getreide anbauen können? Und was werden Dürren und Überschwemmungen die weltweite Volkswirtschaft kosten?

Zurzeit hat es den Anschein, als ob wir den Klimawandel gerade erst entdeckten: Mit Wucht dringt er in unser Bewusstsein ein, in Form des Wirbelsturms *Katrina*, der im Sommer 2005 weite Landstriche der Karibik und der USA verwüstete. Oder in Form der neuesten Daten der internationalen Gemeinde der Klimaforscher, die sich im IPCC, im Klimarat der Vereinten Nationen, zusammengeschlossen haben und alle paar Jahre Schrecken erregende Daten veröffentlichen. Zuletzt war das Anfang Februar 2007 der Fall – da warnten die Wissenschaftler, dass wenn die Menschheit weiterhin so fleißig fossile Brennstoffe verfeuern wird, die Atmosphäre sich bis Ende des Jahrhunderts um wahrscheinlich zwei bis drei, im schlimmsten Fall sogar um mehr als sechs Grad Celsius erwärmen könnte. Mit »sehr hoher Gewissheit« stecke der Mensch hinter den beobachteten Klimaveränderungen, heißt es im IPPC-Bericht. So sicher war sich die internationale wissenschaftliche Gemeinschaft bisher noch nie. Und dann riefen auch noch Meteorologen den Januar 2007 als wärmsten Januar seit zweihundert Jahren aus.

Die Hiobsbotschaften über den Fieberzustand der Erde mögen uns mit Wucht treffen, doch Klimaforscher haben sie längst prophezeit, und zwar schon seit über fünfzehn Jahren. Hartmut Graßl mag das Wort Klimakatastrophe übrigens nicht, denn schließlich, sagte er damals in einem Gespräch, das ich 1990 mit ihm in Hamburg führte, sei eine Katastrophe ein Ereignis, das über die Menschen hereinbreche. Die Klimatologen aber hätten vorhergesehen, dass sich das Klima weltweit durch menschliche Aktivität verändern werde – »ohne jeden Zweifel«, wie Graßl schon damals betonte. 1990 erschien auch der erste Bericht des UN-Klimarates, der fortan alle fünf bis sechs Jahre die neuesten Ergebnisse der Klimamodelle veröffentlicht hat, zuletzt eben im Februar 2007.

Im Jahr 1990 beugte Hartmut Graßl sich noch über lange Bögen von Endlosdruckerpapier voller Kurven. Es war damals mühselig, das Klima zu simulieren. Die Modelle waren noch nicht so ausgefeilt, und im Vergleich zu einem heutigen PC rechneten die mächtigen Großcomputer der Klimaforscher im Schneckentempo. Die Ergebnisse waren längst nicht so belastbar. Doch der technische Fortschritt und anderthalb Jahrzehnte Forschung haben Früchte getragen: Mehr als zwanzig Simulationen verschiedener Institute weltweit sind in den vierten Weltklimabericht eingeflossen. Die neuesten Modelle berechnen ziemlich genau die Zirkulation der Erdatmosphäre und die großräumigen Strömungen im Ozean. Und anders als ihre Vorläufer von vor anderthalb Jahrzehnten berücksichtigen sie auch »Rückkopplungseffekte« wie den Einfluss des Meereis in den Polarregionen und die Fähigkeit der Meere und Pflanzen, Kohlenstoff aufzunehmen.

Freilich sind auch heutige Modelle ziemlich grobkörnig, sie unterteilen die Atmosphäre in kleine Kästchen von 200 mal 200 Kilometern, was bedeutet, dass selbst große Wolkenfelder durch das Raster fallen. Doch die Klimaforscher vertrauen ihren Modellen. Denn sie werden an der Vergangenheit geeicht: In Probeläufen wird das Klima der letzten Jahrzehnte zurückgerechnet – nur Modelle, welche die Vergangenheit richtig vorhersagen, haben die Bewährungsprobe bestanden. Und jede Vorhersage beruht immer auf zahlreichen, ganz unterschiedlichen Modellen. Selbst der notorische Zweifler Richard Lindzen, Forscher am Massachusetts Institute of Technology und Einflüsterer der US-Regierung, hat inzwischen eingeräumt, dass die Erderwärmung auf die Zunahme des Kohlendioxids in der Atmosphäre zurückgeht. Früher hatte Lindzen CO_2 als »belangloses Spurengas« heruntergespielt.

Manche Forscher zweifeln noch immer daran, dass der Treibhauseffekt menschengemacht ist. An der Bundesanstalt für Geowissenschaften und Rohstoffe in Braunschweig etwa sind einige Wissenschaftler davon überzeugt, dass die Menschheit zwar zusätzliche Treibhausgase in die Atmosphäre emittiert, dass deren Menge jedoch zu gering ist, um im Vergleich zu natürlichen Faktoren wie Wasserdampf eine Wirkung zu entfalten. Andere glauben, dass die wechselnde Sonneneinstrahlung dazu führt, dass die Erde sich mal erwärmt, mal abkühlt. Doch die Zweifler sind Außenseiter, ihre Arbeiten werden von den seriösen Fachjournalen nicht veröffentlicht, weil ihre wissenschaftliche Grundlage dürftig ist. In Misskredit sind die Leugner des Klimawandels zudem geraten, weil gerade in den USA etliche Gruppen lange Zeit von der Erdölindustrie gefördert wurden. Auch die Regierung in Washington versuchte nach Aussagen von James Hansen von der Raumfahrtbehörde NASA Einfluss zu nehmen: Hansen war einer der Ersten, die sich mit dem Treibhauseffekt beschäftigten. Vor einigen Jahren kam heraus, dass die Pressestelle seines Instituts Anweisungen aus dem Weißen Haus erhalten hatte, seine Interviews zu kontrollieren.

Obwohl die Zweifler inzwischen leise geworden sind, mag Graßl dennoch nicht triumphieren. Dafür ist die Lage zu ernst. Zum ersten Mal haben er und seine Kollegen in einem UN-Klimabericht geschrieben, dass es keinen Zweifel mehr daran gibt, dass die Eingriffe des Menschen dem Planeten einheizen. Wir tun das, indem wir Öl, Kohle und Gas verfeuern, aber auch weil wir Wälder abholzen, die Kohlendioxid binden könnten. Im letzten Weltklimareport von 2001 waren die Klimatologen noch vorsichtiger gewesen und hatten den Menschen nur als »wahrscheinlichen Verantwortlichen« für die Erwärmung in der zweiten Hälfte des 20. Jahrhunderts benannt.

Der Grund für die drohende Überhitzung des Planeten liegt im Treibhauseffekt. Das Phänomen wird verursacht durch Gase in der Atmosphäre, die wie ein teildurchlässiger Spiegel wirken: Wasserdampf, Methan, Kohlendioxid reflektieren einen Teil der Sonnenstrahlen zurück zur Erde und bewirken damit – ähnlich wie die Glasscheiben eines Treibhauses –, dass die Wärme in den unteren Schichten der Atmosphäre gespeichert wird. Der Treibhauseffekt ist sogar lebensnotwendig, denn ohne ihn wäre unser Planet längst erfroren.

Was allerdings ein zu heftiger Treibhauseffekt bewirken kann, lässt sich an Venus beobachten. Die Oberfläche dieses Planeten ist zu heiß für jegliches Leben, weil sie sich durch einen starken Treibhauseffekt erhitzt hat. Das Schicksal von Venus dürfte der Erde nicht drohen, doch wir bewegen uns in Richtung eines sich verstärkenden Treibhauseffekts.

Die Fakten, die der neueste Report der Klimaforscher zusammenträgt, sind beeindruckend und zugleich erschreckend.

So viele Treibhausgase wie derzeit gab es in der Atmosphäre zuletzt vor mindestens 650 000 Jahren. Das heißt: *Homo sapiens* hat solche Verhältnisse in seiner Geschichte noch nicht erlebt. Zudem: Im 20. Jahrhundert stieg die Temperatur so schnell an wie seit 20 000 Jahren nicht mehr. Die Durchschnittstemperatur auf dem Globus, die jahrtausendelang bei 15 Grad Celsius lag, ist seit 1900 um rund 0,7 Grad angestiegen. Für das 21. Jahrhundert sagen die Forscher einen weiteren Anstieg um zwei bis viereinhalb Grad voraus, falls die Regierungen nicht gegensteuern, wobei eine Erhöhung um drei Grad am wahrscheinlichsten ist.

Zwei bis drei Grad, das hört sich nach wenig an, ist aber dramatisch. »Eine Riesenspanne« nennt Schellnhuber die Erwärmung. Denn die Temperaturdifferenz zwischen einer Eiszeit und einer Warmzeit beträgt etwa fünf Grad. Vor etwa 15 000 Jahren ging die letzte Eiszeit zu Ende. Damals erwärmte sich das Klima um etwa fünf Grad – allerdings über den Zeitraum von 5000 Jahren. Pflanzen und Tiere hatten also Zeit, sich der Temperaturkurve anzupassen. Das wäre jetzt anders, zumal die menschengemachte Erwärmung zu der derzeit ohnehin stattfindenden Erwärmung des Globus praktisch noch hinzukäme.

Wenn sich in diesem Jahrhundert, warnt Schellnhuber, die Atmosphäre um deutlich mehr als zwei Grad Celsius erwärmt, dann würden wir in der vergleichsweise kurzen Zeit von hundert Jahren eine stärkere Aufheizung des Planeten erfahren als jemals Lebewesen in den vergangenen zwanzig Millionen Jahren.

Zweifler weisen gerne darauf hin, dass ein bisschen mehr Hitze Europa kaum schaden wird. Wer hätte schon etwas dagegen, wenn verregnete deutsche Sommer endlich richtige Sommer würden und in Bayern Palmen wüchsen? Tatsächlich sind die Auswirkungen auf einzelne Regionen noch schwer abzuschätzen, dafür sind die Klimamodelle zu ungenau. Nach all dem was man weiß, dürften auch die Folgen für Mitteleuropa nicht die schlimmsten sein. Schreckensszenarien wie der »Kölner Dom unter Wasser«, mit dem *Der Spiegel* seine Ausgabe vom 11. August 1986 titelte, sind tatsächlich übertrieben.

Doch global gesehen ist der Wandel, der sich ankündigt, dramatisch. Sollte die Erde sich im Mittel um drei Grad erwärmen, sind drei große Umwälzungen zu erwarten. Die erste betrifft das ewige Eis der Erde, das so ewig nun nicht mehr ist. Die ersten Anzeichen eines Eisschwunds sind bereits deutlich in den Alpen und anderen Gebirgen zu sehen. Ob in Österreich, Neuseeland oder am Kilimandscharo in Tansania: Die Gletscher schrumpfen.

Im Vernagttal, einem Seitental des Ötztals, haben Forscher seit Mitte des 19. Jahrhunderts die Größe des Vernagtferners beobachtet. Damals hatte sich diese Eismasse weit vorgewagt und im Sommer den Bergbach im Tal anschwellen lassen, mit verheerenden Überschwemmungen. Heute studiert der Glaziologe Ludwig Braun von der Bayerischen Akademie der Wissenschaften den Vernagtgletscher. Er bietet den Wanderern ein trauriges Bild. Bis auf 2700 Meter muss man im Sommer hinaufsteigen, um zu den Eismassen zu gelangen, überall fließen Bäche mit Schmelzwasser. Der Gletscher hat zwei Drittel seiner Fläche eingebüßt. Braun zufolge ist der rasche Schwund auch darauf zurückzuführen, dass sich die Alpen in den letzten hundert Jahren besonders stark erwärmt haben. Denn früher reichten die Gletscher bis weit in die Täler hinunter und kühlten lokal die Luft. Je weniger Eismassen es gibt, umso rascher werden die Gletscher schrumpfen. In hundert Jahren, prophezeit Ludwig Braun, wird der Vernagtferner verschwunden sein.

Nur wenige Kilometer Luftlinie vom Vernagtferner entfernt hat übrigens im September 1991 ein weltweit beachteter Fund den Klimawandel dokumentiert: Nahe des Hauslabjochs fanden Wanderer »Ötzi«, eine 5300 Jahre alte Leiche. Ohne Erwärmung würde der Gletschermann heute noch verborgen unter dem Eis liegen. Der Gletscherschwund ist nicht auf nördliche Breiten begrenzt: Auch die Eiskappe auf dem Kilimandscharo schrumpft unaufhaltsam. Wenn der derzeitige Trend anhält, dürfte sie bis zum Jahr 2020 vollständig verschwunden sein.

Gefährlicher noch als das Schmelzen der Eismassen auf den Kontinenten ist wohl der Schwund des Eises nahe den Polen. Wenn die Erde sich weiter erwärmt, dann könnte langfristig das Grönlandeis völlig und das Eis der Antarktis zum Teil wegschmelzen. Beide binden enorme Wassermengen: Im Grönlandeis sind umgerechnet sieben Meter Meeresspiegel gespeichert, im antarktischen Eisschild sogar 56 Meter. Natürlich schmelzen diese Eispanzer nicht binnen Jahrzehnten dahin, und das Meer wird nicht um 63 Meter ansteigen. Zwischen 1,9 und 3,8 Meter, so die Vorhersagen, wird sich der Wasserspiegel an den Küsten bis zum Jahr 2300 heben, wenn die Atmosphäre um drei Grad Celsius wärmer wird. Weitere vierzig Zentimeter kämen durch das Gletscherwasser hinzu. Schließlich gibt es einen dritten Faktor: Meerwasser dehnt sich aus, wenn es wärmer wird. Im 20. Jahrhundert ist der Meeresspiegel im Durchschnitt bereits zwischen fünfzehn und zwanzig Zentimeter gestiegen. Alles in allem, so die Schätzungen, würde der Meeresspiegel in knapp zweihundert Jahren um mindestens 2,7 Meter steigen, im schlimmsten Fall um 5,1 Meter. Das ist ziemlich viel. Inseln in der Südsee lägen unter Wasser, alle Küstenzonen müssten evakuiert werden. John Schellnhuber sagt sogar: »Die menschliche Zivilisation müsste neu erfunden werden.«

Die zweite große Umwälzung betrifft das Leben in den

Meeren. Normalerweise sinken riesige Wassermassen im europäischen Nordmeer und in der Labradorsee in die Tiefe und ziehen, ähnlich wie in einem Badewannenabfluss, warmes Wasser vom Süden in Richtung Norden. Das Wasser im Atlantik wird also umgewälzt, in der Fachsprache bezeichnet man die Bewegung, zu der auch der Golfstrom gehört, als Nordatlantikstrom. Ähnliche Umwälzbewegungen gibt es in fast allen Meeren. Wenn der Globus wärmer wird, dann wird die Nordatlantikpumpe durch verschiedene Effekte geschwächt. Das Klima könnte plötzlich kippen – Physiker nennen das eine »Instabilität« –, und die Nordhalbkugel würde sich ziemlich rasch abkühlen. Zwar wären die Folgen nicht so dramatisch wie im Hollywood-Thriller *The Day After Tomorrow*, der arktische Kälte über New York hereinbrechen lässt. Dennoch muss man mit erheblichen Konsequenzen rechnen: Die Nordhalbkugel würde sich um mehrere Grad abkühlen, die Südhalbkugel sich umso stärker erwärmen.

Auch ohne Kippen des Klimas muss das Leben sich umstellen: Weil ohne ausreichend starke Nordatlantikpumpe nährstoffreiches Wasser nicht mehr aus den Tiefen nach oben gespült würde, wären die Fischgründe weniger ertragreich. Und da zu allem Überfluss die Ozeane versauerten, weil immer mehr CO_2 aus der Atmosphäre im Wasser gebunden würde, müsste sich auch das gesamte Leben im Meer umstellen. Vor allem empfindliche Ökosysteme wie die Korallenriffe könnten unter diesen Bedingungen nicht überleben. Zudem käme das gesamte Wettergeschehen durcheinander. Die Atmosphäre wäre stärker als bisher mit Wasserdampf und Energie geladen, die Stürme würden heftiger.

Die bisherigen Vorboten lassen wenig Gutes ahnen. Seit Beginn der Aufzeichnungen im Jahr 1851 hat es im Nordatlantik noch nie so viele und so heftige tropische Stürme gegeben wie im Jahr 2005. Der Wirbelsturm *Katrina* war nur der traurige Höhepunkt einer ganzen Kette, die sich mit den Stürmen *Wilma*, *Vince* und *Delta* fortsetzte. Global gesehen würden sich zudem die Niederschlagskontraste verschärfen: Wo es wenig regnet, würde es noch weniger regnen und umgekehrt – die Ausbreitung der Wüsten wäre nur eine der denkbaren Folgen. Möglicherweise müssten wir wegen des größeren Temperaturunterschiedes von Land und Meer auch in Europa mit einem weltweiten Monsuneffekt rechnen, prophezeien die Klimaforscher.

Das kann nicht ohne Folgen bleiben. Auch die Eiszeiten haben die Wälder in Nord- und Mitteleuropa zurückgedrängt, die Tundra breitete sich aus. Doch es war ein langsamer Prozess, an den sich Tiere und Pflanzen allmählich anpassen konnten. Im Vergleich dazu käme der Klimawandel jetzt mit geradezu atemberaubender Geschwindigkeit über uns. Wenn es schnell wärmer werden sollte, würden vor allem die Pflanzen in den alpinen Regionen darunter leiden. Im Mittelmeerraum würden sich Insekten ausbreiten, Malaria könnte schon in Spanien die Menschen befallen. Bauern müssten mit zunehmender Dürre rechnen, die Erträge der Felder würden rapide zurückgehen.

Dürren und Hungersnöte, Überflutungen und Obdachlosigkeit – der Menschheit drohen dramatische Umwälzungen. In Europa mögen sie noch gering ausfallen, doch wenn immer mehr Flüchtlinge aus Afrika nach Norden drängen, wird auch Europa nicht mehr die Augen verschließen können.

Was können wir überhaupt noch tun? Klimaforscher sind zumindest zuversichtlich, dass die schlimmsten Schäden vermeidbar sind. Vorausgesetzt, der Globus erwärmt sich nicht zu sehr. Die Temperaturerhöhung müsste auf etwa zwei Grad Celsius begrenzt werden, um das Schlimmste zu verhindern. Zwei

Grad – das ist keine absolute Grenze, sie beruht auf Abschätzungen. Doch jenseits dieser Grenze, warnt Schellnhuber, werden die Folgen »zunehmend unbeherrschbar«. Rückgängig machen lässt sich der Klimawandel nicht mehr, denn das Klima ist wie ein schwerfälliger Tanker, der nur langsam umgesteuert werden kann. Die Treibhausgase, die jetzt in der Atmosphäre sind, lassen sich nicht mehr entfernen. Es kann nur darum gehen, die Erwärmung nicht außer Kontrolle geraten zu lassen.

Die Welt hat immerhin gehandelt. Zum einen unterstützen die meisten Mitglieder der Vereinten Nationen die Klimarahmenkonvention (United Nations Framework Convention on Climate Change, UNFCCC), die 1992 in New York City verabschiedet und im gleichen Jahr auf der Konferenz der Vereinten Nationen über Umwelt und Entwicklung (UNCED) in Rio de Janeiro von den meisten Staaten unterschrieben wurde. Konkrete Maßnahmen werden jetzt mit dem Kyoto-Protokoll, einem 1997 beschlossenen Zusatzprotokoll zur Ausgestaltung der Klimarahmenkonvention umgesetzt. Zum anderen sieht sich die Europäische Union als Vorreiter beim Klimaschutz, sie will noch strengere Klimaziele erreichen. Beim Gipfel im März 2007 beschlossen die EU-Mitglieder, in den nächsten dreizehn Jahren den Ausstoß der schädlichen Treibhausgase im Alleingang um 20 Prozent zu reduzieren. Machen andere Nationen mit, sollen die Einsparungen sogar 30 Prozent betragen. Wer wie viel Kohlendioxid einsparen muss, ist aber noch nicht entschieden, das wird in Brüssel noch ausgelotet werden müssen.

Das Kyoto-Protokoll (benannt nach dem Konferenzort Kyoto in Japan) ist bisher das einzige internationale Abkommen, das die Verringerung von Treibhausgasen vorschreibt. Allerdings ist es erst im Februar 2005 in Kraft getreten. Es war nämlich vereinbart worden, dass 55 Vertragsstaaten, die zusammengenommen für 55 Prozent der weltweiten Emissionen von

Treibhausgasen verantwortlich waren, es ratifizieren müssten. Erst als die russische Duma den Vertrag am 16. Februar 2005 ratifiziert hatte (Präsident Wladimir Putin hatte zuvor unterschrieben) waren die Bedingungen erfüllt. Das hätte früher erfolgen können, wenn die großen Verursacher von Treibhausgasen, die USA und Australien, mitgemacht hätten. US-Präsident Bill Clinton hat das Protokoll zwar unterzeichnet, der Kongress wollte es jedoch nicht ratifizieren. Auch Australien hat sich bisher geweigert. Die zunehmende Dürre im Land könnte die Regierung in Melbourne aber zum Umdenken zwingen.

Das Kyoto-Protokoll, das für die Zeit zwischen 2008 und 2012 gilt, umfasst *alle* Treibhausgase, auch Methan, Lachgase und Kohlenwasserstoffe – und einige dieser Gase sind weitaus klimaschädlicher als Kohlendioxid. Methan zum Beispiel, das im Wesentlichen in den Mägen der Kühe entsteht, ist ein zwanzig- bis dreißigmal wirkungsvolleres Treibhausgas als CO_2. Wo viele Kühe auf der Weide stehen wie in der Schweiz, trägt Methan sogar mehr zum Treibhauseffekt bei, als was aus den Auspuffen der Autos oder den Schornsteinen der Kohlekraftwerke entweicht. Weltweit verursacht CO_2 knapp zwei Drittel des menschengemachten Treibhauseffekts, der Rest geht auf andere Gase zurück. Sie werden im Kyoto-Protokoll in CO_2-Äquivalente umgerechnet.

Das Protokoll schreibt vor, dass der Ausstoß von klimaschädlichen Gasen bis 2012 um durchschnittlich 5,2 Prozent unter das Niveau von 1990 sinken muss. Allerdings müssen sich nicht alle gleich anstrengen, im japanischen Tagungsort wurden damals sehr verschiedene nationale Ziele ausgehandelt. So sollten die USA ihre Emissionen um sieben Prozent drosseln, in Russland dürfen sie gleich bleiben, in der EU müssen sie um acht Prozent sinken. Auch innerhalb der EU sind die Schwankungen enorm: Deutschland muss mit einem Minus von

21 Prozent zur Erfüllung des Kyoto-Protokolls beitragen, Großbritannien mit 12,5 Prozent. Spanien und Portugal dürfen dagegen sogar ein Fünftel mehr Treibhausgase als 1990 ausstoßen.

Wie die Staaten ihre Ziele erreichen, bleibt ihnen freigestellt. Sie können entweder ihre Kohlekraftwerke abschalten und den Strom durch CO_2-arme Techniken erzeugen oder ihre Bürger zwingen, Energie zu sparen. Beides wäre vernünftig, allerdings auch schwer umzusetzen.

Deshalb sind in Kyoto ein paar »flexible Mechanismen« erfunden worden, sozusagen als Hilfestellungen für die Regierungen. Erstens dürfen Staaten untereinander handeln. Wenn Deutschland etwa weniger CO_2 einsparen will, Dänemark dafür mehr, dann kann Berlin Verschmutzungsrechte von Kopenhagen kaufen. Manche Länder wie Großbritannien haben mehr CO_2 eingespart als vorgesehen, weil sie weniger mit Kohle und zunehmend mit Erdgas heizen und Strom erzeugen. London kann deshalb Rechte an Klimasünder verkaufen, das ist das Prinzip des Emissionshandels.

Um ihre Ziele zu erreichen, dürfen zudem Staaten zusammenarbeiten. Das gilt für Industrieländer, die unter dem Schlagwort »Joint Implementation« partnerschaftliche Projekte verfolgen. Zum Beispiel kann Deutschland ein Kohlekraftwerk abschalten und dafür eine Solaranlage in Spanien finanzieren, wo Sonnenstrom weitaus rentabler ist. Damit soll vor allem osteuropäischen Ländern geholfen werden, ihre Ziele zu erreichen. Industrienationen können auch mit Entwicklungsländern kooperieren – was als »Clean Development Mechanism« bezeichnet wird. Denn für das Klima spielt es schließlich keine Rolle, wo Treibhausgase entstehen, die Atmosphäre heizt sich ohnehin auf. Wenn Deutschland in Afrika Solaranlagen finanziert, dann kann es sich das auf seine eigenen Emissionen anrechnen lassen – und darüber hinaus Entwicklungsländern Technik zur Verfügung stellen.

Während die Wirtschaft warnt, dass es zu viel Geld kostet, die Ziele zu erreichen, finden Umweltschützer und Klimaexperten, dass das Kyoto-Protokoll nicht weit genug geht. Denn insgesamt müssen die Emissionen bis zum Jahr 2050 gegenüber 1990 halbiert werden, will man die Erwärmung auf unter zwei Grad Celsius begrenzen. Davon ist man weit entfernt, denn die Vertragspartner haben sich ja bis 2012 auf eine Verringerung von nur fünf Prozent geeinigt. Weil in vielen Entwicklungsländern die Wirtschaft wächst, könnte dieses Ziel grandios verfehlt werden. Zudem sind viele Länder eher zögerlich bei der Umsetzung der Kyoto-Ziele.

Deutschland hat inzwischen 17 von 21 Prozent geschafft – doch nicht wegen ehrgeiziger Klimaschutzprogramme, sondern weil die Wirtschaft der früheren DDR mit ihren CO_2-Schleudern zusammengebrochen ist. Andere osteuropäische Länder haben in ähnlicher Weise vom Abschalten veralteter Industrieanlagen profitiert. In Deutschland sind in den letzten fünf Jahren die Emissionen überhaupt nicht mehr gesunken, im Jahr 2006 sind sie sogar um 0,6 Prozent gestiegen. Das ist umso peinlicher, weil die Bundesregierung sich eigentlich ein noch ehrgeizigeres Ziel als das von Kyoto gesetzt hatte: Bis 2005 sollte nämlich der CO-Ausstoß um 25 Prozent sinken.

Auch andere europäische Länder stehen schlecht da: Spanien, das zwar 15 Prozent mehr CO_2 in die Atmosphäre pusten darf, musste bereits eine Steigerung von über 40 Prozent melden, weil die Wirtschaft stark gewachsen ist und weil fast eine Million Flüchtlinge aus Afrika in den letzten paar Jahren ins Land gekommen sind. Die meisten EU-Staaten dürften ihre Ziele nicht schaffen – obwohl diese teilweise schöngerechnet wurden. So werden Wälder als CO_2-Senken großzügig angerechnet. Vor ein paar Jahren hatten Forscher ermittelt, dass in den USA mehr Kohlendioxid durch Bäume gebunden wird, als aus den Schornsteinen und Auspuffen entweicht. Die Rechnung erwies sich als falsch, doch sie zeigt, dass es durchaus Möglichkeiten zum Tricksen gibt. Ohnehin haben die Klimasünder keine Strafen zu befürchten, das Protokoll enthält keine Sanktionsmechanismen.

Sorgen machen den Klimaschützern auch die Boomländer China und Indien. Sie haben das Kyoto-Protokoll zwar unterzeichnet, doch sie sind bei den Verhandlungen im Jahr 1997 verschont geblieben, weil ihr Pro-Kopf-Ausstoß damals so niedrig lag. Darum müssen sie ihre Treibhausgase nicht reduzieren. Doch Indiens Wirtschaft ist in den letzten Jahren rasant gewachsen, und China zählt nun schon seit geraumer Zeit zu den *global players*. Ende 2006 hat China die USA überholt und ist inzwischen der weltweit größte Produzent an Treibhausgasen. Schätzungen zufolge werde Indien und China ihren CO_2-Ausstoß bis 2025 gegenüber 1990 verdreifachen.

Die größte Ungerechtigkeit aber liegt wohl in der Weigerung der USA, das Kyoto-Protokoll umzusetzen. Jeder Amerikaner verbraucht jährlich 26 Barrel Öl und verursacht 24,6 Tonnen CO_2. Ein Chinese dagegen kommt nur auf 1,7 Barrel Öl und 4,2 Tonnen CO_2. Der Verbrauch der Europäer liegt dazwischen. Deshalb wäre es wichtig, Amerika in die Pflicht zu nehmen. Doch lange Zeit konnten die Leugner des Klimawandels das große Wort schwingen. Etliche Forscher bezweifelten, dass es einen menschengemachten Treibhauseffekt überhaupt gibt. Die Regierung Bush hörte das gern und behinderte sogar Forschung, die sich mit den negativen Folgen des Klimawandels auseinandersetzt. Immerhin gibt es eine gute Botschaft. Langsam dreht sich das Blatt im Land der spritfressenden Geländewagen und stromschluckenden Klimaanlagen. Vielleicht wird man einmal, im Rückblick, das Jahr 2005 als den Durchbruch erkennen: Nach dem verheerenden Wirbelsturm *Katrina* haben viele Amerikaner ihre Meinung geändert. Die Regierung hat erstmals eingeräumt, dass es einen Klimawandel geben könnte, und inzwischen wird diese Ansicht selbst von George W. Bushs konservativer Wählerschaft, den evangelikalen Christen, unterstützt, und Umweltkatastrophen wie *Katrina* und die immer heftiger wütenden Waldbrände im Südwesten der USA werden als Vorboten des Klimawandels gedeutet. Und der Film des früheren US-Vizepräsidenten Al Gore über die globale Erwärmung, *Eine unbequeme Wahrheit*, wurde sogar zum Kassenschlager und mit zwei Oscar ausgezeichnet.

Dass die Regierung Bush ihrem Sinneswandel Taten folgen lässt und auf konkrete Klimaziele eingeht, ist jedoch unwahrscheinlich. Immerhin zeigte Bush beim G-8-Gipfel in Heiligendamm guten Willen und unterzeichnete die Abschlussvereinbarung. Demnach verpflichten sich Industrienationen, ihre Emissionen zu senken. Man wird sehen, wie stark der gute Wille ist. Allerdings wird in den USA im November 2008 ein neuer Präsident gewählt – und auf ihn setzen viele ihre Hoffnung. Inzwischen sieht John Schellnhuber gute Chancen, dass Washington nach der Wahl umschwenken wird: Die USA werden wahrscheinlich nicht dem Kyoto-Protokoll beitreten, aber sie könnten sich vergleichbare Ziele setzen.

Zweifellos aber werden auch die Kyoto-Vertragspartner handeln müssen. »Post-Kyoto« heißt die beschwörende Formel. Gemeint ist der Vertrag, der nach 2012 in Kraft treten muss, der zweite Baustein in einer langen Kette drängender Maßnahmen. Dann wird man vor allem die Schwellenländer Indien und China auf Ziele verpflichten müssen, was einfacher wäre, wenn auch die USA mit von der Partie wären.

Doch die Schwellenländer dürften sich erst einmal wehren.

Zu Recht. Denn erstens gibt es keinen Grund, dass ein Amerikaner oder ein Deutscher die Atmosphäre mehr verschmutzen darf als ein Chinese oder Nigerianer. CO_2 wirkt schließlich immer klimaschädlich, gleichgültig wo es entsteht. Zweitens waren es die Industrienationen, die in den letzten Jahrzehnten der Atmosphäre eingeheizt und damit ein Experiment mit ungewissem Ausgang begonnen haben. Aus Gründen der Gerechtigkeit müssen deshalb die reichen Länder weitaus mehr für den Klimaschutz tun als die ärmeren. Die Industrienationen werden den Entwicklungsländern helfen müssen, Klimaziele zu erreichen, zum Beispiel durch technische Unterstützung, aber auch indem sie Vorbild sind – was übrigens von Vorteil für die Industrie sein wird: Wer jetzt investiert und Umwelt- und Energietechnik entwickelt, hat später den Vorteil, seine Technologie an die großen Zukunftsmärkte in China oder Indien liefern zu können.

Fest steht: Die Welt muss bald handeln. 2007 und 2008 werden entscheidende Jahre sein, denn dann werden die Nationen auf die Probe gestellt werden, ob sie es ernst meinen. Im November 2007 werden die Kyoto-Vertragsstaaten zu einer Konferenz in Indonesien zusammenkommen. Dann wird sich herausstellen, ob die Industrieländer sich auf einen Nachfolgevertrag zum Kyoto-Protokoll einigen können. Die Weichen werden aber nicht nur von der Politik, sondern auch von den Energieversorgern in den nächsten Jahren gestellt. Viele Kraftwerke in Deutschland sind dreißig bis vierzig Jahre alt und müssen erneuert werden. Die wichtigsten Investitionen in die Modernisierung des Kraftwerkparks stehen spätestens in den nächsten fünf bis zehn Jahren an.

CO_2 lässt sich auf vielfältige Weise einsparen. Doch die besten Ideen und Vorsätze, auch die ausgefeiltesten Verträge, taugen letztlich wenig, wenn sie nicht umgesetzt werden. Regierungen können Klimaprotokolle unterschreiben, sie können und müssen Rahmenbedingungen setzen. Handeln aber müssen die Verschmutzer, die Unternehmen und die Bürger. Viele mögen sich überfordert fühlen oder resignieren angesichts der gewaltigen Aufgabe, bei der ein Einzelner kaum etwas ausrichten kann. Schellnhuber setzt deshalb auf »eine Koalition der Freiwilligen«, ein Bündnis aus Umweltverbänden, Regionen, Kommunen und Unternehmern. Dieses Bündnis könnte genügend kritisches Potenzial entfalten, um tatsächlich etwas zu bewirken.

Aber wer soll den Klimaschutz bezahlen? Erneuerbare Energien sind teuer, Kohlekraftwerke, die das CO_2 herausfiltern ebenso – die Kosten für die Volkswirtschaft gehen in die Billionen Euro. Über die Kosten, die auf uns zukommen könnten, hat es viele Schätzungen gegeben. Doch keine hat eine so anhaltende Reaktion provoziert wie die Untersuchung des britischen Ökonomen Nicholas Stern. Das mag daran liegen, dass der britische Premier Tony Blair, der die Studie von Stern in Auftrag gegeben hatte, diese auch geschickt vermarkten ließ. Doch Stern ist immerhin Professor der berühmten London School of Economics und Berater der britischen Regierung. Zuvor war er Chefökonom der Weltbank, der Mann genießt also Vertrauen. Und seine Botschaft macht Hoffnung.

Laut Stern, der im Oktober 2006 den 650 Seiten starken Bericht über die Kosten des Klimawandels vorlegte, muss die Konzentration an Treibhausgasen in der Atmosphäre unter 550 ppm gehalten werden, um schwerwiegende Folgen für die Weltwirtschaft zu vermeiden. Ppm steht für parts per million, es handelt sich also um Tausendstel Prozent. Zum Vergleich: Zu Beginn der Industrialisierung betrug der Wert 280 ppm, heute sind es 430 ppm – und jährlich wächst der Wert um 2 ppm. Falls es gelingt, die Treibhausgase auf 550 ppm zu begrenzen, dann wird sich der Globus um zwei bis drei Grad Celsius erwärmen – das Maximum dessen, was Klimaforscher für gerade noch erträglich halten.

Einige wie Schellnhuber plädieren sogar für strengere Ziele, weil sie die Zwei-Grad-Grenze erreichen wollen: Aus Gründen der Statistik sind die vorhergesagten Temperaturen immer mit einer Unsicherheit behaftet. Wenn man 550 ppm als Limit erlaube, sagt der Physiker, dann ließe die Menschheit es immer noch mit einer Wahrscheinlichkeit von 90 Prozent zu, dass sich die Erdtemperatur um mehr als zwei Grad erwärmt. Das wäre schon sehr bedenklich. Deshalb will Schellnhuber die Forderung von Nicholas Stern verschärfen und als Obergrenze höchstens 450 ppm vorschreiben. Dann nämlich würden wir mit einer Wahrscheinlichkeit von 50 Prozent die Erwärmung auf zwei Grad begrenzen. Auch das ist nicht gerade beruhigend. Im Grunde müsste man Schellnhuber zufolge die Emissionen langfristig unter 400 ppm drücken, um ganz sicher zu sein, dass wir die Zwei-Grad-Linie halten.

Das wäre also mehr als das Ziel von Stern – und schon das ist ambitioniert. Erreichen lässt es sich, so schätzt der britische Ökonom, wenn der Anstieg des Ausstoßes von Kohlendioxid und anderen Treibhausgasen bis 2020 gestoppt wird und danach die Emissionen um etwa zwei Prozent jährlich sinken. Das aber kostet Geld: ein Prozent des weltweiten Bruttoinlandsprodukts, schätzt Stern. Nicholas Stern stützt sich auf Modellrechnungen, die Wissenschaftler am Potsdam-Institut für Klimafolgenforschung im Rahmen eines internationalen Vergleichsprojekts gemacht haben. Demnach sind frühere, zumeist amerikanische Studien über die Kosten des Klimaschutzes meist von falschen Prämissen ausgegangen. Sie haben den technischen Fortschritt bei der Nutzung klimafreundlicher Energiequellen kaum berücksichtigt und dadurch viel zu hohe

Kosten geschätzt. Den Ergebnissen aus Potsdam zufolge kostet selbst das Halten der Zwei-Grad-Linie sogar weniger als ein Prozent der globalen Wirtschaftsleistung.

Sollte aber die Menschheit so weitermachen wie bisher, dann könnte das mindestens zehnmal teurer sein, im schlimmsten Fall sogar zwanzigmal. Dann würden die Kosten mit fast einem Fünftel des Bruttoinlandsproduktes zu Buche schlagen, es würde eine Rezession wie zur Zeit der Weltwirtschaftskrise in den Dreißigerjahren drohen, warnt Stern. Niemand könne die Folgen des Klimawandels mit Sicherheit vorhersagen, schreibt Stern bescheiden in seiner Zusammenfassung. Doch man wisse genug, um sich der Risiken bewusst zu sein. Stern jedenfalls findet, dass sich die Investitionen lohnen, um größere Schäden zu vermeiden. Er plädiert dafür, einen Preis für die Emission jedes Gramms Kohlendioxid festzulegen. Mehr noch: Den Klimawandel zu bekämpfen könne sogar das Wachstum ankurbeln, etwa indem neue Märkte für kohlenstoffarme Technologien entstehen.

Ist die Menschheit bereit zu handeln? Zwei Jahrzehnte sind vergangen, seitdem Klimaforscher weltweit erstmals ihre Stimme erhoben haben. Es scheint eine Ewigkeit her zu sein, dass Hartmut Graßl und seine Kollegen den ersten internationalen Klimabericht der Welt als Mahnung vorlegten. Unermüdlich haben sie ihre Warnungen wiederholt, heute ist Graßl der Meinung, dass »die Politik die zum Teil schon recht gut untermauerten und bewerteten Aussagen der Klimaforscher mindestens so ernst nehmen sollte wie die Prognosen der Wirtschaftsentwicklung durch Wirtschaftswissenschaftler«. Das gewohnte Gesicht unserer Erde wird nach Graßls Überzeugung bei ungebremster globaler Erwärmung nicht so bleiben, wie wir es kennen. Wahrscheinlich wird es hässlicher, im schlimmsten Fall sogar entstellt sein.

Wissenschaftler haben durch jahrelange Warnungen die Festung sturmreif geschossen, glaubt Schellnhuber. Der Ökonom Stern hat die letzten Mauern niedergerissen, indem er – aufbauend auf den wissenschaftlichen Fakten – die wirtschaftlichen Folgen abgeschätzt hat. Und in der Politik zählen nun einmal vor allem ökonomische Argumente. Das aber heißt: Jetzt gibt es keine Ausreden mehr.

Das neue Bewusstsein

Amerikas Präsident war zutiefst besorgt. Der Ölpreis hatte ein neues Rekordhoch erreicht. In seiner »State of the Union Address«, dem traditionellen jährlichen Bericht an die Nation, warnte er vor den Gefahren, die den Vereinigten Staaten drohten. Zugleich hegte er »den tiefen Glauben an Amerikas Fähigkeit, sich von Erdölimporten unabhängiger zu machen«. Insbesondere kündigte der Präsident an, dass das Weiße Haus Maßnahmen unterstützen wolle, um Öl effizienter zu nutzen, zum Beispiel durch sparsamere Autos.

Der Präsident hieß Gerald Ford, man schrieb das Jahr 1975. Der frühere Vizepräsident hatte 1974 das höchste Amt der USA übernommen, nachdem Richard Nixon wegen der Watergate-Affäre zurücktreten musste. Ford sorgte sich um Amerikas Abhängigkeit von den Golfstaaten. Nach dem Yom-Kippur-Krieg hatte die OPEC, die Organisation erdölexportierender Länder, beschlossen, so lange weniger Öl zu fördern, bis Israel aus den besetzten Gebieten wieder abgezogen war. Außerdem hoben die arabischen Länder den Ölpreis kräftig an und verhängten einen Lieferstopp gegen die USA. Am 17. Oktober 1973 stieg infolge des Embargos der Preis für ein Barrel Rohöl von 3 auf über 5 Dollar, 1974 kostete ein Barrel bereits 12 Dollar.

Die erste Ölkrise führte den Industrienationen schmerzlich vor Augen, wie sehr sie von den Ölstaaten abhingen. Das bis dahin ungebremste Wirtschaftswachstum schwächte sich dramatisch ab. Deutschland musste 1974 für seine Ölimporte

17 Milliarden Mark mehr zahlen als im Vorjahr. Unsere Eltern kräuselten sorgenvoll die Stirn und sprachen von einer »Konjunkturkrise«. Väter fuhren kilometerweit, um den Liter Benzin für 49 Pfennige zu tanken. Wir Kinder freuten uns über autofreie Sonntage, an denen wir mit Rollschuhen die Straßen eroberten.

Drei Jahrzehnte später, im Januar 2006, sorgte sich erneut ein Präsident in Washington um die Energieversorgung seines Landes. Die Nation sei regelrecht süchtig nach Öl, sagte George W. Bush. Angesichts der instabilen Lage im Nahen Osten brauche Amerika eine Entziehungskur. Biodiesel, sparsame Hybridautos und Solarstrom sollen nun Amerikas Abhängigkeit von fossilen Brennstoffen lindern.

Die erste Ölkrise schreckte die Welt auf, allerdings nur vorübergehend. Amerika entwarf sparsamere Autos und baute keine Ölkraftwerke mehr. Doch, wie sich Robert Hormats, damals Wirtschaftsberater von US-Außenminister Henry Kissinger, erinnert, machte sich bald das Gefühl der Gleichgültigkeit breit, als die Preise wieder fielen. Wer mochte schon seinen geräumigen Chevrolet für einen winzigen Honda eintauschen? Hormats ist heute Vizechef der Investmentbank Goldman Sachs, eines der ältesten und angesehensten Finanzdienstleister der Welt mit Firmensitz in New York City, und Mitglied eines unabhängigen Energierates, in dem Unternehmer und pensionierte Militärs sich Gedanken über Energiesicherheit machen. In dieser Funktion wurde er im Januar 2007 auf dem Kapitol vorstellig, wo er dem Senatskomitee für Energie und Umwelt Rede und Antwort stand. Seine Warnung war eindeutig: Amerikas Energiesicherheit ist in Gefahr.

Energiesicherheit war bereits ein Thema in den USA, als Politiker in Europa das Wort kaum buchstabieren konnten. Und trotzdem hat sich die mächtigste Nation der Erde immer abhängiger von fremdem Öl gemacht. Mitte der Siebzigerjahre kam ein Drittel des konsumierten Öls aus dem Ausland, heute sind es bereits knapp zwei Drittel, obwohl die Ölkrise von 1973 nicht die letzte war. Die Preise explodierten erneut 1979, als der Schah aus dem Iran verjagt wurde, später im Jahr 1991 während des Golfkriegs.

Warum also sollten wir uns sorgen, dass Öl und Gas bald nicht mehr fließen könnten? Ist diese Angst vielleicht übertrieben? Werden wir in ein paar Jahren über die Energiehysterie am Anfang des 21. Jahrhunderts spotten? Oder wird das Thema Energie dieses Mal tatsächlich in der Politik dauerhaft Chefsache bleiben? Hat die Vertreibung aus dem Energieparadies endgültig begonnen?

Vieles spricht dafür, dass die Lage dieses Mal ernster als zuvor ist und dass Energie dauerhaft zum zentralen politischen Thema wird. Wir durchlaufen zurzeit tatsächlich einen grundlegenden Bewusstseinswandel, wir erleben einen unumkehrbaren Umbruch. Dass Energie knapp wird und das Klima in Gefahr ist – das ist in diesen Tagen schon geistiges Gemeingut. Und wenn Historiker der Zukunft auf die ersten Jahre des 21. Jahrhunderts zurückblicken, dann werden sie möglicherweise diese Jahre als die Zeit definieren, in der sich die Koordinaten der Weltpolitik grundlegend verschoben haben.

Vier Ereignisse sind besonders denkwürdig und können als zeitliche Meilensteine für den sich abzeichnenden Bewusstseinswandel gelten: der 29. September 2003, der 29. August 2005, der 1. Januar 2006 und der 7. August 2006.

Am 29. September 2003, gegen 3 Uhr morgens, gingen in Rom die Lichter aus. In einer anderen Stadt hätte man das vielleicht gar nicht gemerkt. Doch es war ein Wochenende, und die Römer feierten die »Lange Nacht der Museen«. Hunderttausende waren unterwegs in den Straßen, als plötzlich der Strom ausfiel. Auch das wäre vielleicht nicht weiter aufgefallen, wenn nicht der Blackout innerhalb weniger Minuten ganz Italien erfasst hätte. Wie sich später herausstellte, lag die Ursache in der Schweiz. Dort war wegen eines Sturms ein Hochspannungsmast umgeknickt, die Leitung wurde gekappt. Wegen Überlastung der anderen Leitungen konnte der Strom nicht mehr von Frankreich über die Schweiz nach Italien fließen. Im Land, das ein Fünftel seines Stroms importiert, größtenteils aus französischen Kernkraftwerken, gingen die Lichter aus.

Der italienische Blackout war einer der gravierendsten Stromausfälle in Europa. Wäre er ein Einzelfall geblieben, könnte man ihn in die Rubrik »technische Pannen« einordnen und vergessen. Doch im heißen Sommer 2003 ereigneten sich weitere Blackouts: Ende August brachen wegen eines überhitzten Relais die Stromnetze in London und Südengland zusammen, im September mussten Millionen von Dänen und Schweden wegen eines ausgefallenen Kernkraftwerks und einer abgeschalteten Leitung stundenlang ohne Strom auskommen.

Auch an Amerikas Ostküste gingen im Juli 2003 teilweise für dreißig Stunden die Lichter aus, wegen eines Schaltfehlers in Ohio. Nun ist das Stromnetz der USA ohnehin anfällig. Weil das Land so groß ist und vielerorts wenige Menschen leben, führen häufig nur einzelne Leitungen zu den Siedlungen. Wenn eine ausfällt, dann gibt es keinen Ersatz. Das kann bei uns nicht passieren, tönten deshalb bisher gerne die Manager der Energieversorgungsunternehmen. Das deutsche Netz sei engmaschig gebaut, mit vielen parallelen Leitungen, und zudem gut in Schuss.

Im schneereichen Winter 2005/06 wurden die voreiligen Strombosse eines Besseren belehrt. Nach heftigem Schneefall knickten zahlreiche Masten im Münsterland wie Streichhölzer um, die Menschen mussten tagelang ohne Strom auskommen. Herausreden konnten sich die Stromversorger zwar auch damit, dass das Münsterland dünn besiedelt ist. Für das reihenweise Umknicken der Masten konnten sie aber keine Erklärung liefern – außer dass der Stahl wohl spröde geworden war.

Nicht nur die Masten sind in die Jahre gekommen, auch die Kraftwerke werden allmählich altersschwach. Viele Strommeiler und das Netz stammen aus den Sechziger- und Siebzigerjahren und müssten jetzt rundum erneuert oder gar ersetzt werden. Bis 2030 muss – vorausgesetzt der Stromverbrauch steigt weiter so an wie bisher – die Hälfte der gesamten Kraftwerksleistung von 120 Gigawatt ausgetauscht werden, was etwa hundert leistungsfähigen Kernkraftwerken entspricht.

Mit Europas Energiesicherheit ist es also nicht so weit her, wie die Energieversorger uns vorgaukeln. Weder ist der heimische Strom garantiert noch das Gas aus Russland. Auch Westeuropa erschauerte, als am 1. Januar 2006 Moskau der Ukraine den Gashahn zudrehte. Vorangegangen war ein unschöner Streit, der sich in der Vorweihnachtszeit zuspitzte: Seit Frühjahr 2005 hatte der russische Konzern Gazprom marktgerechte Preise von Kiew eingefordert – Russland wollte auf lange Sicht die früheren sowjetischen Verbündeten nicht mehr begünstigen, zumindest nicht jene, die wie die Ukraine einen westlichen Kurs eingeschlagen hatten. 220 Dollar verlangte Gazprom für tausend Kubikmeter russisches Erdgas, ein Aufschlag von mehr als 400 Prozent. Die Ukraine wiederum pochte auf bestehende Verträge. Am Neujahrstag machte Russland ernst und speiste nur noch das für die EU bestimmte Gas in die ukrainischen Leitungen ein. Immerhin, wenige Tage später beschlossen Moskau und Kiew wieder zu verhandeln, hinter den Kulissen hatte die EU vermittelt. Doch Westeuropa – und vor allem Deutschland, das mehr als zwei Drittel seines Erdgases aus Russland bezieht – war mit einem Schlag klar geworden, wie abhängig es von dem allmächtigen Präsidenten Wladimir Putin ist.

Dabei ist Russland noch eine berechenbare Supermacht. Viele Kenner des Landes gehen davon aus, dass Moskau zwar mit den Muskeln spielt, dem Westen aber nicht ernsthaft den Gashahn zudrehen würde. Schließlich zahlt Westeuropa Marktpreise für russisches Gas, das Land mit der ansonsten maroden Wirtschaft ist auf die Devisen angewiesen. Bedrohlicher sind andere Diktatoren wie Irans Machthaber Mahmud Ahmadinedschad. Iran setzt alles daran, seine Stellung als Regionalmacht auszubauen, und fühlt sich wegen seiner Gasreserven – die zweitgrößten der Welt nach denen Russlands – extrem stark.

Der 7. August 2006 mag – rückblickend – in ein paar Jahren als willkürlich gewählt erscheinen. Dennoch ist er ein symbolisches Datum. An diesem Tag wurde ein Barrel Rohöl des Typs »Brent Crude« für den astronomischen Preis von 78,64 Dollar gehandelt. Nie zuvor war so viel Geld für das Fass bezahlt worden, und zumindest bis zum Sommer 2007 blieb dies eine Rekordmarke. Die Ursache war der erneut aufgeflammte Krieg zwischen Israel und dem Libanon. Seitdem ist der Ölpreis wieder gesunken, doch die Dollarkurve zuckt nervös bei jeder schlechten Nachricht, unabhängig ihres Wahrheitsgehalts. Als Ende März 2007 iranische Revolutionsgardisten britische Soldaten im Schatt-el-Arab gefangen nahmen, stieg der Ölpreis. Er schoss weiter nach oben, als wenig später das – unwahre – Gerücht aufkam, iranische Sicherheitskräfte hätten ein US-Schiff im Golf gekapert. Der Ölpreis kann sich wieder beruhigen, er kann sogar vorübergehend sinken. Doch er wird sich langfristig auf einem hohen Niveau von etwa 70 Dollar einpendeln, sagt der Ökonom und Generaldirektor Energie des Europäischen Rates, Klaus Gretschmann, voraus. Die Zeiten billiger Energie sind endgültig vorbei, so viel ist sicher.

Das für den Bewusstseinwandel möglicherweise wichtigste Datum ist der 29. August 2005. An diesem Tag traf der Wirbelsturm *Katrina*, der sich einige Tage zuvor in der Karibik zusammengebraut hatte und zu einem Hurrikan der Stärke 5 angewachsen war, mit voller Wucht die Golfküste der USA. In New Orleans brachen die Dämme, die Stadt wurde überschwemmt; im Bundesstaat Mississippi wurden Küstenstädte verwüstet. Mindestens 1300 Menschen starben. Die Hightech-Nation Amerika sah hilflos zu, wie sie von einer Naturkatastrophe heimgesucht wurde. Das Benzin wurde knapp und teuer, weil Bohrtürme im Golf von Mexiko, wo ein Viertel des amerikanischen Erdöls und Erdgases gefördert wird, beschädigt waren. An der New Yorker Börse wurde Erdöl auf dem historischen Höchststand von über 70 Dollar pro Barrel gehandelt, Benzin kletterte zeitweise auf 8 Dollar pro Gallone, umgerechnet sind das 1,72 Euro pro Liter, Das ist selbst für Europäer ein hoher Preis, für Amerikaner ist es regelrecht astronomisch.

Katrina war der heftigste, aber nicht der einzige Sturm der Saison. Schon 2004 waren die Karibik und die USA von kräftigen Wirbelstürmen wie *Jeanne*, *Charly* und *Ivan* im Spätsommer heimgesucht worden. Doch so zahlreich und so heftig wie im Jahr 2005 waren sie im Atlantik noch nie seit Beginn der Wetteraufzeichnungen im Jahr 1851. Die Hurrikane häufen sich, was mit an Sicherheit grenzender Wahrscheinlichkeit an dem wärmer gewordenen Meer liegt. Weil *Katrina* mit schätzungsweise 600 Milliarden Dollar Schaden für die US-Volkswirtschaft ungleich folgenreicher als die anderen Stürme war, hat er vielen Bürgern Amerikas die Augen geöffnet für die drohende Klimakatastrophe.

Und so nimmt ganz Amerika langsam, aber sicher den Klimawandel ernst. Im Kongress gründete die neue demokratische Mehrheit einen Ausschuss zur globalen Erwärmung, der Klimagesetze entwerfen soll. Gouverneure von fünf Bundesstaaten im Westen der USA haben – auf Anregung des Republikaners Arnold Schwarzenegger aus Kalifornien, der seinen Staat langfristig zum »Zero-Emission-State« machen und dem Sonnenstaat eine kohlenstofffreie Lebensweise verordnen will – eine eigene Klimainitiative gegründet. Sie sieht verbindliche Grenzwerte für Kohlendioxid und einen Emissionshandel vor. Und der Bürgermeister von Seattle hat anlässlich des Inkrafttretens des Kyoto-Protokolls ein Klimabündnis der Städte ausgerufen, mit dem diese sich verpflichten, die Kyoto-Vorgaben einzuhalten und wenn möglich sogar zu übertreffen.

Zwei mächtige Lobbys haben sich dem Klimaschutz geöffnet: Amerikas Bauern im Mittleren Westen sorgen sich um ihre Ernten, sie fürchten zunehmende Dürren und warnen vor dem Treibhauseffekt. Und die Kette Wal-Mart, Inbegriff des Einzelhandels in den USA, hat beschlossen, die Dächer ihrer Supermärkte mit Solarzellen zu bestücken. Das Unternehmen will zudem seine Lasterflotte effizienter machen und teilweise mit Biodiesel betreiben, um weniger Kohlendioxid in die Atmosphäre zu blasen. Das ist nicht nur symbolisch. Die sparsamen Schwerlaster, die Wal-Mart bis 2015 einführen will, werden nach Schätzungen des US-Energiesparexperten Amory Lovins sechs Prozent des amerikanischen Öls einsparen. Bauern und Wal-Mart – sie bilden eine mächtige Allianz.

Das Umdenken Amerikas kann nicht hoch genug gewertet werden. Wenn die mächtigste Industrienation der Welt, die ein Viertel des weltweit geförderten Erdöls konsumiert, über die Folgen des ungebremsten Energiekonsums nachdenkt – dann ist das ein Zeichen für alle. Sollten die USA tatsächlich verbindliche Ziele für den Klimaschutz beschließen, was unter einer künftigen demokratischen Regierung nicht ausgeschlossen wäre, können die großen Schwellenländer Indien und China nicht umhin mitzuziehen. Dann wären mit den USA, Europa und China die drei weltweit größten Energiekonsumenten mit im Boot.

Und wenn die USA sich einmal auf mehr Energieeffizienz und Klimaschutz festgelegt haben, dann dürften sie Europa ziemlich schnell überholen. In den USA neigt man zu technologischen, pragmatischen Lösungen, während die Deutschen ideologische Debatten führen und die Welt verbessern wollen. Bestes Beispiel dafür ist Amory Lovins, der seit Jahrzehnten Unternehmen berät, wie sie ihre Stromrechnung verringern können. Er hat zahlreiche Energieversorger in den USA davon überzeugt, dass sie bessere Geschäfte machen, wenn sie ihren Kunden Tipps fürs Stromsparen geben, statt neue Kraftwerke zu bauen. Auch Lovins will »die Welt retten«, sagt er, sein Motto setzt sich jedoch fort mit »Spaß haben und Geld verdienen«. Die USA werden vermutlich in nicht allzu ferner Zukunft führend beim Klimaschutz sein, prophezeit auch Hermann Ott, Leiter des Berliner Büros des Wuppertal Instituts für Klima, Umwelt, Energie: »Dann werden wir uns in Europa warm anziehen müssen.«

Zumal die USA schon jetzt über Allianzen nachdenken und vor allem nach China schielen. Sein Land und China, sagte Robert Hormats von Goldman Sachs unverblümt bei der Anhörung vor dem Senatsausschuss, hätten viele gemeinsame Interessen. Amerika sei der größte Ölimporteur der Welt, China der am schnellsten wachsende. Hohe Preise und unsichere Versorgung schadeten beiden Nationen. Hormats schlägt deshalb eine amerikanisch-chinesische Initiative für saubere Kohletechnologie vor. Auch im Bereich der alternativen Treibstoffe könnten beide Länder zusammenarbeiten.

Auch in Großbritannien gibt es inzwischen eine Reihe bemerkenswerter Ideen. So haben Wissenschaftler und Politiker eine Initiative gestartet, die jedem Bürger ein persönliches Verschmutzungskontingent zugestehen soll. Jeder würde eine Kreditkarte mit einem Guthaben bekommen, auf der die CO_2-Emissionen abgebucht werden, etwa nach dem Kauf des Heizöls vor dem Winter. Man könnte mit diesen CO_2-Einheiten handeln, sie weiterverkaufen, zusätzliche erwerben – das wäre eine Art Emissionshandel zwischen Menschen. In London will Bürgermeister Ken Livingstone die Millionenstadt entkarbonisieren – als erste Metropole hat London eine Klimaschutzbehörde gegründet, bis 2010 sollen die CO_2-Emissionen um ein Fünftel gegenüber 1990 sinken.

Die Welt hat sich darauf eingerichtet, dass Energie knapper wird und klimaschonender werden muss. Was aber hat den Bewusstseinsschalter umgelegt? Warum empfinden wir die Energiefrage – anders als nach der ersten Ölkrise – plötzlich als drängendes Problem der Menschheit? Der Bewusstseinswandel beruht meines Erachtens auf einem Synergieeffekt. Viele Menschen treibt nicht nur die Sorge über schwindende Reserven, politische Krisen im Nahen Osten und steigende Preise um, sondern auch der drohende Klimawandel. Manche haben mehr Angst ums Klima, andere fürchten eher hohe Strompreise und eine lahmende Konjunktur. Doch es zeigt sich, dass die Energieversorgung sowohl aus ökonomischer als auch aus ökologischer Sicht auf dem Prüfstand steht.

Es ist, als ob die zwei Problemfelder der Energie- und der Umweltsicherheit sich nicht nur aufaddierten, sondern regelrecht potenzierten. Dass die Reserven an fossilen Brennstoffen begrenzt sind, wissen wir schon lange. Doch erst seitdem offensichtlich geworden ist, dass wir mit dem bedenkenlosen Verbrennen von Öl, Kohle und Gas die Zukunft der Menschheit aufs Spiel setzen, ist die Suche nach Alternativen dringlich geworden.

Umgekehrt gilt das auch für den Klimawandel: Seit fast zwanzig Jahren warnen Wissenschaftler davor, dass die Atmosphäre sich überhitzt und die Folgen des Treibhauseffekts eines Tages nicht mehr kontrollierbar sein werden. Doch erst als zum Klimawandel die drohende Energieknappheit hinzukam, waren viele Menschen bereit zu akzeptieren, dass eine Lösung für das größte Umweltproblem unserer Zeit gefunden werden muss. Es mussten also Ökonomie und Ökologie zusammenkommen, damit wir erkennen konnten, was für unsere Zukunft auf dem Spiel steht.

Energieexperten sprechen gern vom Dreiklang in der Energiepolitik: Strom und Wärme sollen zuverlässig zur Verfügung stehen (die Energiesicherheit), bezahlbar (die Wirtschaftlichkeit) und möglichst umweltfreundlich sein (der Klimaschutz). Alle drei Ziele sind freilich nicht immer gleichzeitig zu erreichen. Strom aus Solarzellen zum Beispiel ist zwar weniger klimaschädlich als Strom aus Kohle, aber deutlich teurer und auch nicht so verfügbar. Gas wiederum ist umweltfreundlicher als Kohle, aber es ist im Besitz einiger weniger Länder, die im Zweifelsfall den Hahn zudrehen könnten.

Die drei Bedingungen an die Energieversorgung – sicher, billig und sauber – könnte man auch als drei sich überlappende Mengen beschreiben. In der Schnittmenge sind die Lösungen des Energiedilemmas zu finden. Einfach sind diese Lösungen sicher nicht – angesichts drohender Umweltkatastrophen, aber auch angesichts von mehr als sechs Milliarden Menschen auf der Erde, die nach immer mehr Wohlstand und damit nach billiger und zuverlässiger Energie verlangen. Allerdings, und das macht ein wenig Hoffnung, sowohl das Klima- als auch das Energieproblem erfordern ähnliche Lösungen. Wenn wir uns unabhängiger von fossilen Brennstoffen machen, schonen wir zugleich das Klima.

Die Verknüpfung von ökonomischen und ökologischen Motiven bürgt dafür, dass ein dauerhafter Bewusstseinswandel stattfindet. Würden sich nur umweltbewusste Bürger um das Klima sorgen, dann könnte man sie schnell der ökonomischen Unvernunft bezichtigen. Würden nur Wirtschaftsbosse auf billigen Strom pochen, dann würde man ihnen zu Recht vorwerfen, das Klima zu ruinieren. Das Streben nach beiden Zielen – mehr Wohlstand für mehr Menschen auf der Erde sowie der Schutz des Klimas – ist der richtige Weg, um das Energieproblem zu lösen.

Vorreiter Europa

Am 8. März 2007 kurz vor Mitternacht sagte Angela Merkel, dass sie »nicht ohne Hoffnung« sei, berichtete am nächsten Tag der Brüsseler Korrespondent der *Süddeutschen Zeitung*. Um halb zwei Uhr morgens stimmte dann die Bundeskanzlerin und EU-Ratspräsidentin auf Zeit dem neuen Entwurf einer »Energiepolitik für Europa« zu. Um sechs Uhr wurde der Text den anderen 26 Staats- und Regierungschefs unter der Tür durchgeschoben. Darauf klebte ein Zettel: Für all jene, die noch einmal reden wollten, halte Merkel zwischen neun und zehn Uhr eine Sprechstunde ab. Es kamen nur drei: der Österreicher Alfred Gusenbauer, der Tscheche Mirek Topolanek und der Spanier José Luis Zapatero. Aber ihnen ging es nicht mehr ums Grundsätzliche, sondern nur um Details.

Nach der geschichtsträchtigen Gipfelnacht in Brüssel verordnete sich Europa am 9. März 2007 ein äußerst ehrgeiziges Energie- und Klimaschutzprogramm. Bis zuletzt war unsicher gewesen, ob Angela Merkel ihr Ziel durchsetzen würde. Sie wollte die Mitgliedstaaten darauf einschwören, bis zum Jahr 2020 ein Viertel des Energiebedarfs durch Sonne, Wind und Wasser zu erzeugen und ein Zehntel des Kraftstoffs durch Pflanzensprit zu decken. Vorausgegangen war ein Streit mit Frankreich, der symptomatisch für den tiefen Riss innerhalb der EU war. Der Zwist hatte sich an der Atomkraft entzündet. Präsident Jacques Chirac pochte darauf, dass sein Land mit Kernkraftwerken schon jetzt eine Menge Kohlendioxid einspare. Er wollte sich nicht auf ein Ziel für erneuerbare Energien festnageln lassen. Noch wenige Stunden vor Gipfelbeginn blockierte Chirac eine Einigung. Die Wünsche der Kanzlerin seien wirklichkeitsfremd, ließen Diplomaten verlauten.

Als es dann jedoch zum Schwur kam, stand Kanzlerin Merkel als strahlende Siegerin da. Sie hatte zumindest auf dem Papier alles bekommen, was sie wollte: ein festes Ziel für die Kohlenstoffminderung sowie ein festes Ziel für die erneuerbaren Energien.

Europa war bei dem Frühjahrsgipfel in Brüssel gewissermaßen zu seinen Wurzeln zurückgekehrt. Nachdem Frankreichs Parlament im Jahr 1954 die geplante Europäische Verteidigungsgemeinschaft hatte scheitern lassen, suchten die sechs Gründerstaaten nach einem anderen Gemeinschaftsprojekt. Zwei lagen nahe: die Zusammenarbeit bei der Kohleförderung und der Stahlproduktion sowie bei der Atomenergie. Sie galt damals als Stromquelle der Zukunft, US-Präsident Eisenhower hatte die Nutzung der »Atome für den Frieden« beschworen. 1955 einigten sich die sechs Gründerstaaten im sizilianischen Messina darauf, mit der Zusammenarbeit in Fragen der Atomenergie dem europäischen Projekt neues Leben einzuhauchen. Ziel war die »Bereitstellung größerer Energiemengen zu niedrigeren Kosten für die europäische Wirtschaft«. Mit den Römischen Verträgen besiegelten Deutschland, Frankreich, Italien und die Benelux-Länder am 25. März 1957 endgültig die Gründung von EURATOM. Die europäische Atomgemeinschaft sollte die Nuklearforschung fördern, die Sicherheit von Anlagen und des Handels mit spaltbarem Material überwachen.

Knapp fünfzig Jahre später gerät Energie wieder in den Fokus der inzwischen auf 25 Mitglieder gewachsenen Union. Im Oktober 2005 beim EU-Gipfel im englischen Schloss Hampton

Court beschlossen die Regierungschefs, das Thema auf die Agenda zu setzen. Dagegen hatten sich die Briten immer gesträubt, weil sie auf nationale Souveränität bei der Energieversorgung pochten. Wegen ihrer Vorräte an Öl und Gas hatten sie es auch nicht nötig, über gemeinsame Reserven oder grenzüberschreitende Leitungen zu diskutieren. Umso überraschender schien es, dass Tony Blair jetzt als amtierender EU-Ratspräsident bereit war, Energiethemen in Brüssel zu diskutieren.

Doch der damalige Premier Blair brauchte ein Thema für den EU-Gipfel in Hampton Court. Bis dahin war die britische Präsidentschaft, die Blair im Juli für ein halbes Jahr übernommen hatte, nicht gerade glänzend verlaufen. Blair stand wegen seines Engagements im Irak-Krieg an der Seite der USA ohnehin im Ruf, ein Spalter zu sein. Und kurz vor seiner Präsidentschaft hatte er im Juni einen Kompromiss zum Haushalt platzen lassen. Doch es wäre unfair, Blair blanken Opportunismus zu unterstellen, denn er hatte sich bereits als Fürsprecher der Umwelt profiliert. Schon beim G-8-Gipfel der Industrienationen Anfang Juli 2005 im schottischen Gleneagles hatte er den Klimawandel auf die Agenda gesetzt. Dass der britische Premier nicht nur heiße Luft zum Klimawandel produzierte, bewies er im März 2007, als die Londoner Regierung als erste überhaupt ein nationales Gesetz vorstellte, um den Ausstoß an Kohlendioxid bis 2050 zu drosseln.

In Hampton Court entschieden dann Blair und seine Kollegen, dass die Kommission in Brüssel einen Energieplan (»Grünbuch«) ausarbeiten solle. Dafür war es auch höchste Zeit. Abgesehen vom drohenden Klimawandel, der auch europäische Länder mit langen Küsten wie Großbritannien oder die Niederlande hart treffen könnte, erschien die Energiezukunft des Kontinents nicht gerade rosig. Heute importiert die EU im Durchschnitt die Hälfte ihres Brennstoffbedarfs. In Bezug auf

Öl und Gas hängt sie regelrecht am Tropf anderer Länder: 82 Prozent des Öls und 57 Prozent des Gases kommen aus Drittstaaten. Im Jahr 2030 werden es bereits 70 Prozent sein, schätzt die Internationale Energieagentur (IEA) in Paris. Und die Abhängigkeit beim Öl wird dann auf 93 Prozent, beim Gas auf 84 Prozent gestiegen sein.

Europa, dessen Reserven in der Nordsee rapide schwinden, macht sich immer abhängiger von fremden Ressourcen und damit von unberechenbaren Lieferanten. Denn die Quellen sprudeln meist in politischen Krisenregionen. Zugleich dürstet es die Welt nach mehr Energie. Bis 2025, so ein Szenario der IEA, wird die Nachfrage um 50 Prozent steigen. Vor allem in den Schwellen- und Entwicklungsländern wächst die Wirtschaft und damit der Energiebedarf rasant. Das werden auch die Industrienationen zu spüren bekommen – durch steigende Preise.

Europa ist nach den USA der weltweit größte Energiekonsument. Wäre die EU ein Staat, dann könnte sie ganz anders agieren. Sie wäre Großimporteur und könnte zu günstigen Bedingungen Lieferverträge für billiges Gas mit Russland schließen. Sie könnte gemeinsame Ölreserven anlegen, die mehr als nur für drei Monate reichten und mit den zentralasiatischen Staaten über eine neue Pipeline verhandeln. Doch Europas gemeinsame Energiepolitik ist bestenfalls rudimentär – wer soll denn Verhandlungen führen und Verträge unterzeichnen? Der Außenminister des Landes, das für sechs Monate die EU-Präsidentschaft innehat? Das wäre im ersten Halbjahr 2007 Deutschlands Außenminister Frank-Walter Steinmeier gewesen, im zweiten Halbjahr sein portugiesischer Kollege, danach der Slowene. Oder der »Hohe Repräsentant« des Rates, Europas Chefdiplomat Javier Solana? Infrage kommt auch die Außenkommissarin Benita Ferrero-Waldner. Und für das Thema zuständig ist schließlich auch Energiekommissar Andris Piebalgs. Das Schlagwort »Energieaußenpolitik«, das sich Eingeweihte seit ein paar Jahren zuraunen, ist eine kraftlose Parole – angesichts der zersplitterten Zuständigkeiten in Europa.

Nicht nur politisch, auch ökonomisch gesehen nutzt Europa seine Möglichkeiten kaum. Joghurt und Schuhe können seit langem die Grenzen passieren, der europäische Binnenmarkt funktioniert. Doch bei Kohle, Gas und Öl haben die EU-Mitglieder ihre nationalen Märkte abgeschottet und die Konkurrenz aus dem Ausland ausgesperrt. Der skurrile Streit um die Übernahme des spanischen Konzerns Endesa durch den deutschen Energieversorger E.ON zeigt, mit welcher Energie manche Regierungen an ihrem nationalen Markt festhalten. Sie tun das aus ökonomischen Gründen, um ihre Konzerne zu schützen. Sie tun es aber auch aus politischen Motiven, weil Energie schon immer als sensibles Thema galt. Die Folge: Europa ist kein Energiebinnenmarkt, sondern setzt sich aus 27 Märkten zusammen – mit entsprechend geringen Handlungsspielräumen.

Dabei würde sich der Kontinent bestens für einen gemeinsamen Energiemarkt eignen. Die Geografie ist bekanntlich der entscheidende Faktor für die Energiegewinnung. Nordseeländer verfügen über Gas- und Ölreserven. An ihren Küsten lassen sich zudem Windräder aufstellen. Im Süden Europas dagegen kann der Strom aus Solarkraftwerken rentabel sein. Der Energiereichtum des Kontinents reicht sicher nicht an den der Scheichtümer am Golf heran. Aber vielfältige Landschaften und das Klima von Polen bis Belgien, von Malta bis Schweden eröffnen die Möglichkeit für unterschiedliche Quellen. Das aber setzt voraus, dass die Grenzen für den Strom geöffnet werden. Derzeit gibt es zu wenige Stromleitungen zwischen den Mitgliedstaaten. Auch deshalb ist es immer wieder zu massiven

Stromausfällen in den letzten Jahren gekommen. Die aber kann Europa sich nicht leisten.

Gegen nationale Eitelkeiten und Pfründen wollte die Kommission nun vorgehen. Im Energieplan, den die Regierungschefs angefordert hatten und den die Kommission im Januar 2007 vorlegte – übrigens just, als Russland wieder einmal seine Energiemacht ausspielte, dieses Mal indem es die Druschba-Ölpipeline für einen Tag zudrehte –, sind die möglichen Grundpfeiler der künftigen Energiepolitik Europas skizziert:

Mehr Wettbewerb und niedrigere Preise. Die Kommission will Konzernen wie E.ON und RWE, die den deutschen Markt kontrollieren, ihre milliardenschweren Strom- und Gasnetze abnehmen oder aber einer europäischen Kontrolle unterstellen, damit Konkurrenten leichter ins Geschäft kommen. Außerdem sollen die Leitungen innerhalb und zwischen den Mitgliedstaaten ausgebaut werden. Bisher haben Engpässe bei den Leitungen verhindert, dass neue Konkurrenten der Konzerne den Kunden attraktive Angebote machen konnten. Schließlich will Brüssel mehr Wettbewerb erzwingen, indem die EU die Arbeit der nationalen Regulierungsbehörden überwacht.

Sichere Energie: Brüssel will ein Netz von »Energiekorrespondenten« auf die ganze Gemeinschaft verteilen, Fachleute also, die rechtzeitig vor möglichen Engpässen warnen. Ist der Notfall eingetreten, sollen die Mitgliedstaaten ihre Reserven an ein Nachbarland abtreten, das von der Versorgung abgeschnitten wurde.

Mehr Lieferanten: Gas lässt sich schließlich nicht nur in Russland, sondern auch in Algerien kaufen. Der Bau neuer Leitungen wie der Nabucco-Pipeline vom Kaspischen Meer nach Österreich kann völlig neue Quellen erschließen. Die noch etwas ferne Vision ist, dass die EU-Staaten künftig gemeinsam als

Einkäufer von Öl und Gas auftreten – und so die Macht von 500 Millionen Konsumenten ausspielen.

Energie sparen: Europas Bürger sollen sparsamer mit Strom, Heizung und Benzin umgehen, Unternehmen effizienter arbeiten. Bis zum Jahr 2020 soll Europa ein Fünftel weniger Energie als heute verbrauchen. Damit könnten 100 Milliarden Euro an Brennstoffkosten sowie 780 Millionen Tonnen CO_2 jährlich eingespart werden.

Alternativen zu Öl und Gas: Noch tragen Sonne, Wind und Biomasse weniger als sieben Prozent zur Energieversorgung in der EU bei. Das soll sich ändern: Der Anteil erneuerbarer Energien soll sich bis 2020 von heute 7 Prozent auf 20 Prozent verdreifachen. Die Kommission will dabei vor allem auf Strom aus alternativen Quellen – große Offshore-Windparks oder Solarzellen –, auf Biotreibstoffe sowie die Nutzung von Erdwärme durch Wärmepumpen zurückgreifen. Die Kommission weiß, dass dieses Ziel ehrgeizig ist. Deshalb will sie mehr Geld als bisher in die Energieforschung stecken, vor allem in Techniken, um Kohle sauber zu verbrennen, oder in die Kernfusion.

Gedrückt hat sich die Kommission übrigens vor dem heiklen Thema Atomenergie. Die Entscheidung für oder gegen Atomstrom will Brüssel den Nationalstaaten überlassen, allerdings pocht sie auf gemeinsame Sicherheitsstandards. Doch die Kommission macht keinen Hehl daraus, dass sie die Kernkraft weniger kritisch als ein Teil der Berliner Regierung sieht. Andris Piebalgs, der Energiekommissar, ist Physiker und kommt aus Lettland, wo man gerade ein neues Kernkraftwerk für die gesamte baltische Region plant. Das Brüsseler Energiepapier beschreibt denn auch Atomstrom als eine »besonders kohlenstoffarme Energiequelle«. Sollten Kernkraftwerke abgeschaltet werden, so mahnt die Kommission, werde es schwieriger, die Klimaziele einzuhalten. Vor allem, weil Brüssel eigentlich erreichen will, dass alle neuen Kraftwerke bis 2020 kein Kohlendioxid mehr in die Atmosphäre pusten dürfen.

Ob bis dahin die Technik der »Kohlenstoffsequestrierung«, also das Ausfiltern des Treibhausgases, tatsächlich ausgereift sein wird, ist fraglich. Dann blieben als Kraftwerke nur solche, die Strom aus Wind, Sonne oder Biomasse produzieren – oder eben aus Uran. Schützenhilfe erhält Piebalgs von seinem slowenischen Kollegen Jan Potocnik. Der für Forschung zuständige Kommissar hat ein Zukunftsszenario entwerfen lassen, wonach Atommeiler bis 2050 ein Viertel der gesamten Energie Europas und sogar 40 Prozent des Stroms liefern könnten.

Mit dem Energieplan ist der Kommission ein großer Wurf gelungen. Dieses Papier enthält gute Rezepte für eine sichere, saubere und bezahlbare Energie. Es kombiniert politische und ökonomische Ziele, es setzt auf Forschung. Nur ist es der Kommission mit ihrem Plan ähnlich ergangen wie einer Großfamilie, die ein gemeinsames Haus bauen will. Die Eltern haben es entworfen, nun werden ihre Pläne von Großeltern, der Uroma, der ledigen Tante und den Kindern kritisiert. Jeder hat andere Interessen, jeder versucht, seine Egoismen durchzusetzen.

Brüssels Masterplan ist zerpflückt worden. Was nicht wirklich überraschend war. Denn die politische Macht liegt beim Europäischen Rat, also bei den Regierungschefs der Mitgliedstaaten. Deutschland und Frankreich hatten schon längst signalisiert, dass sie die Zerschlagung ihrer Konzerne verhindern würden. Damit wird die Liberalisierung auf halber Strecke stecken bleiben. Auch gemeinsame Reserven werden so schnell nicht aufgebaut werden. Die Idee der Kommission, im Notfall dem Nachbarn ein wenig Öl und Gas abzutreten, ist umstritten, da manche Staaten weniger vorsorgen als andere.

Immerhin: Die drei Ziele, auf die sich die Regierungschefs

dann beim März-Gipfel 2007 in Brüssel eingelassen haben, sind ehrgeizig genug:

Den Klimawandel stoppen: Bis 2020 wird die EU ein Fünftel weniger Treibhausgas in die Atmosphäre einbringen als im Jahr 1990. Wenn sich andere große Länder wie die USA, Indien oder China Klimaziele setzen, dann will die EU sogar 30 Prozent einsparen.

Effizienz erhöhen: Bis 2020 sollen durch effizientere Nutzung und Sparen 20 Prozent weniger Energie verbraucht werden. Außerdem soll nun auch in Europa die Glühbirne Schritt für Schritt zugunsten von Energiesparlampen ausgemustert werden. Die Kommission soll Vorschläge machen, wie die Beleuchtung von Straßen, Büros und Privathaushalten umgestellt werden kann.

Mehr erneuerbare Energie: Wind- und Wasser, Sonne und Biomasse sollen in Zukunft ein Fünftel des Energieverbrauchs decken. Die Tanks der Autos und Lastkraftwagen sollen bis 2020 mindestens 10 Prozent Biotreibstoffe enthalten.

Das ist durchaus revolutionär. Wie realistisch und vor allem wie bezahlbar insbesondere das Ziel ist, in dreizehn Jahren ein Fünftel der Energie durch erneuerbare Quellen zu erzeugen, wird später noch abgehandelt. Wie so häufig aber liegt auch beim Brüsseler Energieprojekt der Teufel im Detail, und schnelle Erfolge haben fast immer einen Haken. Bundeskanzlerin Angela Merkel wollte bei ihrem ersten Gipfel als EU-Ratspräsidentin einen ambitionierten Plan mit griffigen Zielen durchsetzen. Das hat sie geschafft. Doch welche EU-Mitglieder wie viel Ökoenergie erzeugen müssen, darüber wird zurzeit in Brüssel und in den einzelnen Hauptstädten heftig gestritten.

Wirklich überraschend ist das nicht, schließlich war klar gewesen, dass etliche Staaten dem EU-weiten Ausbau alternativer Energien nicht bedingungslos zustimmen wollten. Vor allem Länder mit einem hohen Anteil an Kernenergie wie Frankreich und die Slowakei pochten verständlicherweise darauf, dass sie dadurch bereits eine Menge an CO_2 einsparen. Sie wollten erreichen, dass nicht so sehr die Art der Energieerzeugung zählt, sondern wie viel Treibhausgase dabei entstehen. Kohlendioxid wird bei der Kernenergie kaum emittiert.

Die EU-Ratspräsidentin Angela Merkel hat es geschafft, die Brüsseler Atomdebatte vorläufig zu neutralisieren. Das gelang ihr, indem die Mitgliedstaaten erstens ein Vetorecht und zweitens mehr Spielraum eingeräumt bekamen, um die Planziele zu erfüllen. Anders ausgedrückt: Jeder muss seinen Anteil an erneuerbaren Energien steigern, doch das ambitionierte Ziel von einem Fünftel gilt nur im Durchschnitt, nicht aber für jedes Mitgliedsland. Da es schon jetzt Staaten wie Österreich oder Dänemark gibt, die mit Hilfe von Wasserkraftwerken beziehungsweise Windrädern die Hürde geschafft haben, müssen die anderen weniger erbringen. Und erst wenn alle Länder mit ihren nationalen Zielen einverstanden sind, beginnt das Rennen um die erneuerbaren Energien.

Im Prinzip ist das vernünftig. Alles andere hätte sich nicht durchsetzen lassen und wäre auch zu teuer gewesen. Denn die Unterschiede in Europa sind enorm: Die Insel Malta etwa deckt derzeit weniger als ein Prozent ihres Energiebedarfs durch erneuerbare Quellen, in Lettland dagegen sind es 36 Prozent. Auch befürchteten die neuen Mitgliedstaaten, die wie Tschechien oder die Slowakei viel Strom aus Kernkraftwerken beziehen, hohe Investitionskosten für Solar- oder Windkraftparks, die in dieser Gegend nicht gerade besonders rentabel sind. Für sie wäre es schwierig, 20 Prozent der Energie aus erneuerbaren Quellen zu erzeugen, zumal sie wirtschaftlich noch nicht mit den »alten« EU-Mitgliedern mithalten können.

Deshalb lässt Energiekommissar Piebalgs derzeit Quoten

für jedes Mitgliedsland berechnen. Dabei sollen berücksichtigt werden: der aktuelle Energiemix eines Landes, seine Wirtschaftskraft sowie geografische Besonderheiten. Zum Beispiel muss die Frage geklärt werden, ob Malta, wo die Sonne kräftig scheint, vielleicht doch auf 10 Prozent erneuerbare Energien kommen kann, oder ob das Land mit der geringen Wirtschaftskraft sich damit überfordert. Berücksichtigen wird man auch, wie viel Kohlendioxid ein Land pro Kopf seiner Bevölkerung ausstößt. Wer eine gute Bilanz hat, wird wohl zu einer geringeren Quote an erneuerbaren Energien verpflichtet werden. So dürfte Frankreich doch noch indirekt seine Kernkraft angerechnet bekommen – wenn nicht, müsste Brüssel mit einem Veto aus Paris rechnen. Deutschland, das hat das Berliner Umweltministerium bereits ermittelt, traut es sich zu, bis 2020 einen Anteil regenerativer Energien von 16 Prozent schaffen, zurzeit sind es rund 5 Prozent.

Bis zum Herbst will Kommissionspräsident José Manuel Barroso einen Vorschlag über die Quoten vorlegen. Harte Verhandlungen im Rat sind zu erwarten – die Lastenverteilung muss schließlich einstimmig beschlossen werden. Frühestens im nächsten Jahr wird wohl daraus ein Gesetz werden, dann allerdings will Barroso strikt auf Einhaltung achten – notfalls auch mit Klagen vor dem Europäischen Gerichtshof, wie er nach dem Gipfel schon einmal vorsorglich drohte.

Wie die EU-Mitglieder ihr nationales Ziel dann erreichen, bleibt ihnen weitgehend überlassen. Der Energieverbrauch lässt sich im Wesentlichen in drei Bereiche aufteilen: Wärme und Kühlung, die etwa 45 Prozent ausmachen, die Stromerzeugung (35 Prozent) sowie Transport (20 Prozent). Jedes Land darf entscheiden, ob es zum Beispiel Wärmepumpen im Garten oder Solarkollektoren auf den Dächern fördert, mit denen sich Warmwasser erzeugen lässt. Es kann aber auch Kraftwerke bauen, die Biomasse verbrennen, oder Windräder errichten. Oder den Verbrauch von Biosprit ankurbeln.

Auch das ist im Prinzip sinnvoll. Finnland zum Beispiel hat wegen der kalten Winter einen hohen Wärmebedarf und besitzt zugleich durch seine Wälder ein enormes Reservoir an Holz. Da bietet es sich an, mehr Energie durch Biomasse zu gewinnen. In Spanien wiederum scheint die Sonne häufig, weshalb dort Solarstrom ziemlich effizient ist. Wer wiederum mehr Autos mit Biosprit fahren lässt, muss sich bei Wärme und Strom weniger anstrengen. Wenn etwa Polen, das große landwirtschaftliche Flächen besitzt, bis 2020 ein Viertel seines Kraftstoffverbrauchs durch Biosprit decken kann, dann muss es weniger Windräder aufstellen.

Nur eine Einschränkung schreibt Brüssel vor: Bis 2020 sollen europaweit aus den Zapfsäulen mindestens 10 Prozent Biotreibstoffe fließen. Über den Sinn dieser Vorschrift lässt sich allerdings streiten. Denn was bisher unter dem Siegel des Biotreibstoffs produziert und verkauft worden ist, verdient diesen Namen häufig nicht. Vor allem der Rapsdiesel ist alles andere als ökologisch, wie später noch gezeigt wird. Es kostet enorm viel Wasser und Dünger, um Raps in großen Mengen anzubauen und noch einmal viel Energie, um daraus Treibstoff zu produzieren. Zudem hat die Großumwandlung von Mais oder Zuckerrohr zu Ethanol in Nord- und Südamerika bereits die Lebensmittelpreise kräftig in die Höhe getrieben. Umweltexperten sind sich einig, dass erst Biotreibstoffe der zweiten Generation, Treibstoffe also, die aus Holzschnipseln oder Pflanzenabfällen hergestellt werden, ökologisch sind. Daher könnte sich das Zehn-Prozent-Ziel eher als verkappte Subvention der Landwirte denn als Segen für die Umwelt herausstellen.

Das Klima der Erde wird häufig mit einem Supertanker verglichen. Einfach schnell die Richtung ändern geht nicht, es dauert Tage, bis man ihn auf einen neuen Kurs gebracht hat. Die Europäische Union darf man getrost mit einem mutigen Kapitän vergleichen, der angesichts eines drohenden Sturms versucht, den richtigen Kurs für sein Schiff zu finden. Man mag über Details der Brüsseler Ziele streiten – global gesehen sind sie richtig. Reine Marktwirtschaftler mögen die Nase rümpfen über den von Brüssel verordneten staatlichen Dirigismus. Doch ohne konkrete Vorgaben der Politik würde es zu lange dauern, bis die Gesellschaft sich von Öl und Gas abnabelt.

»Wir wissen, dass es unklug wäre nicht zu handeln«, hat der renommierte britische Astrophysiker Sir Martin Rees in einem Interview mit der Wochenzeitung *Die Zeit* gesagt. Rees, der als Präsident der ehrwürdigen Royal Society die britische Regierung berät, warnt davor, nichts zu tun, auch wenn nicht gewiss ist, wie sich der Klimawandel tatsächlich auswirken wird. Dass Kohlendioxid die Atmosphäre erwärmt, ist seit den Studien des schwedischen Chemikers Svante Arrhenius Ende des 19. Jahrhunderts verbürgt. Dass im Jahr 2050 doppelt so viel des klimaschädlichen Gases in der Atmosphäre sein wird als vor der Industrialisierung, ist ebenso sicher. »Wir sehen jetzt schon klar genug, um sofort zu handeln«, sagte Rees. Was er vorschlägt – den Kohlendioxidausstoß zu verringern und Anreize für kohlendioxidarme Energietechnik zu schaffen – sind exakt die wesentlichen Ziele in Europas Energieplan. »Europa hat die Chance, die Führung zu übernehmen«, kündigte Rees an.

Stimmt – denn wer sonst würde sich an die Spitze der Bewegung stellen? Die USA könnten es, und sie müssten es – doch der Umdenkprozess dort hat erst begonnen. China, der weltweit drittgrößte Energiekonsument, der die EU bald überholen dürfte, will zunächst wirtschaftlich aufschließen, bevor es gegen das Aufheizen des Planeten vorgeht. Das gilt auch für Indien. Für das Klima ist das Zögern der Schwellenländer schlecht, aus ihrer Sicht jedoch verständlich. Schließlich sind es die Industrienationen, die seit Jahrzehnten die Atmosphäre aufheizen, nicht die Schwellenländer. Europa muss deshalb mit gutem Beispiel vorangehen – nur dann besteht eine Chance, dass andere folgen. Für die EU ist das nicht das Schlechteste: Diejenigen Länder, die frühzeitig auf Klimaschutz und Energieeffizienz setzen, werden später davon profitieren.

Glaubwürdig wird Europa allerdings nur sein, wenn es die selbst gesteckten Ziele auch einhält und sich nicht in kleinkariertem Streit über nationale Vorgaben verzettelt. Bisher ist zu wenig geschehen – die bescheidenen Erfolge bei der Senkung von Kohlendioxid zeigen, dass Europa nicht ernsthaft genug gegen den Klimawandel vorgegangen ist. Kurzfristig werden die Bemühungen auch viel Geld kosten. Langfristig werden sie aber Europa noch mehr Geld sparen. Der Kapitän hat den Kurs festgelegt, jetzt muss er daran festhalten.

Der große Durst nach Öl

Öl, das klingt nach Motoren, nach Fabriken, nach Wirtschaftskraft. Kein Rohstoff hat mehr Symbolwert für die Industrienationen. Mit der Kohle begann die Industrialisierung, weil man damals noch nicht wusste, wie man Erdöl aus den Tiefen der Erde holen sollte. Als das Öl dann sprudelte, war klar, dass dieser Rohstoff ein ganz besonderer werden würde. Leicht abzubauen, leicht zu transportieren, leicht brennbar – der ideale Energieträger, der inzwischen vier Zehntel des Energiebedarfs der Menschheit deckt. Öl entwickelte sich zum Schmiermittel der modernen Volkswirtschaften. Zum Lebensblut der Zivilisation, wie der amerikanische Energieexperte Daniel Yergin schrieb. Erdöl ist das Symbol des Wohlstands der Industrienationen.

Doch zweimal erlebte die Menschheit große »Ölschocks«. Der erste traf die westliche Welt im Jahr 1973, als die Scheichs den Hahn zudrehten und damit eine Rezession auslösten. Mit einem Schlag wurde klar, wie flüchtig die Basis des Reichtums war. Den zweiten Ölschock erleben wir derzeit. Öl ist ein klimaschädlicher Rohstoff, nicht so schlimm wie Kohle, doch schlimm genug, dass die Menschen sich schnell überlegen müssen, wie sie davon wegkommen.

Wenn es eine Geburtsstunde der Erdölförderung gibt, dann muss sie wohl auf den 27. August 1859 datiert werden. An diesem Tag schoss aus einem Rohr, das Edwin Drake in die Erde nahe Titusville im US-Bundesstaat Pennsylvania gerammt hatte, die schwarze Flüssigkeit hervor. Drake, ein pensionierter Eisenbahnangestellter, war im Frühjahr 1859 von der Seneca Oil Company nach Titusville geschickt worden, weil man wusste, dass dort Öl unter der Erde lagerte. Die Ölgesellschaft hatte Drake für die Suche eingestellt, nicht, weil der Mann etwas von Öl verstand, sondern wohl, weil er kostenlos Eisenbahn fahren konnte.

Erdöl kannte man damals schon seit langem, vor allem war es als Nebenprodukt bei Bohrungen nach Salzlagerstätten zutage getreten. Entlang dem Oil Creek im Nordwesten Pennsylvanias hatten bereits Indianer des Seneca-Stamms und später die Siedler das Rohöl, das auf dem Fluss schwamm, abgeschöpft und es als Medizin verwendet. Ein Salzunternehmen in Kentucky füllte in den Dreißigerjahren des 19. Jahrhunderts Öl in Fässer und verkaufte es als Medizin.

Manche begannen, das Öl in ihren Lampen zu verbrennen, oder schmierten damit Wagenräder und Maschinen. Doch erst als es gelang, das Rohöl zu raffinieren, um daraus ein rußarmes Lampenöl zu gewinnen, wurde es für Unternehmen interessant. Als dann auch noch Petroleum aus Nordwest-Pennsylvania zum begehrten Schmiermittel für die Textilfabriken wurde, stieg der Preis pro Gallone von ursprünglich 75 Cents auf 2 Dollar. Das war der Zeitpunkt, als Firmen wie eben die Seneca Oil Company gegründet wurden, die Edwin Drake als ihren Generalagenten für 1000 Dollar jährlich anheuerte.

Edwin Drake beschloss, dass es am aussichtsreichsten sein würde, nach Öl zu graben. Zunächst schaffte er allerdings nur 10 Barrel am Tag, nicht genug, um die Förderung kommerziell interessant zu machen. Versuche, breite Schächte zu graben, schlugen fehl, weil Wasser die Bohrlöcher flutete. Drake beschloss, es mit einem Rohr zu probieren, durch das die Bohrinstrumente geführt wurden. In 10 Metern Tiefe stießen Drakes

Männer auf Stein, die Arbeit musste mühselig fortgesetzt werden. Längst hatten sich Schaulustige um das Bohrloch versammelt, das den Spitznamen »Drakes Folly« (Drakes Verrücktheit) trug. Drake arbeitete inzwischen auf eigene Rechnung, die Seneca Oil Company hatte bereits aufgegeben.

Drake hielt durch. Am 27. August 1859 war er bei einer Tiefe von 21 Metern angelangt. Seine Bohrutensilien waren wieder einmal auf einen Spalt gestoßen und stecken geblieben, die Männer packten zusammen und machten Feierabend. Als sie am nächsten Morgen zurückkamen, war Öl nach oben gestiegen. Binnen Tagen erfasste ein Ölrausch die Gegend. Drakes Methode wurde überall entlang dem Oil Creek nachgeahmt, es entstanden Ölstädte und eine ganze Industrie. Zweitausend Bohrlöcher zählte man im Jahr 1865 in der Gegend, wo einige Monate lang fast zwei Drittel der gesamten Weltölförderung sprudelte.

Edwin Drake selbst profitierte wenig von seiner Erfindung. Zwar gründete er eine Gesellschaft, um das Öl zu vermarkten, doch er versäumte es, Patente anzumelden, und verspekulierte sich. Drakes Familie verarmte. Hätten die Bürger von Titusville nicht dafür gesorgt, dass er eine staatliche Pension zugesprochen bekam, wäre er vermutlich 1880 im Armenhaus gestorben.

Seit Drakes Zeiten ist der Öldurst der Welt kontinuierlich gestiegen. Ständig erhöht sich der Wohlstand und damit auch die Nachfrage nach Öl. Pro Jahr sind es derzeit 2 Prozent. Kein Energieträger ist so begehrt: Öl – ein komplexes organisches Gemisch, das vor Millionen Jahren durch die Ablagerungen von mikroskopischen Lebewesen in der Erdkruste entstanden ist – ist leicht zu transportieren. Es brennt gut, ist aber nicht so leicht entflammbar wie Erdgas. Es ist leichter zu fördern als Kohle. Deshalb ist Öl der derzeit wichtigste Rohstoff der

Industriegesellschaft, Brennstoff für Kraftwerke, Antrieb für Fahrzeuge und Basis für die gesamte chemische Industrie.

Zum Verbrennen ist Erdöl eigentlich viel zu schade, hat einmal der Chemiker und Energiemanager Fritz Vahrenholt gesagt, der früher für den Ölkonzern Shell arbeitete. Von der Zahnbürste bis zum Turnschuh – Erdöl ist die Basis zahlloser Produkte im Alltag. Die meisten chemischen Erzeugnisse lassen sich aus etwa dreihundert Grundchemikalien aufbauen. Diese Molekülverbindungen – zum Beispiel Ethen, Propen, Benzol, Toluol, Xylole – werden heute zu etwa 90 Prozent aus Erdöl und Erdgas gewonnen. Immerhin knapp 7 Prozent des weltweit geförderten Erdöls werden für Chemikalien verwendet. Ohne Erdöl müssten die Grundchemikalien über komplizierte und teure Verfahren mit hohem Energieverbrauch hergestellt werden. Farben und Lacke, Arzneimittel, Wasch- und Reinigungsmittel, alle Arten von Kunststoffen, Textilien – kaum ein Produkt kommt heutzutage ohne Chemikalien aus, die nicht aus Erdöl gewonnen wurden.

Doch das Erdölzeitalter neigt sich dem Ende zu, die Ära des leicht verfügbaren Rohstoffs ist vorbei. Sicher, seit Jahrzehnten warnen Experten davor, dass die Vorräte irgendwann einmal aufgebraucht sein werden. Doch die Lage heute ist eine andere als noch vor zehn, zwanzig Jahren: In den großen Schwellenländern China und Indien wächst der Ölverbrauch rasant – und es ist nicht absehbar, dass sich daran etwas ändern wird. Ein großer Teil der Welt, der bislang genügsam gelebt hat, fordert nun sein Recht auf Konsum. Eine Milliarde Chinesen träumt von einem komfortablen Leben mit Auto, Kühlschrank und Videorekorder. Und wer könnte ihnen das verwehren, und mit welchen Argumenten?

Im Jahr 2006 schlug die Internationale Energieagentur IEA Alarm und warnte zum ersten Mal vor einer Ölknappheit. Ungewöhnlich deutlich sprach der Club der ölverbrauchenden Industrieländer mit Sitz in Paris davon, dass die Energieversorgung unsicherer zu werden drohe. Die IEA war von der Organisation für wirtschaftliche Zusammenarbeit OECD als Gegengewicht zur OPEC gegründet worden. Bisher hatten die IEA sowie der Verein der Ölproduzenten OPEC gern Optimismus verbreitet: Es gebe genug Erdöl, hieß es immer, im Schnitt werde jedes Jahr so viel an neuen Vorkommen entdeckt wie die Menschheit verbrauche.

Doch bei der Vorstellung ihres jährlichen Weltenergiereports am 7. November 2006 in London schlug die IEA ganz neue Töne an. Die OPEC-Länder seien unsichere Kantonisten, ließ IEA-Chef Claude Mandil wissen, entscheidend sei deshalb, wie groß die Reserven außerhalb der OPEC seien. Bei den Nicht-OPEC-Mitgliedern handelt es sich bekanntlich ausgerechnet um Länder, die nicht mehr viele Reserven haben wie beispielsweise Norwegen oder um solche, deren Vorräte nur mit großem Aufwand zugänglich sind wie Kanada mit seinen Teersanden.

Die Prognose der IEA: Der Scheitelpunkt der konventionellen Ölförderung außerhalb der OPEC wird um 2015 herum erreicht sein. Sprich: Danach werden die Staaten außerhalb der OPEC immer weniger fördern. Doch nicht nur die zu geringe Ölförderung, sondern auch andere Schwachstellen sorgen laut IEA dafür, dass die Welt auf eine Versorgungskrise zusteuert. Die Serie von Stromausfällen in Europa habe den Verbrauchern einen Vorgeschmack auf kommende Krisen gegeben. Sie müssten sich auf regelmäßige Stromausfälle und Preisaufschläge einrichten, wenn die Politik nicht schnell gegensteuere. »Wenn wir auf unserem energiepolitischen Kurs weiterfahren, werden wir in den kommenden Jahrzehnten von Krise zu Krise schlittern«, warnte Claude Mandil bei der Vorstellung des Jahresreports. Im Vorjahr hatte Mandil noch von einem »nicht nachhaltigen Kurs« gesprochen, dieses Mal warnte er, die derzeitige Energiestrategie sei zum Scheitern verurteilt. Wenn nicht schnell investiert werde, sei die Energiesicherheit gefährdet.

Viel muss getan werden. Schätzungsweise mehr als 20 Billionen Dollar werden die Regierungen und Energiekonzerne bis 2030 investieren müssen. Mehr als die Hälfte des Geldes muss laut IEA in die Stromversorgung fließen, um alte Kraftwerke zu ersetzen und neue zu bauen sowie die Stromnetze instand zu setzen. Einen enormen Investitionsbedarf sieht die Organisation auch in der Erschließung neuer Öl- und Gasvorkommen. Die Ölkonzerne hätten zwar in den vergangenen fünf Jahren ihre Ausgaben massiv gesteigert, doch die zusätzlichen Milliarden seien fast vollständig durch steigende Kosten aufgefressen worden. Ziehe man die Preissteigerung ab, seien die Investitionen zwischen 2000 und 2005 um nur 5 Prozent gewachsen.

Auch die OPEC-Staaten, auf die es in den kommenden Jahrzehnten maßgeblich ankommen werde, investierten noch immer viel zu wenig, warnt die IEA. Die Förderländer müssten ihre Märkte für privates Kapital öffnen. Genau das Gegenteil passiert derzeit in vielen Weltregionen: Russland versucht, ausländische Investoren herauszukegeln – Konzerne wie Shell, die an der Erschließung des Gasfeldes Sachalin 2 beteiligt sind, dürfen nicht mehr federführend an dem Vorhaben arbeiten, sondern mussten die Leitung an den staatlichen Konzern Gazprom abgeben. In Venezuela hat Präsident Hugo Chavez die Ölgesellschaft verstaatlicht und damit Investitionen für westliche Unternehmen unattraktiv gemacht.

Zugleich prophezeit die IEA auch, dass fossile Rohstoffe wie Öl, Gas und Kohle bis 2030 die wichtigsten Quellen der Energieversorgung bleiben. Sie werden größtenteils die jährlich um mehr als 16 Prozent steigende Nachfrage decken – mit dem

Ergebnis, dass der fossile Anteil an der Primärenergie von 80 auf 81 Prozent steigt. Gas und Kohle werden noch stärker nachgefragt werden, was den Anteil des Erdöls im globalen Energiemix bis 2030 leicht nach unten drückt. Trotzdem wird Öl bis dahin den größten Anteil ausmachen.

Tag für Tag wird die Welt um die 100 Millionen Barrel konsumieren, und zwar bis 2015, sagt die IEA voraus. Im Jahr 2030 wird der Öldurst auf 116 Millionen Barrel gestiegen sein. Gefährlich hoch bleibt auch die Abhängigkeit der Industrienationen vom Öl. Voraussichtlich werden die Staaten der OECD zwei Drittel ihres Ölbedarfs importieren müssen, heute sind es 56 Prozent. Zusätzliche Importe werden vor allem aus dem krisengeschüttelten Nahen Osten kommen, größtenteils mit Tankern, die gefährdete Routen nehmen. Die wachsende Konzentration der Ölproduktion werde die Macht einiger Länder wie Russland und Saudi-Arabien steigern, und sie dazu verführen, höhere Preise zu verlangen.

Neben den vielen schlechten Nachrichten gibt es allerdings auch eine gute: Die IEA hat für ihre Vorhersage nicht nur das »Weiter so«, sondern auch ein alternatives Szenario entworfen. Darin nimmt sie an, dass alle Maßnahmen umgesetzt werden, die man derzeit für machbar hält, um Energie sparsamer zu verwenden und Emissionen zu senken. Welche besonders effektiv sind, ist natürlich strittig. Unumstritten ist jedoch, dass sich viele Kilowattstunden und Barrel Öl sparen lassen, wenn man nur Motoren effizienter macht und Häuser besser dämmt. Kontroverser sind die Methoden der Stromerzeugung – die einen setzen auf erneuerbare Quellen, die anderen auf Kernkraftwerke. Laut IEA würde in diesem Szenario die Welt im Jahr 2030 etwa 10 Prozent weniger Energie verbrauchen als ohne Kurswechsel, und die CO_2-Emissionen würden 16 Prozent geringer sein.

Zurück zur Realität. Tag für Tag konsumieren die Weltbewohner etwa 84 Millionen Barrel Öl. Das sind mehr als 13 Milliarden Liter. Den größten Durst nach Erdöl haben bekanntermaßen die Amerikaner, die täglich 20,1 Millionen Barrel Öl verbrauchen. China kommt auf etwa 6 Millionen Barrel, Deutschland gehört mit 2,7 Millionen Barrel auch zu den weltweit größten Verbrauchern. Pro Kopf umgerechnet bedeutet das: Jeder US-Bürger konsumiert im Jahr 26 Barrel Erdöl, ein Bundesbürger kommt auf 11,7 Barrel Öl, während sich ein Chinese mit einem Siebtel dessen begnügt, mit 1,7 Barrel. Noch genügsamer sind die Inder mit einem jährlichen Pro-Kopf-Verbrauch von 0,8 Barrel Öl oder die Einwohner Bangladeshs mit nur 0,2 Barrel.

Amerikas Abhängigkeit vom Öl ist groß und gewissermaßen gefährlich. Sie liegt einerseits am enormen Energieverbrauch. Obwohl in den USA nur knapp 5 Prozent der Weltbevölkerung leben, konsumieren sie mehr als ein Viertel des Weltenergiebedarfs. Und weil das Land andererseits eigene Quellen besaß und Öl nach dem Zweiten Weltkrieg die am leichtesten zugängliche Energieform war, richtete Washington seit 1945 seine Außen- und Sicherheitspolitik maßgeblich am Öl aus: Die Allianz mit dem saudischen Königshaus, die Unterstützung des persischen Schahs, die Verteidigung Kuwaits gegen den Angriff von Iraks Diktator Saddam Hussein und nicht zuletzt auch der Einmarsch in den Irak sollten Amerikas Zugang zu den reichsten Ölquellen der Welt sichern.

Auf diese Weise haben die USA versucht, möglichst billig an Öl heranzukommen, um ihre Wirtschaft am Laufen zu halten – doch sie haben sich zugleich eine Achillesferse geschaffen. Ihr einziger wirklich zuverlässiger Lieferant ist Kanada, denn sowohl die Länder des Nahen Osten als auch Venezuela könnten ihre Ölexporte an politische Bedingungen knüpfen. Und in

Nigeria, das bereits etliche Prozent des amerikanischen Ölbedarfs deckt, ist die Lage hochexplosiv. Von den 20,5 Millionen Barrel, die Amerika täglich verbraucht, kommen 11,9 Millionen – also knapp 60 Prozent – aus dem Ausland. Seit der Ölkrise im Jahr 1973 sind die Importe um ein Drittel gestiegen.

Amerika sei süchtig nach Öl, gestand George W. Bush bei seiner traditionellen jährlichen Ansprache an die Nation im Januar 2006. Bis zum Jahr 2025 solle das Land sich zumindest von Importen aus dem Nahen Osten unabhängig machen, kündigte der US-Präsident an. Bereits im Sommer 2005 hatte Bush ein neues Energiegesetz unterzeichnet, welches das Wirtschaftswachstum erhalten und Amerika unabhängiger vom fremden Öl machen soll – durch Kohle und Atomstrom, durch steuerliche Anreize, sparsame Autos zu kaufen und Häuser besser zu dämmen.

Doch Amerika kann sich nicht so schnell abnabeln. Nach dem Hurrikan *Katrina* war gleichsam über Nacht fast die gesamte Öl- und Gasförderung im Golf von Mexiko ausgefallen. Schlagartig fehlten dem Land 1,4 Millionen Barrel Öl pro Tag, die nur durch die Freigabe von Reserven durch die IEA kompensiert werden konnten. Allerdings hat *Katrina* viele US-Bürger auch nachdenklich gemacht. Der Klimawandel ist ins Bewusstsein gerückt, ebenso ist der Druck gewachsen, auf sparsamere Autos umzusteigen. Die Zukunft wird zeigen, was sich durchsetzt: Umweltbewusstsein oder der Wunsch nach unbegrenzter Freiheit.

Beim Einkauf billigen Öls haben Amerika und die großen Industrienationen mächtige Konkurrenz bekommen: Die Schwellenländer drängen auf den Markt. Ihre Wirtschaft brummt, und damit steigt ihr Energiebedarf. Das hatte sich schon lange abgezeichnet, schließlich gilt China seit Beginn der Neunzigerjahre als Boomland, Indien folgte etwa zehn Jahre später. Dennoch haben selbst Fachleute den gigantischen Energiebedarf unterschätzt, der sich seit etwa 2003 auf den Märkten bemerkbar macht.

Vor allem China dürstet es nach Öl. Die Wirtschaft im Reich der Mitte ist in den vergangenen fünf Jahren um jährlich 7 Prozent gewachsen, im Boomjahr 2006 waren es sogar 10 Prozent. China ist zur sechstgrößten Wirtschaftsmacht der Erde aufgerückt.

Ein besonders zuverlässiger Indikator für den Energieverbrauch der Industrie ist die Stahlproduktion. Um Stahl aus Eisenerz herzustellen, braucht man enorme Mengen an Energie. China ist inzwischen der größte Konsument und auch der größte Produzent von Stahl. Seit 1993 steigt die Stahlproduktion von wenigen Ausnahmen abgesehen Jahr für Jahr um einen zweistelligen Prozentsatz, der jährliche Zuwachs erreichte teilweise fast 20 Prozent. Bereits 2003 verbrauchte China mit 257 Millionen Tonnen ein Viertel des weltweit hergestellten Stahls. Im selben Jahr avancierte es mit 222 Millionen Tonnen zum weltweit größten Produzenten – und übertraf damit die Menge an Stahl, welche die USA und Japan, die zwei größten Wirtschaftsmächte, zusammen herstellen. Inzwischen hat sich die Produktion noch einmal verdoppelt: Im Jahr 2006 lag sie schon bei 420 Millionen Tonnen – die für Waschmaschinen, Autos und Wolkenkratzer gebraucht werden. Platz eins nimmt China übrigens nicht nur bei der Produktion von Stahl ein, sondern auch bei vielen Rohstoffen, zum Beispiel bei Zink, Zinn, Eisen und Aluminium.

Und inzwischen auch bei der Kohleförderung. Der enorme Energiebedarf bei der Stahlproduktion und in anderen Industriezweigen ist ein wesentlicher Grund dafür, dass China so viel Kohle fördert und verbrennt. Die Hochöfen der Stahlhütten werden fast alle mit Kohle befeuert. Das hat Auswirkungen nicht nur auf das Erdklima, sondern auch unmittelbar für die Menschen. Unter erbärmlichen und gefährlichen Bedingungen müssen Kumpel den Rohstoff aus der Erde holen.

Auch die Menschen in China verbrauchen immer mehr Öl: Jeden Monat werden 30 000 neue Autos zugelassen. Der Ölkonsum von 1971 bis heute, der übrigens ziemlich parallel zu der Entwicklung des Bruttosozialprodukts verläuft, kann einem schon Angst einjagen: Während bis zu den Neunzigerjahren die Verbrauchskurve nur langsam stieg, hat sie seitdem die Form einer Exponentialfunktion – das ist eine besonders schnell wachsende mathematische Kurve. Entsprechend ist der Energieverbrauch regelrecht in die Höhe geschossen. 2005 verbrauchte das Land zwei Drittel mehr Energie als noch im Jahr 2002. Tagtäglich werden 6,2 Millionen Barrel Erdöl verbrannt – Tendenz steigend. Bereits heute muss China 30 Prozent seines Öls importieren. Wenn die Energie- und Wirtschaftstrends sich fortsetzen, dann wird der aufstrebende Riese im Jahr 2020 knapp zwei Drittel seines Ölbedarfs einführen müssen.

Auf die weltweite Nachfrage wirkt sich auch Chinas Energiestrategie aus. Zum Beispiel will die Führung in Peking die Ölreserven ausbauen. Bisher reichen die Vorräte nur für ein paar Tage, ein plötzlicher Lieferengpass würde Chinas Wirtschaft empfindlich treffen. Im Sommer 2005 hat das Land damit begonnen, Öllager anzulegen, in den kommenden fünf Jahren sollen zusätzlich 30 bis 40 Millionen Barrel Öl gelagert werden, was den Bedarf für einen Monat decken würde. Eine größere Reserve wäre zwar sinnvoll – die Mitgliedsländer der OECD horten immerhin einen Vorrat von drei Monaten – aber für die Chinesen wäre die Rechnung derzeit zu hoch. Zum Glück für die Industrienationen, muss man wohl sagen. Ansonsten würde sich Öl noch weiter verteuern.

Der seit 2004 rasant gestiegene Ölpreis ist denn auch

hauptsächlich eine Folge des chinesischen Energiehungers, wie die IEA bilanziert. »Die chinesische Nachfrage ist die treibende Kraft hinter dem steigenden Bedarf weltweit«, heißt es in einem Report aus Paris. Die Volksrepublik verbraucht jetzt schon so viel Öl wie Saudi-Arabien, Kuwait und Iran derzeit fördern.

Noch benötigt ein Chinese nur ein Zehntel so viel Öl wie ein Amerikaner. Doch mit seinen 1,3 Milliarden Einwohnern fällt China besonders ins Gewicht. Mit etwa 10 Prozent des Weltverbrauchs ist China inzwischen nach den USA der zweitgrößte Ölkonsument der Erde, im Jahr 2020 wird das Land nach Schätzungen der IEA Amerika überholen.

Peking kennt seine Probleme und versucht, wie andere Staaten auch, die Abhängigkeit von einigen wenigen Lieferanten zu mildern und möglichst weltweit einzukaufen. Ob in Afrika, im Nahen Osten oder in Südamerika, China ist immer auf der Suche nach neuen Ölquellen. Wie die anderen Supermächte verknüpft es seine Rohstoffversorgung mit politischen Zielen. Zugleich befürchtet die Regierung in Peking eine zu große Abhängigkeit: Chinas Toppolitiker schmieden ständig neue Allianzen und Bündnisse – auch politisch zweifelhafte, wie jenes mit dem Regime im Sudan oder mit Iran.

Im Herbst 2004 investierte China Milliarden Dollar in Irans Öl- und Gasvorkommen, seitdem hat die Volksrepublik sich zu einer Schutzmacht Teherans entwickelt – und bislang auch das Regime vor Sanktionen im Atomstreit geschützt. Weil China einen ständigen Sitz im UN-Sicherheitsrat hat, kann es Strafen der Weltgemeinschaft verhindern, was dazu geführt hat, dass Teheran ziemlich ungestört seine Pläne zur Anreicherung von Uran verfolgen konnte.

Auch in Afrika engagiert China sich verstärkt. Im Gegensatz zu den USA, die ihren Zugriff auf das Öl häufig mit militärischen Mitteln sichern, setzt Peking auf den Handel. Das macht Chinas Politiker vor allem in Afrika so beliebt. Sie kommen nicht als Besatzer, sie wollen nicht Missionare sein, sie pochen nicht auf Demokratie. Doch sie sind nicht minder entschlossen, sich Afrikas Ölquellen zu sichern. Im Februar 2007 reiste Chinas Staatschef Hu Jintao zum zweiten Mal nach Afrika, fast zwei Wochen tourte er durch den Kontinent.

Die Chinesen engagieren sich dabei selbst in unsicheren Regionen, in die Vertreter westlicher Länder sich nicht mehr trauen, zum Beispiel nach Äthiopien. Bisher haben sie sich von wiederholten terroristischen Anschlägen nicht abschrecken lassen. Zuletzt starben neun chinesische Arbeiter, als am 14. April 2007 zweihundert Rebellen im Morgengrauen ein Ölfeld im Gebiet Ogaden im Osten Äthiopiens stürmten.

Das Engagement in Äthiopien mag man noch mutig nennen, jenes im Sudan ist politisch zweifelhaft. Zwar sind die westlichen Länder auch nicht immer vorbildhaft, wenn es um ihre Ölinteressen geht. Doch in der sudanesischen Provinz Darfur führt ein besonders menschenverachtendes Regime einen Vertreibungskrieg, der mindestens 200 000 Menschen das Leben gekostet hat. China aber kauft den Löwenanteil des sudanesischen Öls und hat bisher die Regierung in Khartum unterstützt. Als Hu Jintao das Land besuchte, hat er jedenfalls nichts getan, um die Kriegstreiber von Karthum in die Schranken zu weisen. Stattdessen bauen sie Brücken und Straßen und verlegen Eisenbahnschienen – ein Gegengeschäft für billiges Öl, das sie inzwischen auch in Angola und Nigeria praktizieren. Im UN-Sicherheitsrat hat Peking internationale Sanktionen bisher verhindert und sich so zum Komplizen der Verbrecher in Karthum gemacht. Erst seitdem US-Prominente und christliche Bürgerrechtsbewegungen in den USA sich engagieren und ihre Regierung aufrufen, die Olympischen Spiele 2008 in Peking wegen Darfur zu boykottieren, scheint China zum Einlenken bereit zu sein.

Wo immer unter der Erde Öl lagert – man kann schon fast darauf wetten, dass Pekinger Politiker dort zu Besuch waren und sich eingekauft haben. Im November 2004 reiste Hu Jintao zwei Wochen lang durch Südamerika und vereinbarte mit Venezuelas Machthaber Hugo Chavez, dass die Chinesen in dem ölreichen Land fünfzehn Felder erschließen und eine Raffinerie aufbauen. In Algerien ist China mit 40 Milliarden Dollar an einem Ölfeld beteiligt. Wo Peking nur kann, versucht es zu investieren. Im Sommer 2005 zuckte Amerika zusammen, als Chinas drittgrößte Ölgesellschaft, die staatliche China National Offshore Oil Company, 18,5 Milliarden Dollar bot, um den drittgrößten US-Ölproduzenten Unocal zu kaufen. Konkurrent Chevron Texaco, der auch Interesse an Unocal hatte, mobilisierte Abgeordnete und Senatoren gegen den Deal; auch die Regierung George W. Bush war nicht begeistert. Die Chinesen zogen schließlich ihr Angebot zurück. Auch wenn dieses Geschäft misslang, darf man sicher sein, dass China im weltweiten Handel mit Öl eine zunehmend wichtige Rolle spielen und zum gefährlichsten Konkurrenten der USA heranwachsen wird.

Die Welt dürstet seit langem nach Öl – doch nie war die Nachfrage so stark wie heute. Das hat den Preis nach oben getrieben, im Frühjahr 2007 notierte ein Fass Rohöl um die 70 Dollar. Das derzeitige Preishoch nennen Fachleute ein Nachfragehoch – im Gegensatz zu den Rekorden der ersten Ölkrise im Jahr 1973, die durch mangelnden Nachschub aus dem Nahen Osten entstanden waren.

»Vorhersagen sind schwierig, insbesondere, wenn sie die Zukunft betreffen«, hat der Physiker Niels Bohr gesagt. Das gilt auch für den Ölpreis, der von vielen Faktoren abhängt. Wie viel Öl auf den Weltmarkt gelangt, hängt davon ab, welche Reserven Firmen erschließen und ob es genügend Raffinerien gibt. Wie viel Öl gebraucht wird, hängt vom Preis, vom Wirtschaftswachstum und davon ab, was alternative Energiequellen hergeben.

Verkompliziert wird die Prognose zudem durch Rückkopplungseffekte: Brummt die Weltwirtschaft, dann steigt auch die Nachfrage nach Öl. Der Rohstoff verteuert sich – die Preisspirale nach oben kann dann wieder dazu führen, dass das Wirtschaftswachstum nachlässt, und damit auch die Nachfrage. Weshalb die Preise wieder sinken. Genau das ist in den Achtzigerjahren passiert. Die zwei Ölpreisschocks von 1973 und 1979 führten nicht nur zu einer Wirtschaftskrise und zu einer geringeren Nachfrage, sondern auch dazu, dass vermehrt neue Ölfelder erschlossen wurden. Der Ölpreis brach ein, von diesem Tief erholten sich die Produzenten erst wieder im Jahr 2000. Abgesehen davon ist die Welt nicht vor unerwarteten Naturkatastrophen gefeit, die Raffinerien und Ölplattformen ausfallen lassen und den Ölpreis in die Höhe treiben.

Manche Prognosen sehen den Ölpreis, der im Juni 2007 bei 72 Dollar pro Barrel lag, auf 100 Dollar steigen. Denn eines ist sicher: So rasant wie der Energiebedarf der Schwellenländer wächst, so schnell können die Industrienationen gar nicht auf andere Quellen für Wärme und Strom umstellen. Man muss also damit rechnen, dass die Schere zwischen Angebot und Nachfrage sich kurzfristig nicht schließen wird.

Eine gute Nachricht gibt es immerhin: Die Weltwirtschaft reagiert nicht mehr so empfindlich auf den Ölpreis wie früher, nicht jede Preissteigerung schlägt sich gleich in einer Rezession nieder. Als der Ölpreis zwischen 1991 und 1999 um das historische Tief von 20 Dollar pendelte und vorübergehend sogar auf zwölf Dollar fiel, gingen Analysten davon aus, dass die Weltwirtschaft bei einem Preis von 40 Dollar kollabieren werde.

Doch das Wachstum dauerte an, obwohl das Barrel Öl bei 40, 50 und sogar 60 Dollar gehandelt wurde.

Ein Grund dafür ist, dass viele Wirtschaftszweige nicht mehr so energieintensiv sind wie früher. Die Industrie produziert effizienter, für jede Einheit des Bruttosozialproduktes wird weniger Öl gebraucht. Das gilt sogar für die USA: Deren Wirtschaft ist seit den Siebzigerjahren um mehr als 150 Prozent gewachsen, der Ölverbrauch stieg im selben Zeitraum um »nur« 25 Prozent. Hinzu kommt, dass Wirtschaftswachstum heute nicht mehr primär in Fabrikhallen entsteht, sondern erheblich auch in Büros, Krankenhäusern und Labors. Dienstleistungen aber verbrauchen weniger Energie als die Produktion eines Autos oder einer Waschmaschine.

Eine wichtige Frage bleibt: Wie lange wird das Öl reichen? Davon hängt es schließlich ganz wesentlich ab, wie sich die Menschheit in Zukunft einrichtet. Ob sie weiterhin kostbares Öl zu Strom verfeuert, ob sie auf ungebremste Mobilität setzt, oder ob sie intensiver als bisher versucht zu sparen und Alternativen forciert – das heißt, Kernkraftwerke baut oder Biokraftstoffe entwickelt. Auf die scheinbar einfache Frage nach den Reserven gibt es jedoch nur komplizierte Antworten.

Ein Begriff beherrscht die Diskussion der Geologen und Öl-Analysten: »Peak Oil«. Darunter verstehen Fachleute den Zeitpunkt, an dem das Maximum der Ölförderung erreicht ist. Der Begriff »Peak Oil« geht auf den amerikanischen Geophysiker Marion King Hubbert zurück. Hubbert stellte in den Fünfzigerjahren des vergangenen Jahrhunderts fest, dass die Ausbeute eines Ölfeldes einer Glockenkurve folgt. Zunächst sprudelt das Öl aus einem Bohrloch, und es wird so viel gefördert wie möglich, bis etwa die Hälfte des Rohstoffs herausgeholt ist. Dann wird die Menge des geförderten Öls immer weniger, bis die Quelle eines Tages versiegt. Die Förderkurve, so die logische Schlussfolgerung Hubberts, folgt mit einiger Verzögerung der Menge neu entdeckten Öls. Aufgrund dessen, was man 1956 über Ölvorkommen wusste, schätzte Hubbert, dass für die USA »Peak Oil« spätestens Anfang der Siebzigerjahre erreicht sein werde. Die Firma Shell, für die der Geophysiker damals arbeitete, war von Hubberts Vorhersage gar nicht begeistert, sie hielt sie für geschäftsschädigend. Schließlich wollte man damals lieber die Botschaft verbreiten, Öl sei im Überfluss vorhanden.

Mit seiner US-Prognose hat Hubbert recht behalten. Seit 1971 geht die Produktion in den Vereinigten Staaten kontinuierlich zurück. Amerika hat – abgesehen von Naturschutzgebieten in Alaska, wo die Förderung umstritten ist – seine Reserven weitgehend erschlossen und größtenteils ausgebeutet. Inzwischen muss das Land zwei Drittel seines Bedarfs importieren. Bestes Beispiel ist Texas. Im ölreichsten US-Bundesstaat erbrachte vor sechzig Jahren jedes Bohrloch im Schnitt 20 Barrel täglich, heute kommen gerade einmal 5 Barrel aus dem Boden.

Das Bild von »Peak Oil« ist allerdings ein wenig zu simpel. Zum einen sind nicht alle Ölfelder der Welt erkannt und erschlossen, zum anderen macht die Explorationstechnik Fortschritte: Es ist heute möglich, weitaus tiefer zu bohren und Quellen anzuzapfen, von denen Hubbert und seine Kollegen nicht zu träumen wagten. Und je höher der Ölpreis, umso interessanter wird es, unkonventionelle Quellen wie Ölsande, -teere und -schiefer zu fördern. Das ist zwar sehr teuer – könnte sich jedoch bei einem Ölpreis von 80 bis 100 Dollar pro Barrel rentieren.

Wie lange also reichen die Vorräte? Das hängt im Wesentlichen von den weltweiten Reserven ab. Und über diese gibt es keine hundertprozentig zuverlässigen Angaben. Bekannt sind mehr als 43 000 Ölfelder, in den vierhundert größten befinden sich drei Viertel der Reserven. Besonders reich ist der Nahe Osten – mehr als ein Drittel der konventionellen Vorräte lagern dort unter dem Sand von Saudi-Arabien, Kuwait, den Arabischen Emiraten, Iran und Irak. Diese Länder bilden die Stütze der OPEC. Zusammen mit anderen ölreichen Mitgliedern wie Venezuela, Libyen, Algerien, Nigeria und Indonesien besitzen sie fast 80 Prozent der weltweiten Reserven, was deutlich macht, wie mächtig die OPEC ist. Russland sitzt auf weiteren 6 Prozent der Vorräte, Westeuropa auf 2.

Allerdings stammen diese Zahlen von den ölfördernden Ländern selbst beziehungsweise von den Fördergesellschaften. Es bleibt ihnen überlassen, welche Vorräte sie melden. Sie sind auch nicht gezwungen, die Produktion der einzelnen Felder offenzulegen – dann wüsste man nämlich besser, wie ergiebig jedes der zweihundertfünfzig mittleren und großen Ölfelder ist.

Seit 1985 legt die OPEC die nationalen Förderquoten abhängig von den Reserven fest. Deshalb stehen manche Länder im Verdacht zu tricksen. Wer mehr Öl verkaufen will, schraubt einfach seine Reserven in die Höhe wie Kuwait 1985. Die Vorräte des Golfstaates wuchsen innerhalb eines Jahres um wundersame 50 Prozent. Und angeblich verbrannten im Golfkrieg von 1990 sechs Milliarden Barrel Öl – doch das verfeuerte Öl tauchte in keiner Statistik jemals auf.

Unlängst schätzte das Magazin *Petroleum Intelligence Weekly*, dass nur die Hälfte der kuwaitischen Reserven von knapp 100 Milliarden Barrel belegt sei. Erschwerend kommt hinzu, dass die Definition dessen, was ein »gesicherter« Vorrat ist, von Land zu Land unterschiedlich gehandhabt wird. In den USA gelten Reserven nur dann als gesichert, wenn sie tatsächlich sofort gefördert werden können. Saudi-Arabien dagegen zählt auch Felder dazu, die noch nicht erschlossen sind. Venezuela rechnet die Ölsande des Orinoco, aus denen sich der wertvolle Rohstoff nur mit großem Aufwand herausholen lässt, zu seinen Vorräten. Und natürlich lässt keines der öl- und gasfördernden Länder unabhängige Experten seine Schätze begutachten.

Ali Samsam Bakhtiari, Ex-Manager der Nationalen Ölgesellschaft Irans, macht keinen Hehl daraus, dass er die Ölreserven der OPEC, insbesondere jene Irans, für weit überschätzt hält. Von den 701 Milliarden Barrel an Vorräten, welche die OPEC im Jahr 2004 deklariert hat, bezeichnet der Fachmann 317 Milliarden als »zweifelhaft«. In einem Interview mit einer kanadischen Zeitung prophezeite Bakhtiari, dass die weltweite Ölförderung bereits ihr Maximum erreicht habe und im Jahr 2020 um ein Drittel niedriger liegen werde als heute.

Die Ölzählung strotzt vor weiteren Ungereimtheiten. Die Vereinigten Arabischen Emirate bilanzieren ihre Reserven seit 1988 Jahr für Jahr auf 92 Milliarden Barrel. Man fragt sich nur, was seitdem mit dem Öl passiert ist, von dem jährlich immerhin eine Milliarde Barrel gefördert wird. Wächst es etwa nach? Auch Ölkonzerne nehmen es mit den Zahlen nicht so genau. Nachdem die Firma Shell Anfang 2004 erklärte, dass ein Fünftel ihrer Reserven nicht zuverlässig sei, fiel der Börsenwert. Das Unternehmen musste seine Vorräte nach unten korrigieren, Shell-Vorstandsvorsitzender Phil Watts nahm seinen Hut.

Dass die Ölkonzerne auch ein Interesse an möglichst hohen Reserven haben, versteht sich. Der Firma BP zufolge, die jährlich die *Statistical Review of World Energy* herausgibt, beliefen sich die weltweiten bestätigten Vorräte auf 1188 Milliarden Barrel – ausreichend für etwa vierzig Jahre. Erdgas würde noch etwa sechsundsechzig Jahre reichen. Doch ein paar Jahrzehnte sind keine besonders lange Zeitspanne. Manche Experten warnen deshalb davor, zu sehr auf die Reserven zu starren. Entscheidend für sie ist vielmehr der Zeitpunkt, ab dem aus physikalischen Gründen weniger gefördert wird. Die Kurven der bisherigen regionalen Förderung haben entweder – wie im Fall der USA – ihren Höhepunkt schon längst überschritten oder werden das in Kürze tun. Für den Nahen Osten erwarten Fachleute den »Peak Oil« für 2008, Russland hat ein Plateau erreicht, das voraussichtlich ab 2010 absinken wird, in Westeuropa nimmt die Förderung seit etwa 2000 ab. Das Maximum von Hubberts Glockenkurve wäre demnach erreicht – wenn auch dreißig Jahre später, als der Forscher vorhergesagt hatte.

Eine warnende Stimme ist auch die von Matthew Simmons. Der frühere Berater von US-Präsident George W. Bush gilt als einer der bekanntesten Experten der »Peak Oil«-Theorie. Simmons ist überzeugt, dass das weltweit größte Ölfeld, Ghawar in Saudi-Arabien, sein Fördermaximum bereits im Herbst 2006 erreicht hat. Er stützt sich bei seiner Vorhersage auf geheime Unterlagen der Ölfirma Saudi Aramco.

Optimisten könnten nun einwenden, dass doch ständig neue Reserven entdeckt werden. Allerdings ist es mit den ergiebigen Feldern nicht mehr so weit her. Dass Forscher noch einmal auf große, leicht auszubeutende Vorkommen stoßen, ist eher unwahrscheinlich. Wenn wie im Frühjahr 2007 gemeldet wird, dass der Irak möglicherweise doppelt so viel Öl besitzt, als bisher vermutet, dann ist das eine Ausnahme. Laut einer Stu-die einer unabhängigen Beratungsfirma, aus der die *Financial Times* zitierte, könnten in der Wüste im Westen des Landes 100 Milliarden Barrel Öl unter der Erde lagern. Derzeit fördert der Irak wegen des Bürgerkriegs weitaus weniger Öl als möglich. Von 78 Feldern werden im Moment nur 25 genutzt. Weitere 25 Felder könnten ohne großen Aufwand exploriert werden – doch die Sicherheitslage ist zu brenzlig.

Zahlreiche kleine Quellen mögen noch unentdeckt sein,

doch die großen Felder dürften weitgehend bekannt sein – auch weil die Simulationstechnik große Fortschritte gemacht hat. In den Forschungslabors von Exxon Mobil oder BP liefern Großcomputer detailgetreue dreidimensionale Bilder der Erdschichten. Gewonnen werden sie aus Schallwellen, die man durch die Erdschichten jagt – 3-D-Seismik heißt die Methode. Hartes Gestein reflektiert die Wellen; poröses Material, in dem Öl enthalten sein kann, schluckt sie. Aus dem Muster des Echos lässt sich auf die Gesteinsformationen schließen – und auf die Wahrscheinlichkeit, dass sich dort Öl befindet. Geologen können anhand der Aufnahmen schätzen, wo die Bohrtrupps die Geräte ansetzen müssen und wie viel Öl dort lagern könnte. Deshalb weiß man inzwischen ziemlich genau, wo noch nennenswerte Reserven zu finden sind. Inzwischen kommen durch noch ausgefeiltere Programme die unterirdischen Bilder sogar im Zeitraffer auf den Schirm. Die Forscher können sehen, wie sich die bisherigen Reserven entwickelt haben und daraus auch ziemlich genau schließen, wie viel Öl noch vorhanden ist.

Doch der Job der Geologen wird trotz ausgefeilter Simulationsmethoden immer schwieriger. Während in den Sechzigerjahren jährlich 60 Milliarden Barrel Öl gefunden wurden, ist es derzeit nur noch ein Zehntel davon. Selbst das Meer, in dem immer tiefer gebohrt wird, gibt nicht mehr allzu viel her. Bis in 1500 Meter Tiefe dringen die Bohrmeißel vor – in der Nordsee, im Golf von Mexiko, vor den Küsten Nigerias und Malaysias. Theoretisch lässt sich bis 2000 Meter bohren, und in den Tiefen des Atlantiks sowie des Kaspischen Meeres vermuten Fachleute noch ein paar Milliarden Barrel an Reserven. Unlängst meldete Chevron die Entdeckung eines Ölfelds im Golf von Mexiko in 2100 Metern Tiefe und weitere Vorkommen in 6000 Metern. Das aber ist ziemlich tief unten. Der Preis wird entscheiden, ob eine Förderung sich lohnt – mit jedem Meter wird das Fass Öl kostspieliger. Außerdem haben viele der leicht zugänglichen Felder am Meeresboden die Spitze erreicht, voraussichtlich Ende dieses Jahrzehntes wird die Produktion von Tiefseeöl abnehmen.

Der steigende Ölpreis bewirkt, dass die Konzerne inzwischen auch Quellen anzapfen, die nicht mehr ordentlich sprudeln. Zum Beispiel lässt sich mit Hilfe von Wasser Öl aus dem Bohrloch pressen, um den Druck zu erhöhen. Auch das ist aufwändig, denn Öl und Wasser müssen anschließend wieder getrennt werden. Oft ist das Öl zäh und muss mithilfe chemischer Zusätze flüssiger gemacht werden. Auch die Methode, nicht mehr in die Tiefe, sondern mittels spezieller Gestänge parallel zur Oberfläche zu bohren, erlaubt es, schwer zugängliche Lagerstätten anzuzapfen. Teilweise bohrt man sogar mittels dieser Technik vom Land aus im Meer.

Hoffnung setzen die Ölkonzerne schließlich in geologische Formationen wie Ölsande: eine Mischung aus Ton, Sand, Wasser und Kohlenwasserstoffe. Rein rechnerisch machen die Vorräte an Ölsand zwei Drittel der weltweiten Ölvorkommen aus, wobei mit 1,8 Billionen Barrel ein Drittel des Ölsands in den Vorkommen am Orinoco in Venezuela lagert, ein Drittel in den kanadischen Athabasca-Feldern. Auch in Saudi-Arabien und anderen Ländern des Nahen Osten finden sich große Ölsande.

Angesichts der drohenden Ölknappheit klingen diese Mengen fast Schwindel erregend. Doch der Abbau des Rohstoffs ist aufwändig und extrem umweltschädlich. Zunächst muss in der Regel die oberste Erdschicht abgetragen werden. In den darunter liegenden Sand wird heißes Wasser gepresst, und der so entstandene Schlamm wird zu einer Extraktionsanlage gepumpt, wo er gerührt wird und die flüssigen Kohlenwasserstoffe oben abgeschöpft werden. Da die Kohlenwasserstoffe meist viel dickflüssiger sind als herkömmliches Rohöl, müssen sie entweder mit Petroleum gemischt oder chemisch gespalten werden, bevor sie sich durch eine Pipeline transportieren lassen. Zurück bleibt eine zerstörte Landschaft, die an den Kohletagebau erinnert. Zudem entstehen riesige Mengen an Abfall – auf jede Tonne Rohöl kommen schätzungsweise 25 Tonnen Abraum.

Auch Ölschiefer sind auf der Welt reichlich vorhanden, doch ihr Abbau ist mindestens so kompliziert wie jener der Ölsande. Dabei handelt es sich um Sedimentgesteine, die Schweröl enthalten. Sie müssen auf 500 Grad Celsius erhitzt werden, damit die Kohlenwasserstoffe sich überhaupt herauspressen lassen. Die Nazis versuchten aus dem Ölschiefer in der Schwäbischen Alb Brennstoff für Panzer zu gewinnen – viele hundert KZ-Häftlinge starben bei dieser mörderischen Arbeit. Etwas ökonomischer ist es, den Ölschiefer zu verbrennen. Bisher aber gibt es weltweit nur ein Kraftwerk in Estland, wo dies geschieht – die Energieausbeute ist einfach zu schlecht.

Versiegende Quellen in Nahost, Sande und Schiefer, die nur unter großem Aufwand auszubeuten sind, schwer zugängliches Tiefseeöl – es sieht nicht gut aus für die ölsüchtigen Menschen. Früher oder später werden sie sich Alternativen überlegen müssen, ob in vierzig, fünfzig oder sechzig Jahren. Das gilt übrigens auch für Gas. Es wird wohl ein wenig länger reichen als das Öl, aber auch nicht über dieses Jahrhundert hinaus, zumal die Nachfrage nach Gas besonders groß ist. Doch die Menschheit muss sich von den fossilen Rohstoffen abnabeln, nicht nur wegen der schwindenden Reserven, sondern auch wegen des bedrohten Erdklimas. Die Zeiten des einfach zu gewinnenden Öls sind vorbei.

Die neue Macht der Diktatoren

Das Haar hat er sich sportlich zur Seite gekämmt, der Mittelscheitel ist verschwunden. Frank-Walter Steinmeier schaut entspannt, im Hintergrund ist ein Prachtbau im Post-Sowjetstil zu sehen. Deutschlands Außenminister ist Ende März 2007 wieder einmal unterwegs, diesmal in Astana, der neuen Hauptstadt Kasachstans, wo er den selbstherrlichen Präsidenten der jungen Republik, Nursultan Nasarbajew, getroffen hat. Frank-Walter Steinmeier ist von Amts wegen viel unterwegs, aber dass er innerhalb weniger Monate zum dritten Mal nach Zentralasien reist, ist außergewöhnlich. Der Hintergrund: Die EU will sich stärker in Zentralasien engagieren. Sie wolle dabei helfen, sagt Steinmeier, dass die fünf autoritär bis despotisch geführten Staaten rechtsstaatliche Strukturen erhalten. Außerdem seien vor allem Tadschikistan, Usbekistan oder Turkmenistan wegen ihrer Nachbarschaft zu Afghanistan wichtige Verbündete im Kampf gegen die islamistischen Taliban-Kämpfer.

Doch der wichtigste Grund für das Werben der EU um Zentralasien ist, auch wenn man es nicht so unverblümt sagt, die Energie. Fünf Prozent der Weltenergiereserven liegen unter dem Erdboden der kargen Steppen Zentralasiens sowie rund ums Kaspische Meer. Mächtig sind die Vorräte an Gas und Öl vor allem in Turkmenistan und im prosperierenden Kasachstan. Dort befindet sich unter anderem das Kaschagan-Feld, das größte Ölfeld, das in den vergangenen Jahrzehnten entdeckt wurde. Nach dem Zerfall der Sowjetunion hatte Europa die

Region viele Jahre vernachlässigt. Unterdessen verfolgten inbesondere China, die USA, Russland und Japan dort zielstrebig ihre Interessen. Nun erinnert sich die EU an Zentralasien.

Europa ist aufgewacht. Heute bezieht die EU ein Drittel ihres Erdgases aus Russland. Doch Moskaus Muskelspiele gegenüber der Ukraine haben viele westliche Importeure an den redlichen Absichten des Kremls zweifeln lassen. Präsident Wladimir Putin jedenfalls ist fest entschlossen, die Rohstoffe auch politisch zu nutzen. Erschwerend kommt hinzu, dass andere Großverbraucherländer bei ihrer Suche nach Brennstoffen bereits in Moskau vorstellig geworden sind. Experten erwarten daher, dass Russland, das jetzt 88 Prozent seiner Erdgasausfuhren in die EU schickt, in fünfzehn Jahren nur mehr ein Drittel in Pipelines Richtung Westen speist – und zwei Drittel nach Asien und in die USA liefern wird.

Europa muss sich nach anderen Quellen umschauen. Der Kontinent hat auch erkannt, dass die Sicherung der Energieversorgung eine höchst politische und strategische Angelegenheit ist. Daher die vielen Reisen Frank-Walter Steinmeiers nach Zentralasien. Die Großmächte dieser Welt wissen schon lange um die Bedeutung der Energiepolitik. Schließlich wurde die Politik des 19. und 20. Jahrhunderts maßgeblich von der Herrschaft über Bodenschätze und Handelsrouten bestimmt. So fochten das britische Empire und das Zarenreich Kriege um die Vorherrschaft in Zentralasien aus, bekannt geworden als »The Great Game«, das Große Spiel. Zunächst ging es vor allem um den Zugang zum Indischen Ozean, denn die Russen wollten einen eisfreien Hafen bauen. Später rivalisierte man um die reichen Ölvorkommen in der Region. Und als der britische Premier Winston Churchill kurz vor dem Ersten Weltkrieg entschied, die Kriegsflotte mit Diesel statt mit heimischer Kohle zu befeuern, war Erdöl endgültig zum strategischen Gut geworden.

Ums Schwarze Gold ging es den Briten in den ersten Dekaden des 20. Jahrhunderts auch in Persien, wo die Kolonialherren mithilfe der Anglo-Persian Oil Company (der heutigen BP) prächtig an der Ölförderung verdienten, während die Einheimischen mit einem Taschengeld abgespeist wurden. Die Folgen sind heute noch zu spüren. Wenn iranische Revolutionsgarden britische Marinesoldaten kapern, die im Schatt el-Arab patrouillieren, und im Fernsehen vorführen, dann ist das eine populistische Aktion, bei der sie sich der Zustimmung der Bevölkerung sicher sein können.

Andere Großmächte machten beim Ölspiel munter mit. Stalin verleibte sich 1920 die westlich orientierte Demokratische Republik Aserbaidschan gewaltsam ein, um die reichen Ölfelder von Baku unter Sowjetkontrolle zu bringen. Auch Hitler hatte in seiner Großmannssucht die Ölquellen im Blick, als er seinen Russlandfeldzug begann.

Nur Amerika konnte es sich zunächst leisten, sich aus den Ölkonflikten herauszuhalten. Das heimische Öl floss reichlich, bis zum Zweiten Weltkrieg zählten die USA sogar zu den großen Erdölexporteuren der Welt. Doch schon in den Vierzigerjahren des 20. Jahrhunderts wurde offensichtlich, dass Amerika seinen wachsenden Öldurst nicht mehr lange selbst würde stillen können. Der erste US-Präsident, der das erkannte, war Franklin D. Roosevelt. Nach der Konferenz von Jalta, im Februar 1945, traf Roosevelt sich mit dem saudischen König. Seitdem haben die reichen Ölvorräte des Wüstenstaates dessen Beziehungen zu den USA geprägt. Alle US-Präsidenten betrachteten den Zugang zu den saudischen Ölquellen als lebenswichtig für Amerikas Wirtschaft; die spezielle, auf Öl basierende Freundschaft zu den Saudis hat die gesamte Nahostpolitik der Supermacht geprägt.

Öl hat seit seiner Entdeckung die Weltpolitik mitbestimmt.

Doch seine Rolle dürfte wachsen. Heute stehen wir vor einem unsicheren Energiezeitalter. Die unbeschwerten Neunzigerjahre, als der Erdölpreis im freien Fall war und das seriöse Magazin *The Economist* darüber spekulierte, wann ein Barrel für 5 Dollar zu haben sein werde, scheinen eine Ewigkeit hinter uns zu liegen. Bis 2030 wird sich – so prophezeit die Internationale Energieagentur (IEA) in ihrem Jahresbericht »World Energy Outlook 2006« – der globale Verbrauch um 50 Prozent erhöhen, größtenteils durch den Energiehunger der Schwellenländer wie beispielsweise Indien und China. Die steigende Nachfrage wird zu vier Fünftel durch fossile Brennstoffe gedeckt werden. Heute verbraucht die Welt nach Schätzung der IEA 83 Millionen Barrel pro Tag, im Jahr 2030 werden es 116 Millionen Barrel sein. Der Run auf Öl und Gas dürfte damit zunehmen. »Die Gefahr für die Energiesicherheit ist real, und sie wächst«, warnt die IEA. Weil die Ölreserven der Industrienationen zur Neige gehen, werden diese immer mehr importieren müssen – und zwar aus immer weniger Ländern. Die Konzentration der Ölförderung auf eine Handvoll Länder mit großen Reserven – abgesehen von Russland handelt es sich dabei um Staaten im Nahen Osten –, heißt es im düsteren Zukunftsszenario, wird deren Marktmacht verstärken.

Öl – und in zunehmendem Maße auch Gas – bleiben demnach auf absehbare Zeit das »Lebensblut der Zivilisationen«. Weil die Reserven knapp werden, werden die fossilen Brennstoffe zunehmend als Machtwährung eingesetzt. Venezuelas sozialistischer Potentat Hugo Chavez hat mehrfach gedroht, den USA, die 10 Prozent ihres Öls aus dem lateinamerikanischen Staat beziehen, den Hahn zuzudrehen. Russlands Präsident Putin pokert mit dem Gaspreis, und Iran fühlt sich auch deshalb so stark im Atomstreit, weil es auf den zweitgrößten Gasreserven der Welt sitzt.

Während in den Siebzigerjahren fast die gesamte Öl- und Gasproduktion in den Händen multinationaler Unternehmen lag, sind es beim Öl gerade einmal 15 Prozent, bei Gas noch weniger. Damals sorgte man sich um die Macht der Konzerne, der »Seven Sisters«, wie die sieben großen Ölfirmen der Welt genannt wurden. Sie waren allesamt in westlicher Hand. Sieben Schwestern gibt es heute längst nicht mehr, einige sind fusioniert, andere wurden aufgekauft. Doch ohnehin haben ganz andere Konzerne das Sagen, wie der frühere US-Verteidigungsminister James Schlesinger unlängst in einem Bericht zur Energiesicherheit der USA warnte: die staatlichen Fördergesellschaften wie Gazprom in Russland, die vom Kreml gelenkt wird; Petróleos de Venezuela etwa oder die saudische Saudi Aramco, die frühere Arabian-American Oil Company, die in privatem US-Besitz war, bevor sie in den Siebzigerjahren verstaatlicht wurde. Die einst mächtigen westlichen Firmen rangieren weit hinten: Exxon Mobile nimmt nur noch Platz vierzehn der Weltrangliste der Besitzer von Öl- und Gasreserven ein.

Beruhigend ist das nicht, zumal die Ölreserven sich auf politisch unsichere Weltregionen konzentrieren. Es scheint schon fast eine Gesetzmäßigkeit zu sein, dass Ölnationen nicht nur korrupte Regierungen haben, sondern auch vorzugsweise die Pulverfässer der Erde sind. Auf dem Korruptionsindex von Transparency International landen die ölreichen Länder meist auf den hinteren Rängen: Nigeria etwa rangiert an 152. Stelle von insgesamt 159 Tabellenplätzen.

Geografisch gesehen ballen sich 70 Prozent der Ölreserven in einem ellipsenförmigen Gebiet, das vom Nahen Osten bis nach Westsibirien reicht. Die Gasreserven – die drei Nationen Russland, Iran und Katar besitzen 60 Prozent der weltweiten Vorräte – sind ähnlich konzentriert. Sie dehnen sich nur etwas weiter in den Norden Sibiriens aus. Manche nennen die Ellipse auch »islamischen Krisenbogen«, eine vom Terror bedrohte Weltregion.

Denn noch gefährlicher als Diktatoren dürften Terroristen sein. Ein Staatschef will zumindest noch Geld mit Öl und Gas verdienen. Terroristen haben meist die Zerstörung staatlicher Strukturen und die Verunsicherung der Bevölkerung im Sinn. Sie sind unberechenbar. Und die Folgen eines Anschlags könnten dramatisch sein.

Al-Quaida-Kämpfer in Saudi-Arabien haben bereits Raffinerien unter Beschuss genommen. Anfällig sind auch die Tanker und Pipelines, welche die Rohstoffe transportieren. Besonders empfindlich sind die Nadelöhre der Seewege, auf denen etwa 4000 Supertanker täglich 60 Prozent der Nachschubs an Öl transportieren, die »Choke Points«: Fast die Hälfte aller Öllieferungen muss sich durch einige wenige Engpässe zwängen. Würde im Suezkanal ein Tanker in die Luft fliegen, dann wäre die enge Seestraße für Tage, wenn nicht Wochen blockiert. Neuralgische Punkte sind auch die Straße von Hormuz, die Straße von Malakka, der Panamakanal und der Bosporus. Ein einziger brennender Tanker kann dort zu einer Umweltkatastrophe führen.

Auch die Pipelines können gar nicht so streng bewacht werden, dass terroristische Angriffe unmöglich werden. Als gefährdet gilt etwa die von den USA vorangetriebene Baku-Tiflis-Ceyhan-Leitung, die seit 2006 Öl vom Kaspischen Meer zum türkischen Mittelmeerhafen Ceyhan bringt und Amerika damit ein wenig unabhängiger von den Saudis macht. Sie führt durch die unsichere Region Bergkarabach, wo Armenier und Aserbaidschaner um die Vorherrschaft ringen. Die Regierung in Tiflis hat allein für den Streckenabschnitt durch Georgien eine vierhundert Mann starke Sondereinheit für den Schutz der Pipeline bereitgestellt, die von amerikanischen Instrukteuren ausgebildet wurde. Zusätzlich wird die Leitung von unbemannten Drohnen überwacht.

Dass die Politik mit Anschlägen ernsthaft rechnet, legt auch die Simulation »Oil Shockwave« nahe. Im Juni 2005 kam im Ballraum eines Washingtoner Hotels eine illustre Gesellschaft zu einem Spiel zusammen, allerdings zu einem sehr ernsten: Zwei Ex-CIA-Direktoren, ein pensionierter Stabschef der Streitkräfte sowie hochrangige Beamte der Kabinette von George W. Bush und Bill Clinton bildeten einen fiktiven Nationalen Sicherheitsrat. Der Plot, eine Kette terroristischer Anschläge rund um die Welt, erscheint aus heutiger Sicht erschreckend echt.

Das Planspiel am Computer begann mit Unruhen in Nigeria, die sich so zuspitzten, dass die Ölgesellschaften ihre Förderung einstellten. Wenige Tage später griff al-Qaida mit mehreren Bomben die Raffinerie im saudischen Haradh an. Fast zeitgleich flogen am Ölumschlagplatz Valdez in Alaska zwei Öltanker sowie mehrere Lager in die Luft. An den Börsen schnellte der Ölpreis nach oben, bis er sich schließlich nach einigen Wochen auf 120 Dollar pro Barrel einpendelte. An den Zapfsäulen der Tankstellen starrten die Menschen verzweifelt auf die schnell rotierenden Tankuhren: Die Gallone Benzin kostete astronomische 5,30 Dollar, für die Tankfüllung eines mittelgroßen Geländewagens musste man 125 Dollar hinblättern. Die Heizkosten verdoppelten sich, Amerika schlitterte in eine Rezession.

»Sehr realistisch«, urteilte der Mitspieler Robert Gates, früherer CIA-Chef und heute US-Verteidigungsminister. Es reichten offenbar wenige, gezielte Ereignisse, um regelrechte Schockwellen zu produzieren. Der fiktive Sicherheitsrat, der zu der Simulation »Oil Shockwave« zusammengekommen war, stritt über Maßnahmen. Manche wollten die Autohersteller zu sparsameren Modellen zwingen, andere sprachen sich dagegen aus. Einige wollten vor Floridas Küste nach Öl bohren, was den heftigen Protest des anwesenden Ex-Chefs der Umweltbehörde hervorrief. In einem aber waren sich alle einig: Amerika war auf eine plötzliche Kappung seines Ölnachschubs überhaupt nicht vorbereitet. Trotz Reserven von 700 Millionen Barrel würde das Land, das 20 Millionen Barrel täglich verbraucht, gerade einmal gut zwei Monate ohne Nachschub über die Runden kommen.

Die Häufung der terroristischen Ereignisse mag ungewöhnlich sein – unwahrscheinlich ist sie nicht. Im Irak, wo Schiiten und Sunniten sich gegenseitig massakrieren, ist die Ölförderung praktisch zum Erliegen gekommen. Immer wieder attackieren Aufständische Ölraffinerien und Leitungen. Wie sehr die Wirklichkeit sich dem Planspiel bereits angenähert hat, zeigt auch ein Anschlag in Saudi-Arabien, der erste Versuch, eine große Erdölanlage im Königreich anzugreifen. Am 24. Februar 2006 fuhren zwei Attentäter mit einem sprengstoffbeladenen Auto geradewegs auf die Absperrungen der weltweit größten Ölverarbeitungsanlage bei Abkaik zu. Zwei Sicherheitsleute verhinderten Schlimmeres, indem sie das Auto in Brand schossen. Sie und die beiden Angreifer kamen ums Leben. Das Terrornetz al-Qaida bekannte sich im Internet zum Anschlag und kündigte gleich weitere Attentate an.

Allein unter Saudi-Arabiens Wüstensand lagert gut ein Fünftel der bekannten Weltreserven an Öl. Über die tatsächlichen Vorräte streiten Experten, die Regierung hütet die Daten wie ein Staatsgeheimnis. Da die OPEC Förderquoten auch in Abhängigkeit von den Reserven festlegt, ist die Menge an Erdöl eine höchst politische Größe. In jedem Fall bleibt Saudi-Arabien ein wichtiger Spieler im Poker um Öl – aber auch ein unsicherer Kantonist. Denn das amerikafreundliche Regime der weit verzweigten Familie Saud gerät zunehmend unter Druck der islamischen Fundamentalisten. Kaum irgendwo sind die »westlichen Teufel« so verhasst wie in Saudi-Arabien. Paradoxerweise hat Riad nicht nur gute Beziehungen zu Washington gepflegt, sondern zugleich selbst den Fundamentalismus geschürt.

Saudi-Arabiens Staatsreligion ist der Wahabismus, seit mehr als zweihundert Jahren ist das Königshaus durch Heiraten und Allianzen mit der Familie des puritanischen Islamisten Mohammed Abd al-Wahhab aus dem 18. Jahrhundert verbunden. Die Anhänger des Wahabismus predigen strenge Askese und die Scharia. Riad laviert zwischen den strengen Regeln der Wahabiten und dem Pakt mit den USA, den das Land wegen der Ölförderung nach dem Zweiten Weltkrieg eingegangen ist. Die Religionswächter im Land wurden deshalb mit viel Geld ruhiggestellt. Experten schätzen, dass die Saudis 100 Milliarden Dollar für Moscheen und Koranschulen ausgegeben haben, um die wahabitische Religion in aller Welt zu fördern.

Geradezu symbolisch für die paradoxe Haltung der Saudis ist Osama bin Laden. Der Sohn eines reichen saudischen Bauunternehmers hatte in Afghanistan Camps ausgebaut, in denen Milizionäre ausgebildet wurden, um gegen die Sowjetbesatzung zu kämpfen. Seine Privatarmee war später auch in Bosnien und Tschetschenien aktiv. Als der Irak Kuwait überfiel, bot er den Herrschern in Riad seine Mudschahedin als Kämpfer an. Der saudische König bevorzugte jedoch US-Soldaten. Als bin Laden öffentlich die Stationierung amerikanischer Truppen in Saudi-Arabien kritisierte, verlor er die Sympathie des Königshauses – und 1994 die saudische Staatsbürgerschaft. Seitdem führt er den Kampf gegen alle Ungläubigen der Welt und gegen Amerika, vor allem gegen die unheilige US-Präsenz auf islamischem Boden.

So überrascht es kaum, dass al-Qaida in Saudi-Arabien ein

fruchtbares Terrain gefunden hat – immerhin fünfzehn der neunzehn am Anschlag des 11. September beteiligten Terroristen waren Saudis. Gefördert vom Staat, wenden sich die Kämpfer nun gegen die verhassten Ausländer, die für die Ölindustrie arbeiten. Der Anschlag auf Abkaik mag dem Herzen der Ölindustrie besonders nahe gekommen sein, er war nicht der Einzige. Die Jahre 2003 und 2004 sahen einige mörderische Anschläge. Am 12. Mai 2003 sprengten sich neun Selbstmordattentäter in drei Wohnanlagen in Riad in die Luft, in denen überwiegend westliche Ausländer lebten. Sie zündeten gewaltige Autobomben und rissen 26 Menschen mit in den Tod, unter ihnen neun amerikanische Staatsbürger. Nur wenige Monate später, am 8. November 2003, wurden bei einem Selbstmordattentat auf eine Wohnanlage in Riad erneut siebzehn Menschen getötet, die meisten von ihnen waren Gastarbeiter aus arabischen Staaten.

Al-Qaida bekannte sich zu den Taten ebenso wie zu einem Überfall am 15. März 2004. Anhänger des al-Qaida-Statthalters in Saudi-Arabien, al-Mukrin, drangen in die streng bewachten Ölladestationen des Hafens Janbu am Roten Meer ein und töteten dort sechs Menschen, darunter zwei Amerikaner. Eine der Leichen banden sie an ein Auto und schleiften sie durch die Stadt. Kurz darauf nahmen al-Mukrins Leute in der Ölstadt Chobar am Persischen Golf fünfzig ausländische Geiseln und töteten zweiundzwanzig von ihnen. Zuvor hatten al-Mukrins Anhänger gefangene Mudschaheddin-Kämpfer freipressen wollen – gegen die Freilassung der US-Geisel Paul Johnson. Als die saudische Regierung ihnen nicht nachgab, wurde Johnson geköpft. Al-Mukrin ist inzwischen von saudischen Sicherheitskräften erschossen worden, doch die Terrorgefahr hält an.

Die Terroristen wissen, dass schon ein paar Schüsse am Golf in der ganzen Welt dröhnend nachhallen. Von hier aus transportieren Tanker knapp ein Drittel der globalen Ölproduktion in die großen Industriestaaten. Saudi-Arabien ist der mit Abstand wichtigste Rohöllieferant der USA. Auf Saudi-Arabien setzen auch die Chinesen, die zum zweitgrößten Verbraucher der Welt aufgestiegen sind.

Saudi-Arabien sowie der gesamte Nahe und Mittlere Osten bleiben ein Pulverfass. Der tiefe Konflikt zwischen Israelis und Palästinensern facht jedes Feuer in der Region an und dient als Rechtfertigung für andere Kriege. Solange Israel und Palästina nicht Frieden schließen, sind die Aussichten für die gesamte ressourcenreiche Gegend – und damit auch für die Ölkonsumenten – schlecht. Doch der Frieden scheint im Sommer 2007 in weite Ferne gerückt zu sein, nachdem die militante Hamas den Gazastreifen besetzt und damit de facto zwei Palästinas geschaffen hat. Erschwerend kommt hinzu, dass die ökonomische Entwicklung der gesamten arabischen Welt darunter leidet, dass dort Demokratie und Bildung gering geschätzt werden. In regelmäßigen Berichten prangern Fachleute der Vereinten Nationen den Nachholbedarf an. Analphabetismus und Arbeitslosigkeit grassieren, die Mehrheit der Bevölkerung profitiert gar nicht von dem Reichtum, den die Bodenschätze bringen.

Das gilt auch für Iran. In dem Land, das nach Russland die zweitgrößten Gasreserven der Welt besitzt und das zu der Handvoll größter Ölförderer weltweit gehört, leben viele Menschen am Existenzminimum. Das Versprechen, die Alltagssorgen der kleinen Leute zu lindern, hat Präsident Mahmud Ahmadinedschad an die Macht gebracht. Verbessert aber hat die Lage der Bevölkerung sich kaum, die Unzufriedenheit wächst. Ausdruck der wirtschaftlichen Schwäche ist auch, dass Irans Erdgasförderung jener der Konkurrenz – etwa in Katar – hinterherhinkt. Das Land steht trotz seiner großen Vorräte nur an siebter Stelle bei der Erdgasförderung. Wegen des Atom-Konfrontationskurses hat der Westen Sanktionen gegen den

Iran verhängt –, sie bremsen die ökonomische Entwicklung. Doch Teheran weiß, dass die Drohungen dem Land nicht allzu viel anhaben können. Die Führung kann schließlich jederzeit kontern – mit einer Drosselung der Förderung oder einem Exportstopp in den Westen. Andere Länder, wie China und Indien, stehen bereits Schlange für iranisches Öl und Gas. Peking sicherte sich für dreißig Jahre 250 Millionen Tonnen Erdgas im Wert von 70 Milliarden Dollar.

Wandert man auf der Ellipse der rohstoffreichen Länder weiter Richtung Norden, so durchquert man Zentralasien. Tadschikistan, Usbekistan, Kasachstan, Turkmenistan und Kirgisien sind frühere Sowjetrepubliken – deshalb ist der islamische Einfluss bisher eher gering. Dafür konnten sich kuriose Despoten die Macht sichern wie der selbstherrliche Nursultan Nasarbajew in Kasachstan, der mit repressiven Methoden Oppositionelle unterdrückt. Oder Islom Karimov in Usbekistan, der dort Unruhen blutig niederschießen ließ. Danach mussten die USA ihre Militärbasis räumen, sie hatten die Niederschlagung des Aufstands kritisiert. In Turkmenistan ließ sich der langjährige Präsident Nyyazov als Turkmenbashi (Vater aller Turkmenen) verehren, bevor er 2006 an einem Herzschlag starb. Sein Nachfolger Berdimuhammedow scheint eine ähnliche Karriere anzustreben. Auch Tadschikistans Präsident Emomali Rachmonow kann kaum als Demokrat durchgehen, so rigoros wie er die Opposition unterdrückt.

Heftig ringen die USA, Russland und China um Einfluss in der Region, die Autokraten werden mit Angeboten umworben. Vier der fünf zentralasiatischen Staaten haben mit China und Russland die Shanghai-Organisation für Zusammenarbeit gegründet. »Ein alter Bär, ein großer Drache und vier kleine Wölfe«, nannte ein Kommentator den 2001 entstandenen Club. Er soll ein Gegengewicht zur Macht der USA schaffen, richtig wichtig ist er noch nicht geworden, vor allem weil Moskau zögert, sich vom Westen abzukoppeln.

Dafür engagiert China sich umso heftiger. Über seinen staatlichen Ölkonzern hat Peking sich bereits in die kasachischen Ölfelder eingekauft, in Zukunft soll eine direkte Pipeline den Rohstoff ins Reich der Mitte transportieren. China kennt ohnehin keine Skrupel, wenn es darum geht, sich Rohstoffe zu sichern. Mit Rückendeckung des islamischen Regimes in Karthum beuten die Chinesen die reichen Ölvorräte im Süden des Sudans aus. Im Gegenzug hat Peking bisher im Sicherheitsrat der Vereinten Nationen Sanktionen gegen die sudanesischen Machthaber verhindert, obwohl diese Hunderttausende Tote in der Unruheprovinz Darfur auf dem Gewissen haben.

Ein paar tausend Kilometer weiter nördlich in der Energieellipse liegt Russland. Das frühere Reich der Zaren wird heute mit harter Hand von Wladimir Putin regiert. Ihm gebührt zweifelsohne das Verdienst, Russland wieder auf die Landkarte der Großmächte zurückgeholt zu haben. Deutlich geworden ist dies spätestens mit dem donnernden Paukenschlag, mit dem Putin bei der Münchner Sicherheitskonferenz im Februar 2007 dem Westen seine Ablehnung eines in Europa stationierten US-Raketenabwehrschilds kundtat.

Russlands heutige Macht ist auf Gas gebaut. Jahrzehntelang stand dieser Brennstoff im Schatten des Erdöls, es galt als Abfallprodukt und wurde abgefackelt. Die Entdeckung von Gas als umweltfreundlicher Alternative zu Öl hat nicht nur eine Handvoll Länder plötzlich steinreich gemacht, sie hat auch die Landkarte der geopolitischen Macht verändert. Denn die Gasreserven sind weitaus konzentrierter als die Ölfelder.

So gesehen ist es nur eine Frage der Zeit, bis die frühere Sowjetunion als Supermacht wieder vollends ernst genommen wird. Putin arbeitet hart daran, seine Werkzeuge sind nicht mehr Raketen, sondern Rohstoffe. Und seine wichtigste Waffe heißt Gazprom. Unter Putin hat der Staat seinen Anteil an dem Gaskonzern auf über 50 Prozent erhöht. Kaum etwas könnte die Macht des staatlichen Unternehmens deutlicher demonstrieren als die neue geplante Konzernzentrale in St. Petersburg: ein 396-Meter Turm aus Stahl und Glas in Form einer Gasflamme, den ein Londoner Architekturbüro derzeit in St. Petersburg baut. Gazprom, der weltgrößte Exporteur von Gas, ist zugleich der drittgrößte Konzern der Welt mit einem Aktienwert, der höher ist als der des Einzelhandelsgiganten Wal-Mart. Gazprom besitzt Land, Banken, Ölfirmen und Medien und ist zur weltgrößten Öl- und Gasfördergesellschaft avanciert. Mit einem Umsatz von 44 Milliarden Dollar erwirtschaftet der Konzern 8 Prozent des russischen Bruttoinlandsprodukts.

Regimekritiker warnen, dass die Moskauer Regierung dabei ist, via Gazprom die Kontrolle über die gesamte Wirtschaft zu übernehmen. An der Spitze des Konzerns (Spitzname: Kreml AG) steht Alexej Miller, ein enger Freund Putins. Die beiden kennen sich aus St. Petersburger Zeiten, der stellvertretende Ministerpräsident Dmitrij Medwedew ist Aufsichtsratschef. Enger könnte die Verzahnung von Politik und Wirtschaft kaum sein. Mindestens ebenso bedenklich ist der Griff nach den Medien. Inzwischen sind 90 Prozent der Zeitungen, Magazine, TV- und Radiosender in der Hand von Gazprom oder deren Töchterfirmen. Bedrückendstes Beispiel der skrupellosen Machtausdehnung des Kreml ist die Inhaftierung von Michail Chodorkowski. Bei dem Feldzug gegen ihn ging es Putin darum, einen Konkurrenten auszuschalten, aber auch um die Macht über Russlands Ressourcen. Der Milliardär Chodorkowski war Chef des Ölkonzerns Yukos, den er nach westlichem Vorbild führen wollte. Doch die Transparenz und die ausländischen Beteiligungen, die er anstrebte, wurden dem

Kreml zu gefährlich; Chodorkowski sitzt seit Oktober 2003 in einer sibirischen Gefängniszelle ein, er ist wegen angeblicher Steuerhinterziehung zu einer achtjährigen Strafe verurteilt. Das staatliche Ölunternehmen Rosneft konnte sich aus der Erbmasse von Michail Chodorkowski große Teile des Yukos-Konzerns einverleiben, im Frühjahr 2007 sind die verbliebenen Teile des zerschlagenen Unternehmens versteigert worden.

Versuche ausländischer Firmen, sich an der Förderung der russischen Rohstoffe zu beteiligen, sind in letzter Zeit vom Kreml bewusst verhindert worden. Zwar dürfen Shell, E.ON und andere ihr Geld im Land lassen, doch die Machthaber in Moskau achten darauf, dass sie sich nicht zu viel Einfluss erkaufen. Der Streit um Russlands größtes Flüssiggasprojekt, Sachalin 2, zeigt das. Internationale Konzerne unter der Führung von Shell hatten Mitte der Neunzigerjahre Förderverträge mit Russland abgeschlossen, weil das Land damals weder finanziell noch technisch in der Lage war, die Erdgas- und Öllager vor der Pazifikinsel Sachalin auszubeuten. Das gefiel Putin nicht, und er verlangte, dass Gazprom in das Projekt einsteigen sollte. Als Verhandlungen über einen Asset-Austausch zwischen Shell und Gazprom scheiterten, begannen die Russen, die Gültigkeit der Förderverträge infrage zu stellen und äußerten plötzlich Umweltbedenken wegen des Vorhabens. Jetzt kontrolliert Gazprom die Förderung des riesigen Erdgasfeldes in der Barentssee und außerdem den Export des dort produzierten Flüssiggases.

Gazprom versucht seinerseits, ein Netz vor allem in Europa zu spinnen. Abgesehen von Irland, Malta und Zypern gibt es keinen EU-Staat, in dem der russische Konzern nicht Beteiligungen, Lieferverträge oder den Bau einer Pipeline abgeschlossen hat. Das selbst erklärte Ziel des Unternehmens: Seinen bisherigen Marktanteil in Europa von einem Fünftel bis zum Jahr 2010 auf ein Drittel zu steigern.

Zwei Gazprom-Engagements in Deutschland haben europaweit für Aufsehen gesorgt: Der Konzern hat sich als Sponsor bei dem Fußballverein Schalke 04 eingekauft, bis 2012 wird auf den Trikots der Mannschaft der Schriftzug Gazprom prangen. Das ist Teil der Kampagne, mit der die Russen in Westeuropa ihr Image aufbessern wollen, das seit dem Gaskrieg mit der Ukraine angekratzt ist. Das zweite Geschäft ist die Firma North Stream, an der Gazprom mit 51 Prozent und die deutschen Energiekonzerne E.ON und BASF mit jeweils einem Viertel beteiligt sind. Aufsichtsratsvorsitzender ist Ex-Bundeskanzler Gerhard Schröder, der nur wenige Wochen nach seiner Wahlniederlage im September 2005 den neuen Job mit einem Jahressalär von 250 000 Euro antrat – was von der Öffentlichkeit heftig kritisiert wurde. Schließlich waren die Verhaftung Chodorkowskis und die antidemokratische Politik in Russland Ausdruck der Willkür des Staates. Verständlich war auch der Ärger Polens und der baltischen Staaten, immerhin EU-Mitglieder, die sich umgangen fühlten. Doch alle Kritik perlte an Schröder ab. Putin sei ein »lupenreiner Demokrat« befand er. North Stream wird für 5 Milliarden Euro die »Ostseepipeline« bauen, die Gas aus dem Schtokman-Feld in der Barentssee nach Europa bringen soll. Das wird die Versorgungssicherheit auch in Deutschland steigern, aber zugleich auch die Abhängigkeit von Gazprom und damit vom russischen Staat.

Zweifelsohne kann Europa nicht ohne Russlands Gas auskommen. Die EU wird aber Wege finden müssen für eine ausgewogene Partnerschaft. Russland muss, urteilt der Russlandexperte Alexander Rahr vom Körber-Zentrum für Russland, seinen Energiesektor für ausländische Investoren öffnen. Eine Energieallianz werde auch nur dann funktionieren, wenn die Transitländer, die von den Pipelines durchquert werden, mit eingebunden würden, und die früheren sowjetischen Satellitenstaaten Polen und das Baltikum die Angst vor Moskau verlören. Europa müsse aber auch aus sicherheitspolitischen Gründen mit Russland zusammenarbeiten, mahnt Rahr. Wenn Moskau sich Richtung Asien wendet und Öl und Gas nur noch an die rohstoffhungrigen Aufsteiger verkauft, dann ist das nicht im strategischen Interesse der EU.

Andererseits aber muss die EU sich neue Lieferanten suchen. Nur wer möglichst viele Quellen anzapft, macht sich politisch und wirtschaftlich unabhängig. Seitdem die Verflüssigung von Erdgas billiger geworden ist, lässt sich der Brennstoff auch gut mit Schiffen transportieren. Damit kann Europa in Algerien oder Libyen einkaufen. Eine Alternative bietet auch die Nabucco-Pipeline, deren Planung die EU fördert. Unter Regie des österreichischen Energiekonzerns OMV soll eine 3300 Kilometer lange Rohrleitung vom Kaspischen Meer über die Türkei, Bulgarien, Rumänien und Ungarn bis vor die Tore Wiens verlaufen und die reichen Gasreserven der Region anzapfen – eine Konkurrenz zur Ostsee-Pipeline. Und parallel zu der im Jahr 2006 eröffneten Öltrasse zwischen Baku und Ceyhan wird derzeit die Südkaukasische Gas-Pipeline fertiggestellt. Über sie soll Gas aus Aserbaidschan in den Westen fließen, später vielleicht sogar von der anderen Seite des Kaspischen Meeres, von Kasachstan und Turkmenistan.

Falls dieses Vorhaben einer transkaspischen Pipeline Wirklichkeit wird, dann haben sich die vielen Reisen des deutschen Außenministers nach Zentralasien tatsächlich gelohnt.

Europa, so viel ist sicher, braucht eine neue Energiepolitik – und davon wird auch Deutschland profitieren. Denn die Bundesrepublik ist von einer sicheren und umweltfreundlichen Energieversorgung weit entfernt.

Deutschland, deine Kohle

Weiße Schwaden steigen gegen den blauen Himmel auf – kilometerweit ist Niederaußem sichtbar, aus allen Himmelsrichtungen. Der kleine Ort gehört zur Stadt Bergheim im Rhein-Erft-Kreis im südwestlichen Zipfel Nordrhein-Westfalens. Die Menschen hier leben von einem der größten Kohlemeiler Deutschlands. Neun Blöcke, 3600 Megawatt Leistung – das ist etwa so viel wie die von drei Atommeilern. Niederaußem, heißt es beim Betreiber RWE, sei Deutschlands modernstes Kohlekraftwerk.

Wie man es nimmt. Eine andere Statistik lässt Niederaußem schlecht aussehen. Einer Untersuchung des World Wildlife Fund (WWF) zufolge ist das Kraftwerk eines der schmutzigsten Europas. Damit ist weder der Schwefelausstoß noch der Feinstaub gemeint, der früher die Luft in den Industriegebieten so unerträglich machte. Diese Emissionen hat man heute weitgehend in den Griff bekommen. Schmutzig meint vielmehr klimaschädlich. Und Niederaußem kann man durchaus als Klimakiller bezeichnen. Auf der Liste »Dirty Thirty« der dreißig umweltschädlichsten Kraftwerke Europas, kommt es auf Platz drei, hinter zwei griechischen Anlagen. Mit jeder Kilowattstunde Strom pustet Niederaußem zugleich 1200 Gramm Kohlendioxid in die Atmosphäre.

Niederaußem ist kein Einzelfall, kein Ausreißer einer ansonsten guten Statistik. Deutschland, so bilanziert der WWF, hat neben Großbritannien die größte Zahl an klimaschädlichen Kraftwerken. Zusammen mit Griechenland, Spanien und Polen führt die Bundesrepublik die Liste der »Dirty Thirty« an. Der Grund für den traurigen Spitzenplatz liegt im deutschen Boden. Wegen einer Laune der Erdgeschichte ist Deutschland besonders reich an Braunkohle. Kohle entstand vor langer Zeit, als abgestorbene Bäume, Sträucher und Gräser sich ablagerten. Daraus bildete sich zunächst Torf, der im Laufe der Jahrmillionen zu Kohle wurde. Die älteren, tiefer liegenden Steinkohlelagerstätten wuchsen während des Karbons vor etwa 280 bis 345 Millionen Jahre heran. Die jüngeren Braunkohlevorkommen von vor 2,5 bis 65 Millionen Jahre liegen nicht so tief unter der Erde und enthalten mehr Wasser. Das macht Braunkohle besonders klimaschädlich, weil beim Verbrennen einer Tonne Braunkohle weniger Energie entsteht als bei der gleichen Menge an Steinkohle.

Beim Verfeuern von Braunkohle werden pro Gigajoule 100 Kilogramm CO_2 freigesetzt, bei Heizöl sind es 73 Kilogramm, bei Gas 55 Kilogramm. Das ist der Grund dafür, dass Kohle bei einem weltweiten Anteil von einem Viertel am Primärenergieeinsatz satte vier Zehntel der globalen Kohlendioxidemissionen ausmacht. Beinahe 40 Prozent der bundesweiten CO_2-Emissionen fallen in Nordrhein-Westfalen an, wo die meisten Kohlemeiler stehen.

Doch Deutschland besitzt kaum andere Rohstoffe als Kohle. 178 Millionen Tonnen Braunkohle werden jährlich gefördert – das ist fast ein Fünftel der weltweiten Produktion, was die Bundesrepublik mit Abstand zum größten Braunkohleproduzenten macht. Und ein Ende der Verwertung des Klimakillers Nummer eins ist nicht in Sicht, weder hierzulande noch weltweit. Da können Umweltschützer und Energieexperten noch so oft auf die Schäden durch die Kohleverfeuerung hinweisen. Die gängigen Prognosen gehen davon aus, dass der Anteil der Kohle eher steigen wird – um jährlich 1,4 Prozent bis 2030 sagt die Internationale Energie-Agentur (IEA) voraus. Wobei freilich drei Viertel des Mehrbedarfs allein auf China und Indien entfallen.

Vor allem im Reich der Mitte wird hemmungslos Kohle verfeuert, davon hat man genug, und sie ist billiger als russisches Gas oder nigerianisches Öl. Die Energie für Chinas steilen wirtschaftlichen Aufschwung besteht zu 80 Prozent aus Kohle, fast jede Woche geht in dem riesigen Land irgendwo ein neues Kohlekraftwerk ans Netz. Die Nebenkosten freilich sind immens – nicht nur für das Klima, auch für die Menschen. Fast wöchentlich gibt es Explosionen in Chinas Zechen, Stollen stürzen ein. 4746 Kumpel starben offiziellen Angaben zufolge im vergangenen Jahr. 5986 sollen es 2005 gewesen sein. Die Zahlen sind wahrscheinlich geschönt, manche gehen von jährlich bis zu 20 000 Toten aus. Doch schon die genehmigte Statistik ist schockierend. Pro Million Tonnen geförderter Kohle starben im vergangenen Jahr zwei Kumpel. Das waren sieben Mal so viele wie in Indien und Russland, und siebzigmal so viele wie in den USA, wie Statistiken der Vereinten Nationen zeigen.

Zurück nach Deutschland. Wegen des Atomausstiegs ist kaum damit zu rechnen, dass der Anteil der Kohle an der Energieversorgung sinkt. Derzeit deckt sie ein Viertel des Primärenergieverbrauchs, bei der Stromproduktion kommen Braun- und Steinkohle auf fast 47 Prozent. Knapp jede zweite Kilowattstunde Strom stammt demnach aus Kohle. Es könnten noch mehr werden. Denn im Jahr 2021 soll die Kernenergie auslaufen. Damit wird unweigerlich der Kohleanteil steigen, prophezeit eine Studie de Beratungsfirma Prognos und des E nergiewirtschaftlichen Instituts der Universität Köln. Und zwar auf knapp 60 Prozent.

Dass in Niederaußem 1960 mit dem Bau des Kraftwerks

begonnen wurde, ist kein Zufall. Niederaußem gruppiert sich – wie auch die Anlagen Frimmersdorf und Neurath – um das Gebiet von Garzweiler, das mit Hambach der größte Braunkohle-Tagebau Deutschlands ist. Von dort wird der Brennstoff mit der Eisenbahn zu den Meilern gefahren. Die Geschichte von Niederaußem ist gewissermaßen typisch für die Geschichte der deutschen Stromversorgung. Block nach Block wurde im Laufe der Jahrzehnte angefügt, die Technik stets verbessert, die Leistung gesteigert. Eine spezielle Anlage hält seit 1988 den Schwefel zurück. Durch rote Rohre werden die Rauchgase in Wäscher geleitet und mit einem Kalk-Wasser-Gemisch gereinigt. Der neueste Block hat Niederaußem tatsächlich den Titel des modernsten Braunkohlekraftwerks beschert, mit 43 Prozent Wirkungsgrad ist er Spitzenreiter in Deutschland. Jahrzehntelang hat man daran gearbeitet, Schwefel und Feinstaub herauszufiltern, nur über das Kohlendioxid machte man sich keine Gedanken.

Die Kohle ist für Deutschland, was die Atomenergie für Frankreich ist. Mehr noch – in der Förderung der Kohle spiegelt sich deutsche Geschichte wider. Ohne Kohle wäre das Ruhrgebiet nicht die Industrieregion schlechthin geworden. Der Rohstoff befeuerte nicht nur Eisenhütten, sondern sorgte auch dafür, dass sich Chemiewerke, Elektroindustrie und Maschinenbau Ende des 19. Jahrhundert rasant entwickelten. Im Ruhrgebiet entstand ein Industriekonglomerat, das Millionen Menschen in Deutschland Arbeit gab und weitere Millionen Zuwanderer, vor allem aus Polen, anlockte. Mächtige Industriekonzerne wie Thyssen und Krupp wuchsen heran. Doch in den Sechzigerjahren erschöpften sich die Steinkohlevorkommen zunehmend; die heimische Kohle bekam zudem Konkurrenz durch billigere Importware. Nach dem Niedergang der Schwerindustrie ist das Ruhrgebiet heute zum Symbol für den

Strukturwandel geworden. Naherholungsgebiete entstanden, Fördertürme wurden zu Kulturdenkmälern.

Bei der Steinkohle ist immerhin der Ausstieg geschafft und einem fragwürdigen Subventionsgeschäft ein Ende bereitet. Zwanzig Jahre lang waren Deutschlands Verbraucher von den Energieversorgungsunternehmen mit einem Aufschlag zur Kasse gebeten worden, ohne den der Abbau der deutschen Steinkohle im Vergleich zur ausländischen nicht konkurrenzfähig gewesen wäre. Wegen dieser Subvention stiegen im Jahr 1990 die Preise der Stromrechnungen um durchschnittlich 8 Prozent, was den Stromkonzernen 5,3 Milliarden Mark in die Kassen einbrachte. Doch im Oktober 1994 machte das Bundesverfassungsgericht der zweifelhaften Subvention ein Ende: Der zweite Senat entschied, dass der »Kohlepfennig« verfassungswidrig war. Die höchsten Richter gaben damit einem Verbraucher recht, der seinem Stromversorger RWE die Zahlung des »Kohlepfennigs« für das Jahr 1985 verweigert hatte.

Den »Kohlepfennig« gibt es zwar seit 1995 nicht mehr, dafür aber mussten Bund und Länder seitdem für die teure deutsche Steinkohle zahlen – 2,5 Milliarden Euro waren es im Jahr 2005. Anfang 2007 einigten sich Bund, die Kohleländer und die Konzerne auf einen historischen Kompromiss: Im Jahr 2018 soll Schluss sein. Das Land Nordrhein-Westfalen zahlt Subventionen nur noch bis 2014, der Bund beteiligt sich notfalls an der Bewältigung von Spätfolgen des Bergbaus. Wer nach 2018 noch Steinkohle fördern will, darf nicht mehr auf Zuschüsse des Staates zählen und muss den Abbau aus eigener Tasche zahlen – was eher unwahrscheinlich ist angesichts des Preisunterschieds zwischen heimischer und ausländischer Steinkohle. Ein Schlupfloch für den Ausstieg gibt es freilich: Die SPD setzte durch, dass im Jahr 2012 der Bundestag zusammen mit den Landesregierungen in Düsseldorf und Saarbrücken überprüft, ob die Steinkohle vielleicht doch weitere Unterstützung verdient. »Die Tür zu den Kohle-Lagerstätten bleibt offen«, jubelte denn auch die nordrhein-westfälische SPD-Landeschefin Hannelore Krafft, die dafür gekämpft hatte, dass mindestens zwei Zechen über das Jahr 2018 hinaus in Betrieb bleiben sollen.

Eine heikle Frage bleibt allerdings: Was kommt nach dem Ende des Bergbaus? Unter den so genannten Ewigkeitskosten versteht man die Pensionsansprüche der Bergleute sowie die Beseitigung möglicher späterer Bergschäden, die Kosten für die Pumpen, die weiterhin Tag und Nacht laufen, damit nicht Teile des Ruhrgebiets unter Wasser stehen. Die Milliardenkosten sollen aus dem Börsengang der Ruhrkohle AG sowie aus Rückstellungen finanziert werden. Man wird sehen, ob das reicht.

Deutschland tut sich schwer mit dem Ausstieg aus der Steinkohle, der seit langem überfällig ist. Dieser Ausstieg ist gut für das Erdklima, er spart dem Staat viel Geld, und er beschleunigt den Wandel in einer Region, in der die teure Steinkohle ohnehin keine lange Zukunft mehr gehabt hätte. Konsequent wäre es gewesen, auch den Braunkohle-Abbau langsam ausklingen zu lassen. Braunkohle ist zwar noch reichlich vorhanden, doch spätestens seit Anfang der Neunzigerjahre warnen Klimaforscher vor den Folgen des ungezügelten Verbrennens fossiler Brennstoffe, vor allem von der besonders umweltschädlichen Braunkohle. Zumal deren Abbau riesige Wunden in der Natur hinterlässt. Garzweiler und Hambach, das sind Mondlandschaften.

Doch in Düsseldorf und Berlin mag man sich nicht gegen die Kohle entscheiden. Noch vor zehn, zwanzig Jahren wollte man vor allem die Arbeitsplätze im Tagebau nicht gefährden. Garzweiler wurde zur symbolischen Niederlage der Grünen in

Nordrhein-Westfalen. Nach jahrelangem Koalitionsstreit und Protesten von Umweltverbänden genehmigte ausgerechnet eine rot-grüne Landesregierung die umstrittene Erweiterung des Tagebaus im Jahr 2000, im Juni 2006 wurde Garzweiler II aufgeschlossen. Der Betreiber RWE Power hat das Tagebauprojekt gegen erhebliche politische Widerstände durchgesetzt. In dem auf 48 Quadratkilometer ausgelegten Areal zwischen Mönchengladbach, Düsseldorf und Aachen sollen in den nächsten vierzig Jahren insgesamt 1,3 Milliarden Tonnen Braunkohle gefördert werden, 35 bis 45 Millionen Tonnen jährlich. Dem Tagebau, der europaweit zu den größten zählt, müssen dreizehn Ortschaften weichen, knapp 8000 Menschen umgesiedelt, Autobahnen umgeleitet werden.

Doch in einem Landstrich, der seit Jahrzehnten von Arbeitslosigkeit und Strukturwandel gebeutelt ist, klammert man sich an die Braunkohle. Für die Region zählen die Arbeitsplätze: RWE Power betont gern die »große wirtschafts- und arbeitsmarktpolitische Bedeutung« von Garzweiler II, der mehr als 35 000 Arbeitsplätze sichern soll.

Zudem zählt inzwischen auch die Energiesicherheit als Argument für die Kohle. »Unverzichtbar« sei die Kohle im deutschen Energiemix, heißt es stets von Seiten des Bergbaus. Man fürchtet, dass Klimaschutzziele die Kohlenutzung zurückdrängen werden. »Eine solche Entwicklung wäre jedoch industriepolitisch und unter dem Aspekt der Versorgungssicherheit gefährlich«, schreibt der frühere Geschäftsführer des Gesamtverbands des deutschen Steinkohlenbergbaus, Wolfgang Reichel, in einem Papier.

Tatsächlich ist die Braunkohle Deutschlands einziger konkurrenzfähiger Rohstoff. 430 Jahre lang könnten Deutschlands Braunkohlereserven reichen. Die leicht zugänglichen Ressourcen, die sich vor allem im Rheinland und in der Lausitz befindet, würden immerhin für 36 Jahre genügen. Allein beim Tagebau Hambach liegen etwa 2,4 Milliarden Tonnen, bis 2040 sollen zwischen 30 und 50 Millionen Tonnen jährlich gefördert werden. Kein anderer Energieträger ist so billig zu haben wie die heimische Braunkohle. Würde Deutschland auf Strom aus Kohle verzichten, so fielen wichtige Lieferanten des Grundlaststroms weg. Den Ersatz könnten im Grunde nur Gas- oder Atomkraftwerke liefern. Gas ist teuer, Atomstrom umstritten. Nach den aktuellen Energieprognosen wird der Braunkohleanteil am Primärverbrauch bis zum Jahr 2020 bei 10,4 Prozent liegen. Deshalb sei Garzweiler II für »die Versorgungssicherheit unverzichtbar«, argumentiert RWE.

An Niederaußem, Frimmersdorf und Neurath, an Garzweiler und Hambach offenbart sich der ganze Widerspruch der deutschen Klimapolitik. Ein guter Teil des deutschen Stroms stammt aus dieser Gegend. Und obwohl seit 2005 der europaweite Emissionshandel gilt, der den Strom aus Braunkohle verteuern wird, sollen bis 2012 drei neue Braunkohlekraftwerke in Deutschland ans Netz gehen, dazu etliche Steinkohlemeiler. Um die zwanzig neue Kohleblöcke könnten bis 2020 in Deutschland entstehen, mit einer Kapazität von bis zu 25 Gigawatt. Damit aber gefährdet Berlin die ehrgeizigen Klimaschutzpläne. Denn die Bundesregierung will die Emissionen bis 2020 um 40 Prozent im Vergleich zu 1990 senken.

Die neuen Kraftwerke aber werden klimaschädliches Kohlendioxid über ihre gesamte Laufzeit von vierzig Jahren hinweg produzieren. Die Grünen fordern deshalb ein Moratorium für die Kohleverstromung. Sie wollen stattdessen – neben dem Ausbau regenerativer Energien – umweltfreundlichere Gas- und Dampfkraftwerke bauen, die in kleinen Einheiten Strom und zugleich Wärme liefern.

Deutschlands Stromkonzerne dagegen glauben, dass es

möglich ist, die Kohle mit dem Weltklima zu versöhnen. Treibhausgase lassen sich einsparen, indem man den Wirkungsgrad der Kohlekraftwerke steigert – das heißt, indem die in der Kohle gespeicherte Energie möglichst gewinnbringend genutzt wird. Eine Möglichkeit besteht in der bereits erwähnten BoA-Technik (»Braunkohlekraftwerk mit optimierter Anlagentechnik«), die in Niederaußem erprobt wird. Es handelt sich dabei nicht um ein grundlegend neues Verfahren, sondern vielmehr um die Summe vieler kleiner Verbesserungen.

Zum Beispiel werden Werkstoffe verwendet, die höhere Temperaturen aushalten, was die Effizienz steigert. Die Turbinenschaufeln erhalten durch Computersimulationen eine möglichst optimale Form. Restwärme wird recycelt, der Eigenbedarf des Kraftwerks an Strom gesenkt. Derzeit baut RWE am Standort Neurath zwei neue BoA-Kraftwerksblöcke, von denen jeder pro Jahr bis zu 6 Millionen Tonnen CO_2 weniger ausstoßen soll als die Altanlagen, die ersetzt werden. Zusammengenommen steigt der Wirkungsgrad um immerhin fast ein Drittel auf 43 Prozent – damit sind diese Braunkohlemeiler so effizient wie ein Steinkohlekraftwerk. Allerdings gehen bei der Braunkohleverfeuerung etwa 10 Prozent an Wirkungsgrad verloren, weil die Förderung so energieaufwändig ist. Noch effizienter als all diese Verbesserungen wäre es, die Kohle nicht nur zu verbrennen, um daraus Strom zu erzeugen, sondern auch die Wärme zu nutzen. Mit der Kraft-Wärme-Kopplung lässt sich der Wirkungsgrad theoretisch auf 90 Prozent steigern – allerdings nur, wenn die Abnehmer der Wärme in der Nähe des Kraftwerks sitzen. Bei den großen, abgelegenen Kohlemeilern wie Niederaußem oder Neurath rentiert sich die Kraft-Wärme-Kopplung nicht.

Zweifelsohne aber sind in den Kohlekraftwerken Effizienzreserven vorhanden. Über 50 Prozent Wirkungsgrad ließen sich in den nächsten fünf bis zehn Jahren noch herausholen, meinen Experten. Der grundlegende Kohle-Malus lässt sich jedoch kaum wettmachen. Denn selbst ein Steinkohlekraftwerk, das mit beachtlichen 50 Prozent Wirkungsgrad arbeitet, stößt noch 660 Gramm Kohlendioxid pro Kilowattstunde aus. Ein modernes Gas- und Dampfkraftwerk kommt auf nur 345 Gramm. Anders ausgedrückt: Man müsste den Wirkungsgrad der Kohlekraftwerke auf über 90 Prozent steigern, was nur durch Kraft-Wärme-Kopplung zu erreichen wäre.

Deshalb wollen die Kraftwerkbauer ganz neue Wege gehen. Sie schwärmen vom »CO_2-freien Kohlekraftwerk« oder der »Clean Coal Plant«. Das Kohlendioxid soll gar nicht mehr in die Atmosphäre gelangen, sondern vorher abgefangen und anschließend gelagert werden. Keine Technik im Energiebereich hat wohl in den letzten Jahren so viel Aufmerksamkeit erfahren wie die »Kohlenstoffsequestrierung«, die sichere Verwahrung von CO_2, eine Art Endlagerung. Was manchen als die letzte Rettung aus der Klimakatastrophe erscheint, ist eine faszinierende Idee, jedoch auch teuer und mit vielen technischen Unwägbarkeiten verbunden.

Zwei Probleme müssen gelöst werden, um den Kohlenstoff, der beim Verbrennen der Kohle freigesetzt wird, unschädlich zu machen: Das Kohlendioxid, das ansonsten aus dem Schornstein entweicht, muss vom Rauchgas abgeschieden und in eine Form gebracht werden, in der es sicher transportiert und gelagert werden kann. Fachleute sprechen deshalb von CCS (Carbon Capture Sequestration). Um ihr Image als Klimafeinde abzuschütteln, sind die Energiekonzerne auf den Zug längst aufgesprungen. Am weitesten fortgeschritten ist der Konzern Vattenfall, vor allem bekannt durch seine Kernkraftwerke Brunsbüttel und Krümmel sowie die Braunkohlekraftwerke Boxberg und Jänschwalde.

Ausgerechnet in dem kleinen Ort Schwarze Pumpe in der Lausitz soll die saubere Zukunft der Kohle beginnen. In Schwarze Pumpe wurde zu DDR-Zeiten Braunkohle vergast, auf dem Gelände sind noch die verrosteten Rohre zu sehen – nach der Wende war Erdgas aus Russland billiger als das aus heimischer Produktion. Schwarze Pumpe wurde stillgelegt, daneben ein Braunkohlekraftwerk hochgezogen. Die Zukunft von Schwarze Pumpe aber soll das weltweit erste »Oxyfuel«-Kraftwerk sein, das Mitte 2008 in Betrieb gehen soll. In dem Minikraftwerk mit einer Leistung von 30 Megawatt – nicht einmal ein Zehntel der Leistung eines gewöhnlichen Blocks – wollen Ingenieure beweisen, dass Kohle und Klimaschutz kein Widerspruch sind.

Während ein konventionelles Kraftwerk die Kohle mit normaler Luft verbrennt, wird sie beim Oxyfuel-Verfahren mit einer Mischung aus Rauchgas und Sauerstoff verfeuert. Im Grunde wird das Kohlendioxid, das gewöhnlich aus dem Schornstein in die Atmosphäre entweicht, immer wieder durch den Kessel gejagt, bis es sich stark konzentriert hat. Dieses Abgas wird entwässert, entschwefelt und hoch verdichtet, um anschließend in Druckbehältern gelagert zu werden. Neunzig Prozent des CO_2 aus der Kohle werden nach Angaben von Vattenfall mit dieser Technik zurückgehalten.

Umsonst ist die klimafreundliche Verbrennung freilich nicht zu haben, sie wird erkauft mit einem Verlust an Wirkungsgrad. Den Sauerstoff aus der Luft zu gewinnen, das Rauchgas zu behandeln und das CO_2 abzutrennen, kostet viel Energie. Wenn 85 Prozent des Kohlendioxids zurückgehalten werden, sinkt der Wirkungsgrad um knapp 10 Prozent Und ein völlig CO_2-freies Kraftwerk bedeutet eine Einbuße von mindestens 15 Prozent Wirkungsgrad. Ganz emissionsfrei arbeitet ein Oxyfuel-Kraftwerk ohnehin nicht, pro Kilowattstunde entweichen immer noch 60 bis 150 Gramm CO_2 in die Atmosphäre.

Oxyfuel ist nicht die einzige Methode, den Klimakiller CO_2 einzufangen. Der Energieversorger RWE setzt auf Kombikraftwerke mit »integrierter Kohlevergasung«. Dort reagiert der Brennstoff in einem ersten Schritt in einer sauerstoffarmen Umgebung zu Kohlenstoffmonoxid. Nach Entfernen von Verunreinigungen wird das Kohlenstoffmonoxid in Luft verbrannt, die Verbrennungsgase treiben eine Turbine an. Das dabei entstehende CO_2 kann wieder über Gasabscheider abgetrennt werden. Wenn Rauchgas nach der Entschwefelung den Schornstein verlässt, enthält es einen Anteil von etwa 15 Prozent CO_2. Um das Kohlendioxid abzutrennen, kann man den Schornstein durch einen Waschturm ersetzen, in dem das Rauchgas gereinigt wird. Allerdings, so stellt ein Gutachten des Wuppertal Instituts für Klima, Umwelt, Energie von Anfang 2007 fest, steigt dann der Brennstoffverbrauch, und der Wirkungsgrad sinkt. Auf etwa 35 bis 50 Euro beziffern die Wuppertaler Umweltexperten die Kosten, um eine Tonne CO_2 abzuscheiden – das würde die Kilowattstunde Strom um etwa 5 Cent verteuern. Weil auch der Wirkungsgrad sinke, lohne sich die Nachrüstung nur bei bereits relativ effizienten Anlagen, schreiben die Experten.

Doch wohin mit dem abgeschiedenen CO_2, das gerade bei der besonders klimaschädlichen Braunkohle tonnenweise anfällt? Jede Kilowattstunde Strom trägt etwa ein Kilogramm CO_2 im Gepäck – auf ein Kraftwerksjahr gerechnet kommen Hunderte Millionen Tonnen zusammen.

Erde und Meere sind die größten Kohlenstoffspeicher, sie bieten sich deshalb an, um das Klimagas wieder aufzunehmen. Frühere Ideen, das Gas direkt ins Meer zu leiten, gelten inzwischen jedoch als ökologisch riskant, denn irgendwann droht eine Übersäuerung. Und spätestens nach einigen hundert Jahren wäre das Kohlendioxid wieder ausgegast und in die Atmosphäre gelangt.

Ein spannendes Experiment läuft derzeit vor der Südküste Norwegens, genauer gesagt auf der Gasförderplattform »Sleipner« des norwegischen Konzerns Statoil. Was auf den ersten Blick wie eine gewöhnliche Förderinsel aussieht, die Erdgas vom Meeresboden hochpumpt, soll ein Modell für die kohlenstofffreie Energiezukunft sein. Eine Anlage auf der Plattform trennt das CO_2 vom Erdgas, um es anschließend unter hohem Druck zu verflüssigen und über eine Pipeline in 800 Meter tiefe Sandsteinschichten zu pressen. Das poröse Gestein saugt das CO_2 wie ein Schwamm auf, die darüber liegenden harten Gesteinsschichten wirken wie ein Deckel, der das Gas nicht mehr entweichen lässt.

Seit 1996 läuft der Versuch, in den ersten vier Jahren sind täglich 2800 Tonnen unter den Meeresboden verfrachtet worden. Seitdem beobachten die Fachleute auf der »Sleipner«-Plattform mit Hilfe seismischer Methoden die mehrere hundert Kilometer lange, 150 Kilometer breite und 250 Meter dicke Gesteinsformation. Im Jahr 2000 erklärten sie die Methode für zuverlässig: Das Kohlendioxid bleibe im Gestein und diffundiere nicht ins Meer. Insgesamt 600 Milliarden Tonnen CO_2 könne die mächtige Schicht aufnehmen – »Das gesamte Kohlendioxid, das alle derzeit am Netz hängenden europäischen Kraftwerke noch bis zu ihrem Lebensende produzieren werden«, wie Projektleiter Tore Torp stolz auf der Internetseite des Konzerns feststellt.

Doch für wie lange? Umweltschützer kritisieren, dass man nicht wisse, wie lange das CO_2 gebunden bleibt. Am Wuppertal Institut lehnt man die Lagerung deshalb rundweg ab. Sicherheitsprobleme und Umweltrisiken, warnt auch Greenpeace, sprächen gegen eine Nutzung der Tiefsee als Kohlendioxidspeicher. Für Deutschland wäre das Meer als Lagerstätte ohnehin ziemlich unpraktisch, denn die meisten Kohlekraftwerke stehen in Nordrhein-Westfalen, der Transportweg ist zu lang. Vor allem aber sorgt man sich am Wuppertal Institut, das klimaschädliche Gas könne plötzlich austreten. CO_2 ist zwar in geringen Konzentrationen nicht giftig, schließlich kommt es in der Atemluft vor. Doch je mehr davon vorhanden ist, umso gefährlicher wird es für Menschen: Ab einer Konzentration von 10 Prozent kommt es zu Vergiftungen, ab 20 Prozent zum Tod durch Ersticken.

Vor allem das plötzliche Entweichen von Kohlendioxid kann extrem gefährlich sein. Im Lake Nyos, einem Kratersee in Kamerun, hatte der benachbarte Vulkan eine Gasblase produziert. Als diese plötzlich platzte, entwichen große Mengen an CO_2, 1700 Menschen starben. Auch bei Statoil gibt man zu, die Forscher könnten nicht versprechen, dass das gefährliche Gas für immer unter dem Meeresboden bleibt. Doch die Gesteinsformation sei für mehrere hundert Jahre sicher, heißt es, und schließlich müsse die Lagerung nur bis zur nächsten Eiszeit in fünf- bis zehntausend Jahren reichen, meint Projektleiter Torp leicht sarkastisch.

In jedem Fall aber ist die Lagerung im Meer ziemlich teuer, das gibt auch Tore Torp zu. Würde man das CO_2 aus einem Kohle- oder Gaskraftwerk derart lagern, so stiegen die Kosten einer Kilowattstunde Strom um 50 bis 80 Prozent. Für Statoil hat sich das von der Europäischen Kommission geförderte Experiment dennoch gelohnt. Denn das Unternehmen hätte sonst eine Million norwegische Kronen täglich an Kohlendioxidsteuern zahlen müssen. So viel kostet zwar auch die Sequestrierung des Gases, doch zumindest sei diese Technik umweltfreundlicher, heißt es bei Statoil.

Wenn aber das Meer als Lagerstätte zu riskant ist, bleiben

nur unterirdische Reservoirs. Dafür spricht sich auch der Klimarat der Vereinten Nationen (IPPC) aus. »Sorgfältig gewählte unterirdische Reservoire halten das Gas wahrscheinlich in den nächsten tausend Jahren zu mehr als 99 Prozent zurück«, schreibt das IPCC in einer Untersuchung über die CO_2-Speicherung. Entleerte Gas- und Öllagerstätten für den Abbau unrentabler Kohleschichten sowie Salzwasser führende Gesteine in großer Tiefe kommen dafür infrage. Weltweit werden stillgelegte Kohleflöze oder die Hohlräume von Erdölfeldern untersucht, inzwischen geben Regierungen in den USA und Europa Millionensummen dafür aus.

Zum Beispiel im brandenburgischen Ketzin, wo sich seit Februar 2007 die Meißel in die Erde bohren. Unter Führung des Geoforschungszentrums Potsdam (GFZ) will dort eine internationale Expertengruppe 60 000 Tonnen CO_2 etwa 700 Meter unter die Erde pressen. Vor allem wollen die Fachleute in Erfahrung bringen, ob das Gas in der Tiefe bleibt, wie es sich verteilt, oder ob es eventuell mit dem Gestein reagiert. Den Untergrund von Ketzin halten die GFZ-Forscher für besonders geeignet: 700 Meter tief unter der Erde wölben sich poröse Sandsteinschichten, deren mit Salzwasser gefüllte Poren das Gas aufnehmen können. Überdeckt und abgedichtet wird dieser »Aquifer« von Ton und Gipsschichten. Mithilfe von seismischen Geräten, die das Gestein mit Schallwellen abtasten, überwachen die Fachleute das Klimagas, das per Tankwagen aus einer Gasfabrik geliefert wird. Langfristig würden die Forscher gern das verbleibende Kohlendioxid aus dem Versuchskraftwerk Schwarze Pumpe in den Boden pumpen – dann wäre der CO_2-Kreislauf geschlossen.

Die Lieferung aber ist teuer, sie verschlingt allein ein Achtel der 35 Millionen Euro Kosten für das Projekt. Damit wird auch ein grundlegendes Dilemma der CO_2-Speicherung deutlich:

Im Grunde müsste man das Gas dort lagern, wo es produziert wird, auch um Lkw-Transporte zu vermeiden, die sonst nötig würden. Doch noch weiß man viel zu wenig über die Eigenschaften der Deponien, so sind die Kohleflöze des Steinkohlebergbaus nicht ausreichend untersucht. Das Kohlendioxid muss also vorläufig transportiert werden, als komprimiertes oder verflüssigtes Gas durch eine Pipeline oder aber als Trockeneis mit Lastkraftwagen oder Schiffen.

Bei den vielen Unwägbarkeiten verwundert es nicht, dass die Kosten des gesamten CCS-Prozesses – also Abscheiden, Transport und Lagerung – sehr unterschiedlich bewertet werden. Das Wuppertal Institut geht von etwa 50 Euro pro Tonne aus, eine Studie für das Umweltbundesamt kalkuliert 40 Euro, der Wissenschaftliche Beirat der Umweltregierung hatte im Jahr 2003 die Kosten auf 75 bis 250 Euro beziffert, die Gesellschaft Deutscher Chemiker wiederum schätzt 28 bis 84 Euro. Solange es so billig bleibt, Kohlendioxid in die Atmosphäre zu blasen, so lange wird sich die aufwändige Technik nicht rentieren. Und CO_2 ist billig: An der Börse für Emissionszertifikate zahlen Unternehmen weniger als einen Euro für das Recht, eine Tonne CO_2 freizusetzen; Optionen für 2012 kosten 18 Euro.

Nicht nur wegen der Kosten, auch wegen der technischen Probleme nennt das Umweltbundesamt die CCS-Technik »nur eine Übergangslösung«. Frühestens im Jahr 2020, sagen die Fachleute des Wuppertal Instituts voraus, werden die Methoden des Abscheidens und der Speicherung im großen Maßstab einsatzreif sein. Überhaupt sei es sinnvoller, CO_2 zu vermeiden und Energie aus erneuerbaren Quellen zu nutzen. Letztlich, so stellt das Wuppertal Institut fest, bringt CCS, auf den gesamten Prozess gesehen, nur eine Vermeidung von gut 70 Prozent des Kohlendioxids. Deshalb könne man allenfalls von einer CO_2-armen Technik sprechen.

In Projekten wie Schwarze Pumpe, Ketzin oder Sleipner sehen viele Umweltschützer denn auch eher Ablenkungsmanöver der Energiekonzerne. Sie kritisieren, dass die Sequestrierung den Umstieg auf regenerative Energien behindert und zudem selbst enorme Mengen an Energie verbraucht. Zudem wäre der CO_2-Speicherbedarf gewaltig. Allein in Deutschland kämen 350 Millionen Tonnen pro Jahr zusammen; sämtliche Lagerstätten wären nach vierzig bis hundertdreißig Jahren voll, so die CCS-Studie des Umweltbundesamts. Schätzungen zufolge müssten weltweit jährlich 10 Milliarden Tonnen CO_2 gelagert werden.

Ein »Silver Bullet«, ein Stein der Weisen, ist die CO_2-Speicherung deshalb mit Sicherheit nicht. Ob sie eine Übergangstechnik sein wird, muss sich noch zeigen – das hängt auch davon ab, wie schnell erneuerbare Energien tatsächlich ihr volles Potenzial entfalten, und sicher auch, wie sich die Energiepreise und die Strategien gegen die Erderwärmung entwickeln. Je teurer Öl und Gas werden, je kostspieliger die Emissionsrechte, umso lohnender könnte letztlich auch die CO_2-Versenkung sein.

Einstweilen aber werden wichtige Weichen gestellt. Denn Deutschlands Kraftwerkpark wird immer älter, in den nächsten zwanzig Jahren muss ein gutes Viertel der Meiler ersetzt werden. Nach Einschätzung des Stromriesen E.ON werden in den nächsten Jahrzehnten hierzulande um die zwanzig konventionellen Kohlekraftwerke mit einer Leistung von insgesamt 25 000 Megawatt entstehen – das ist etwa achthundertmal so viel, wie die saubere Versuchsanlage Schwarze Pumpe von Vattenfall ab 2008 produzieren wird.

Auch die drei Meiler, die in den nächsten Jahren gebaut werden, sollen mit Braunkohle befeuert werden – eine CO_2-Abscheidung ist nicht vorgesehen. Brüssel hat schon eine Mahnung an Berlin ausgesprochen. »Braunkohle ist, was die Treibhausgase angeht, die ungünstigste Wahl«, sagte EU-Umweltkommissar Stavros Dimas nach der Vorstellung des dritten Teils des Weltklimaberichts Anfang Mai 2007. Der vermeintliche Musterknabe in Sachen Klimaschutz kann noch dazulernen.

Mythos Sonne

»Tree huggers« nennen manche Amerikaner ein wenig verächtlich Umweltschützer – Menschen, die Bäume umarmen. »Tree huggers«, das sind die Zeitgenossen, die ursprünglich Bäume vor dem Kahlschlag der Papierkonzerne retten wollten.

Was aber, wenn ein ganzer Konzern zum »tree hugger« wird? Und wenn es sich dabei um das Unternehmen handelt, das der Inbegriff der amerikanischen Konsum- und Verschwendungsgesellschaft schlechthin ist? Wal-Mart, die weltweit größte Kette von Kaufhäusern, hat im Mai 2007 angekündigt, dass sie 22 ihrer Standorte mit Solarzellen ausrüsten will.

Zwanzig Megawattstunden jährlich sollen in Kalifornien und Hawaii produziert werden, zunächst sollen die Solarzellenpanels ein Drittel des Strombedarfs der Kaufhäuser decken und 10 000 Tonnen CO_2 jährlich einsparen. Auf lange Sicht hat der Konzern sogar vor, den Strom für seine Supermärkte ganz aus erneuerbaren Quellen zu beziehen. Ein lukratives Geschäft für die Solarzellenhersteller und eines mit Signalwirkung. Denn Wal-Mart ist nicht nur ein gigantischer Abnehmer. Die Marke steht gewissermaßen für das durchschnittliche Amerika, das Amerika der Kunden von McDonald's, Pizza Hut und eben Wal-Mart. Wenn sie Solarzellen auf dem Dach des Kaufhauses sehen, könnte das durchaus den Bewusstseinswandel beschleunigen.

In Sorge um seine Energiezukunft hat Amerika die Sonne entdeckt. Risikokapitalgeber investieren kräftig in Startups in

Silicon Valley, die neuartige Solarzellen entwickeln; Unternehmen polieren ihr Image mit Solarzellenpanels auf. Der Trend zur Ökoenergie hat das Land mit aller Macht ergriffen: Es ist eine Mischung aus Angst vor schwindenden Ölreserven, aus dem religiös motiviertem Wunsch, die Umwelt zu schützen sowie aus einer Gegenbewegung zur hemmungslosen Ausbeutung der letzten Reserven durch die Regierung von George W. Bush, der im Naturschutzgebiet von Alaska nach Öl bohren lassen will.

Dass ausgerechnet die USA die Solarenergie bisher vernachlässigt haben, ist paradox. Von Kalifornien im Westen über Arizona, Texas und Mississippi bis hin zu Florida im Osten: Über das ganze Land erstreckt sich ein Sonnengürtel. Dort lohnt es sich wahrlich, die Kraft der Sonne anzuzapfen. Und versucht hat man es auch schon. In der Mojavewüste, 160 Kilometer östlich von Los Angeles, liegt der kleine Ort Kramer Junction, der nicht viel mehr ist als eine Straßenkreuzung. Dort ist zwischen 1984 und 1991 das bislang größte solarthermische Kraftwerk der Welt entstanden – als Spätfolge der Ölkrise von 1973. Die gegenüber erneuerbaren Energien aufgeschlossene Regierung von Präsident Jimmy Carter unterstützte den Bau der inzwischen auf 354 Megawatt angewachsenen Anlage.

Das Kraftwerk, das mit Spiegel Sonnenstrahlen einfängt, läuft noch immer – und hat inzwischen mehr als zwölf Milliarden Kilowattstunden ins kalifornische Stromnetz eingespeist. Als jedoch Öl wieder billiger wurde, vergaß man in Amerika die Sonne. Jetzt könnte Kramer Junction ein Revival erleben.

In Deutschland dagegen ist man den umgekehrten Weg gegangen. Seit 1991 belohnt der Staat die Herstellung von Ökostrom: Das Einspeisungsgesetz sollte vor allem sicherstellen, dass die Energieversorgungsunternehmen den kleinen Erzeugern ihren Strom abnehmen. Im Jahr 2000 trat dann das Erneuerbare-Energien-Gesetz (EEG) in Kraft und sicherte Hausbesitzern großzügige Preise für die Abnahme von Strom aus den Solarzellenpanels. Wer 2007 eine Anlage auf seinem Hausdach installiert, bekommt knapp 50 Cent pro Kilowattstunde, die er ins Netz einspeist. Und zwar zwanzig Jahre lang.

Das ist sehr rentabel: Eine Mitte 2007 installierte Dachanlage von 4 Kilowatt Leistung, die schätzungsweise durchschnittlich pro Jahr 3400 Kilowattstunden Strom liefert, erwirtschaftet in der Förderzeit fast 35 000 Euro. Für Solaranlagen werden zudem günstige staatliche Kredite angeboten. Die Investition rentiert sich: Ein Quadratmeter Solarzellen kostet etwa 500 Euro und bringt einen Ertrag von 46 Euro pro Jahr – damit liegt die Verzinsung bei satten 8 Prozent. Nicht überraschend also, dass viele Hausbesitzer den gesamten Solarstrom ins Netz speisen, dafür 50 Cent pro Kilowattstunde kassieren und ihren eigenen Bedarf über den Einkauf beim Großanbieter für 13 Cent decken, auch wenn dessen Strom aus dem Atomkraftwerk kommt. »Solar-Raffkes« heißen sie zuweilen. Zahlreiche Bauern in Niederbayern finanzieren so inzwischen ihre Altersvorsorge: Sie pflastern ihre Scheunendächer mit Solarzellen – das bringt schneller und mehr Geld als die mühsame Milch- oder Feldwirtschaft.

Die Subvention treibt ihre Blüten. Jetzt warnt sogar die staatlich geförderte Deutsche Energie-Agentur (Dena), die sich um Energieeffizienz und erneuerbare Quellen bemüht. Wenn das so weiter gehe, müssten Dena-Geschäftsführer Stephan Kohler zufolge 2015 schon 2,2 Milliarden Euro für ein Prozent der deutschen Stromversorgung gezahlt werden. Den »Häuslebauern« würde man die Staatsgelder, die letztlich auf alle Stromkunden umgelegt werden, vielleicht noch gönnen. Doch von der großzügigen Vergütung des Solarstroms profitieren auch

Unternehmer, die großflächige Solarparks bauen. Es grenzt schon an ökonomischen Wahnsinn, was die Bundesregierung so fördert. Wenn eine Kilowattstunde Solarstrom 820 Gramm Kohlendioxid vermeidet – so viel produzieren fossile Energieträger im Durchschnitt –, dann kostet jede vermiedene Tonne CO_2 satte 610 Euro.

Selbst in China verdienen Unternehmer am deutschen Solarboom. Größter Hersteller von Solarzellen ist Shi Zhengrong, dessen Firma Suntech mit 3500 Angestellten gleich nach den Branchengrößten Sharp und Q-Cells rangiert. Neun Zehntel der gesamten Suntech-Produktion gehen nach Deutschland. Die hohe Nachfrage dort und die horrenden Preise für Zellen, stellte kürzlich das Magazin *Economist* fest, hätten inzwischen dazu geführt, dass manche ärmeren Länder sich Solarzellen kaum mehr leisten könnten – obwohl sie dort weitaus rentabler wären als in unseren mittleren Breiten.

Doch Solarzellen gelten vielen Deutschen immer noch als der Inbegriff sauberer und einfacher Energie. Jeder versteht im Grunde das Prinzip, wonach Licht in Strom umgewandelt wird – auch wenn die Physik in einer Zelle ganz schön kompliziert ist, was es übrigens so schwierig macht, den Wirkungsgrad zu steigern. Solarzellen sind kleine Einheiten, die flexibel zu Panels und größeren Anlagen zusammengebaut werden können. Sie sind gewissermaßen der Gegensatz zur Großtechnik der Kraftwerke, zu rauchenden Schornsteinen und zu Hochspannungsleitungen.

Sauber gegen schmutzig, dezentral gegen zentral, klein gegen groß – die Deutschen sind besonders empfänglich für den Mythos, dass man im Prinzip den gesamten Energiebedarf der Republik mithilfe von Solarzellen decken könnte. Umfragen zufolge glaubt eine große Mehrheit der Bevölkerung, dass die Zukunft der Stromversorgung in den erneuerbaren Energien liegt. Und fast drei Viertel meinen, dass die Solarenergie die tragende Säule der künftigen Energieversorgung sei.

Auf den ersten Blick erscheint das auch logisch. Die Sonne macht das Leben auf der Erde erst möglich und stellt eine riesige Menge an Energie zur Verfügung. Ohne Sonne gäbe es keinen Wasserkreislauf und folglich keine Wasserkraftwerke; es gäbe keinen Wind, keine Wellen und keine Biomasse. Allein die Strahlung, die auf die Erde trifft, ist gigantisch: Auf jeden Quadratmeter kommen im Durchschnitt etwa tausend Kilowattstunden jährlich – so viel wie der Energieinhalt von hundert Litern Öl. Jede Stunde scheint so viel Energie auf die Erde, wie die Menschen in einem Jahr verbrauchen.

Allerdings – und das ist die Kehrseite des Überflusses – ist die Energie nicht konzentriert: Im Vergleich zur Dichte von Öl, Kohle oder Uran könnte man Sonnenstrahlen als extrem verdünnt bezeichnen. Aus den Gesetzen der Physik folgt, dass man viel Fläche und viel Material braucht, um die Sonnenenergie zu ernten. Tatsächlich lässt sich aus ihr eine Menge Strom holen – doch viel rentabler als Solarzellen sind solarthermische Kraftwerke wie das von Kramer Junction.

Seit 1954, als an den berühmten Bell Laboratories im US-Bundesstaat New Jersey die erste Solarzelle gebaut wurde, hat die Technik enorme Fortschritte gemacht. Zunächst kamen Solarzellen bei Satelliten zum Einsatz, sie lieferten 1958 den Strom für Amerikas ersten Trabanten im All. Auch das hatten die amerikanischen Ingenieure aus dem *Sputnik*-Schock gelernt: Der russische Satellit, der 1957 gestartet war, funkte nämlich nur wenige Wochen zur Erde – dann waren die Batterien leer.

Nach der Ölkrise begann man, die Technik für die Stromproduktion auf der Erde zu verbessern. Labors lieferten sich Wettrennen um Wirkungsgrade, womit der Anteil an Sonnenenergie gemeint ist, der sich in Strom umsetzen lässt. Jedes Prozent mehr Wirkungsgrad wurde gefeiert. Durch ausgeklügelte Techniken schafft man inzwischen fast 40 Prozent – allerdings nur, wenn das Sonnenlicht vorher konzentriert und von besonders ausgefeilten und teuren Zellen aus »monokristallinem« Silizium eingefangen wird, das aus regelmäßig angeordneten Kristallen aufgebaut ist. Ein wesentlicher Schwachpunkt der Solarzellen ist der Verlust an Wirkungsgrad auf dem Weg vom Labor in die Massenfertigung. Monokristalline Solarzellen, die in großen Mengen produziert werden, schaffen nur einen Umwandlungsgrad von 16, höchstens 20 Prozent, das ist gerade einmal die Hälfte der hochgezüchteten Laborzellen. Zusätzlich geht Effizienz verloren, wenn die Bauteile zu einem Modul zusammengeschaltet werden. Der Wirkungsgrad eines Panels liegt derzeit bei etwa vier Fünftel des Wirkungsgrads der einzelnen Zelle.

Einfacher und billiger ist die Produktion von Siliziumzellen, wenn die Kristalle nicht ganz regelmäßig angeordnet sind, wodurch allerdings der Wirkungsgrad auch um ein paar Prozentpunkte sinkt. Am leichtesten herzustellen sind »amorphe« Zellen, bei denen eine Schicht Silizium auf ein Trägermaterial aufgedampft wird. Dieser Typ aber wandelt nur ein Zehntel des Sonnenlichts in Strom um. Silizium galt lange als Material der Wahl, inzwischen wird in den Forschungslabors zunehmend mit Dünnschichtzellen aus Mischungen von Selen, Cadmium und Kupfer experimentiert. Sie brauchen keine starke Sonneneinstrahlung, sondern nutzen schwaches Licht ganz gut aus. Auch Solarzellen aus Kunststoffen und organischen Polymeren gelten nicht mehr als utopisch. Trotzdem gehen Fachleute davon aus, dass Siliziumzellen die Favoriten bleiben werden, weil das Material billig und umweltfreundlich ist – im Gegensatz zu den giftigen Stoffen Selen und Cadmium.

Kosteten in den 1950er-Jahren die ersten Module noch

200 Dollar pro Watt, so ist der Preis heute mit 2,50 Dollar auf fast ein Hundertstel gesunken. Im Jahr 2004 waren weltweit etwa 2,6 Gigawatt Solarleistung installiert, so viel wie ein mittleres Kernkraftwerk. Die meisten Solarzellen weltweit hat übrigens Japan, mit einer Leistung von 1,1 Gigawatt. Deutschland ist mit 0,8 Gigawatt Nummer zwei. Die USA dürften in den nächsten Jahren aufholen, weil inzwischen Solarstrom wieder gefördert wird, vor allem in Kalifornien, wo die Regierung von Arnold Schwarzenegger ein 3 Millionen Dollar schweres »Millionen-Dächer-Programm« aufgelegt hat. Um 40 Prozent jährlich ist der weltweite Markt für Solarzellen in den letzten fünf Jahren gewachsen, 2005 betrug der Umsatz bereits 11 Milliarden Dollar. Solarzellen, das ist inzwischen »big business«, urteilte jüngst der *Economist*.

Doch, so der hämische Kommentar des renommierten Wirtschaftsmagazins, Solarzellen hätten bislang viele Schlagzeilen, aber wenig Energie produziert. Im Vergleich zu anderen Quellen macht die Fotovoltaik tatsächlich nur einen Bruchteil von vier Hundertstel Prozent aus, wie die Internationale Energieagentur IEA vorrechnet. Selbst im Solarland Deutschland ist es nur ein Drittel Prozent, nur Bayern erreicht 1 Prozent, weil dort die Sonne länger scheint als im Norden. Wie schnell dieser Anteil steigen wird, hängt davon ab, wie rasch die Zellen billiger werden. Noch kostet eine Kilowattstunde Solarstrom 50 Cent, das ist dreieinhalbmal so viel, wie Verbraucher für den Strom aus der Steckdose zahlen und siebenmal so viel wie der Großhandelspreis.

Seit 1990 haben sich die Kosten für die Fotovoltaik halbiert. Beim US-Energieministerium prophezeit man, dass schon 2015 eine Kilowattstunde Solarstrom konkurrenzfähig mit Strom aus der Steckdose sein wird, manche Hersteller von Solarpanels vermuten bereits 2010. Ein wenig vorsichtiger ist man am Freiburger Fraunhofer-Institut. Dort schätzt man, dass in Deutschland eine Kilowattstunde Solarstrom im Jahr 2020 für 20 Cent zu produzieren sein wird, was immer noch teuer ist im Vergleich zu den 4 Cent, welche die Kilowattstunde aus dem Kohlekraftwerk kostet – die allerdings zugleich mit einem knappen Kilogramm Kohlendioxid befrachtet ist.

Doch die Vorhersagen sind kühn. Sie beruhen teilweise auf »Extrapolationen«, das heißt auf der Fortführung von Wachstumskurven. In den letzten zehn Jahren ist zwar Solarstrom um 5 bis 7 Prozent jährlich billiger geworden. Und jedes Mal, wenn sich die Produktion verdoppelt hat, ist der Preis für ein Panel um ein Fünftel gesunken. Doch die Physik setzt der ungebremsten Steigerung Grenzen. Es ist eben nicht möglich, den Wirkungsgrad beliebig nach oben zu schrauben. Es könnte also durchaus sein, dass die beachtlichen Wachstumskurven in wenigen Jahren abflachen.

Und selbst wenn eine Kilowattstunde Solarstrom einmal so viel kosten wird wie die aus dem Atommeiler: Für große Mengen braucht man riesige Flächen an Solarzellen – es sei denn, die so genannten Konzentratorzellen halten, was sie derzeit versprechen. Dabei handelt es sich um eine durchaus schlaue Idee. Vor die Solarzellen werden Brenngläser montiert, die das Sonnenlicht konzentrieren. Solche Zellen können im Prinzip bis zu achthundertmal mehr Strom liefern als herkömmliche Elemente. Die kleine Firma Pyron Solar aus San Diego hat entsprechende Module gebaut. Ein Kraftwerk mit 600 Megawatt Leistung würde nur etwa 2,5 Quadratkilometer an Solarzellen benötigen. Allerdings bestehen die derzeitigen runden Module aus Hightech-Zellen aus dem Labor – würde man sie in Serie bauen, käme man nie auf diese Ausbeute.

Einstweilen kommen für die großflächige Anwendung im Grunde nur Dächer, Fassaden und Lärmschutzwände infrage.

Denn gegen Freiflächen regt sich bereits vielerorts Widerstand. Im oberpfälzischen Sünching etwa schmetterten die Bürger im Frühjahr 2007 den Bau einer Solaranlage ab, im mittelfränkischen Adelsdorf scheiterte ebenfalls ein 20 Hektar großer Solarpark ausgerechnet am Widerstand der SPD- und Grünen-Gemeinderäte.

Würde man die geeigneten bebauten Flächen mit Solarzellen bestücken, dann käme man nach Berechnung des Umweltministeriums auf eine Leistung von 115 000 Megawatt – was ein Fünftel des derzeitigen Strombedarfs decken würde. Wobei allerdings ein großes Manko des Solarstroms nicht berücksichtigt ist: Die Sonne strahlt bekanntlich nur tagsüber, nachts gibt es keinen Strom. Doch Kühlschränke laufen auch nach 20 Uhr, am Abend wirft man gerne eine Ladung Wäsche in die Maschine, viele Fließbänder rollen rund um die Uhr. Damit fehlt dieser Technik ein wesentlicher Baustein für eine gleichmäßige Stromversorgung: die Speicherung. Auch daran kann man arbeiten, und Ingenieure werden sicher eines Tages leistungsfähige Batterien für die Stromspeicherung bauen. Doch für die nächsten zehn, zwanzig Jahre, prophezeien die Autoren einer Studie der Deutschen Physikalischen Gesellschaft, werden die Fortschritte nicht ausreichen, damit Solarzellen einen wesentlichen Beitrag zum Klimaschutz leisten.

Zumindest nicht in Deutschland, Mitteleuropa und Skandinavien. Ein wesentlicher Fehler der deutschen Solarstrategen ist, dass sie zu sehr auf Deutschland fixiert sind. Sie wollen die Solarrevolution hierzulande anstoßen – und vergessen dabei, dass viele Regionen in der Welt und sogar in Europa weitaus geeigneter als Deutschland sind, um die Energie der Sonne anzuzapfen. Denn südlich der Alpen oder in den Tropen, so eine Faustregel, können Solarzellen im Prinzip Strom für die Hälfte der Kosten wie in Mitteleuropa liefern. Wer das Erdklima im

Blick hat, muss Solarmodule in warmen Gegenden aufstellen. In Spanien zum Beispiel oder in Süditalien. Dort sind die Reserven längst nicht ausgeschöpft.

Oder in Afrika, wo es naheliegt, an die Sonne zu denken, denn davon gibt es dort im Überfluss. In den Achtzigerjahren war die Euphorie groß – Solartechnik schien das Mittel der Wahl zu sein, um die abgelegenen Hütten mit Strom zu versorgen. Doch Afrika ist auch ein Beispiel dafür, dass Technik sich nicht einfach verbreiten lässt, sie muss vielmehr zur Lebensweise passen.

Dass trotz Förderung Solarzellen in Afrika nicht auf jedem Hüttendach montiert sind, dafür gibt es viele Gründe, und die meisten sind nicht so schnell aus der Welt zu schaffen, wie der Korrespondent der *Süddeutschen Zeitung* in Afrika beobachtet hat. Christian Umbeck, Entwicklungshelfer in Uganda, betreut zum Beispiel ein Projekt, das Berufsschullehrer mit der Solartechnik vertraut macht. Dies ist wichtig, denn solange es nicht genügend Elektriker in den Dörfern gibt, die solche neuen Anlagen warten und reparieren können, haben Solarzellen dort wenig Zukunft.

Es fehlen aber nicht nur die Fachleute. Meistens mangelt es den Kunden schlicht am Geld: Die wenigsten Bauern können sich die Technik leisten. Wer für den Hausgebrauch Strom erzeugen will, für Licht und Fernseher, für Radio und Handy, der muss in Uganda für eine kleine Solaranlage 1,2 Millionen Uganda-Schilling bezahlen, das sind etwa 500 Euro. Dafür müssen viele Menschen dort ein ganzes Jahr lang arbeiten.

Doch selbst wenn sie einen Mikrokredit aufnehmen könnten, bleiben sie oft lieber bei ihrer guten alten Kerosinlampe. Die ist unverwüstlich, kostet nur 6 Euro und kann für ein paar Cent mit neuem Brennstoff versorgt werden. Dass Solarenergie auf lange Sicht vielleicht rentabel wäre, ziehen viele nicht in Betracht, weil sie in anderen Zeiträumen denken: In ein paar Jahren kann man den Job verlieren, Krankheit kann einen dahinraffen, Rebellen können die Hütte anzünden, die Ernte kann verdorren. Da will sich niemand in hohe Schulden stürzen. Man kämpft sich durch von Tag zu Tag.

Auch die kleinen Solarkocher erscheinen nur auf den ersten Blick als prächtiger Ersatz für die überall glimmende Holzkohle. Deren Gebrauch führt dazu, dass die Savannen und Wälder immer weiter abgeholzt werden und dass viele Menschen an Atemwegserkrankungen leiden. Doch die Solarkocher passen oft einfach nicht in den Rhythmus des Lebens. Den ganzen Tag über rackern die Leute nämlich auf dem Feld. Und gekocht wird meistens erst, wenn die Nacht hereingebrochen ist. Ein Solarkocher aber kann die Energie nicht speichern. Deshalb ist er oft nutzlos.

Und trotzdem: Afrika könnte in den nächsten Jahren doch noch zum Solarkontinent werden, wenn auch nicht mit der Losung »Solarzellen für die Hütten«. In Nordafrika scheint eine ebenfalls alte Idee derzeit einzuschlagen: Grüner Strom für Europa. Wo die Sonne viel und kräftig scheint, rentieren sich solarthermische Kraftwerke wie das von Kramer Junction in Kalifornien – also im gesamten Sonnengürtel der Erde, das heißt auch in Nordafrika sowie in der Europäischen Union in Südspanien, auf Sizilien, Malta und Zypern.

Solarthermie funktioniert nach einem ganz anderen Prinzip als Fotovoltaik. Konzentriertes Sonnenlicht wird genutzt, um eine Flüssigkeit zu erhitzen, die wiederum eine Dampfturbine antreibt. Dabei unterscheiden Ingenieure im Wesentlichen drei Modelle. Beim Solarturm-Kraftwerk bündeln Spiegel am Boden die Strahlen und richten sie auf einen Empfänger hoch oben auf einem Turm. Damit wird Natrium in einem Behälter auf bis zu tausend Grad Celsius erhitzt. Beim Paraboloidkraftwerk fokussiert ein parabolförmiger Spiegel die Sonnenstrahlen auf einen Absorber, in dem Helium oder Wasserstoff auf mehrere tausend Grad erhitzt wird. Diese beiden Techniken gibt es allerdings nur als Experiment in der europäischen Versuchsanlage von Almeria in Spanien.

Am weitesten fortgeschritten ist die dritte Variante, die Parabolrinnentechnik, die auch in der größten Solarstromanlage der Welt im kalifornischen Kramer Junction seit Jahrzehnten erfolgreich angewendet wird. Sie ist die einzige Technik, die Marktreife hat – »das Solarzeitalter kann morgen beginnen«, schreibt denn auch der Spiegelhersteller Schott stolz in einem Papier. In langen Reihen stehen mehrere tausend Spiegel, in neun Solarfeldern angeordnet richten sie sich computergesteuert zur Sonne aus und konzentrieren die Strahlen auf ein Rohr. Darin zirkuliert ein Öl. Es wird auf etwa 400 Grad Celsius erhitzt und erzeugt in einem Wärmetauscher im zentralen Kraftwerksblock Wasserdampf. Der wiederum treibt eine Turbine an, die Strom erzeugt. Insgesamt 350 Megawatt Leistung sind in Kramer Junction installiert, seit fünfzehn Jahren werden von dort aus 200 000 Haushalte mit Strom versorgt. Mehr als zwölf Milliarden Kilowattstunden hat die Anlage bislang produziert – zu 12 Cent pro Kilowattstunde.

Ein großer Vorteil ist, dass die Millionen Liter Öl in den Rohren zugleich als eine Art Wärmespeicher dienen. Das Öl bleibt lange heiß – und kann darum zumindest ein paar Stunden wolkenverhangenen Himmel überbrücken und damit den wesentlichen Nachteil der solarthermischen Technik ausgleichen: Sie funktioniert nämlich – anders als Solarzellen – nur bei strahlendem Sonnenschein. Schon dünne Schleierwolken senken den Wirkungsgrad erheblich. Zusätzlich stehen in Kramer Junction Speicher mit einer Salzschmelze, die tagsüber erhitzt werden und nachts Strom liefern können. Da solarthermische Kraftwerke über einen Wärmetauscher die Hitze an eine Dampfturbine abgeben, kann man sie leicht mit konventionellen Kraftwerken koppeln. Ein Gaskraftwerk kann den Strom nachts oder bei schlechtem Wetter liefern, ansonsten läuft die Turbine mit Sonnenkraft.

Die Zahlen sprechen für solarthermische Kraftwerke: Nach fünf Monaten hat sich, so eine Vergleichsstudie des Bundesumweltministeriums, eine solarthermische Anlage in Marokko energetisch amortisiert. Das heißt, dann hat sie die Energie wieder hereingeholt, die nötig war, um sie zu bauen, zu betreiben und zu entsorgen. Für ein Windrad beträgt diese energetische Amortisationszeit auch nur vier bis sieben Monate, bei Solarzellen aus Silizium dagegen drei bis fünf Jahre. Teuer ist ein solarthermisches Kraftwerk nur am Anfang, wenn die Baukosten zu Buche schlagen. Wenn diese einmal abgeschrieben sind, kostet der Betrieb nur etwa 3 Cent pro Kilowattstunde.

Von allen erneuerbaren Energien bescheinigen Szenarios der Solarthermie das größte Ausbaupotenzial. Es fragt sich nur, warum Deutschland mit aller Macht Solarzellen fördert und die Solarthermie nicht berücksichtigt. Das war nicht immer so. An der Versuchsanlage im spanischen Almeria haben die Experten des Deutschen Zentrums für Luft- und Raumfahrt (DLR) lange Zeit maßgeblich mitgeforscht. Bis 1998. Dann kürzte die Regierung Kohl einen Großteil der Fördergelder. Und Rot-Grün fand Solarzellen interessanter, die Hälfte aller Forschungsmittel für erneuerbare Energien wurde in den vergangenen zehn Jahren in die Fotovoltaik gepumpt, ein Fünftel in Windkraft und nur ein Zehntel in die Solarthermie.

Der Grund dürfte eine Mischung aus Ideologie und Verkaufswert sein. Die blauen Panels auf Hausdächern sehen einfach besser aus als ein Kraftwerk, das noch nicht einmal in Deutschland steht, sondern in Spanien oder auf Sizilien. Solarzellen sind Hightech, und vor allem liefern sie dezentral Energie, eines der wichtigsten Kriterien für die Ökoszene. Kraftwerke haben das Negativimage der Großtechnik, auch wenn ihr Strom weitaus billiger ist.

Vielleicht werden die Spanier es einmal besser machen als die Deutschen. In der Nähe des Versuchsgeländes von Almeria entsteht auf der andalusischen Hochebene Guadix ein richtiges Kraftwerk mit einer Leistung von 150 Megawatt, das 2008 ans Netz gehen soll. Schon der erste Block wird mehr Strom liefern als alle spanischen Solarzellen zusammengenommen.

Für Europa hält eine Studie des DLR bis 2020 eine solarthermische Kraftwerkskapazität von gut 3 Gigawatt für realistisch, weltweit könnten es 15 Gigawatt sein. Bis 2015 erwarten Experten, dass der Strom, der heute zwischen 10 und 20 Cent pro Kilowattstunde kostet, nicht teurer sein wird als der aus fossilen Kraftwerken. Die Internationale Energieagentur IEA schätzt sogar, dass die Kilowattstunde solarthermischen Stroms im Jahr 2020 für 6 Cent zu haben sein wird. Dazu kommen freilich die Transportkosten. Für eine Anlage in Spanien fallen sie nicht ins Gewicht, denn Spanien hängt am europäischen Netz. Doch falls der Strom in Nordafrika produziert würde, was wegen der längeren Sonnenscheindauer billiger wäre, müsste man ihn mit Hochspannungs-Gleichstrom-Übertragungsleitungen nach Europa transportieren. Diese Leitungen werden schon heute verwendet, um Strom zwischen Netzen mit verschiedener Spannung auszutauschen. Technisch ist das nicht schwierig, es gibt bereits ein Kabel auf dem Meeresboden zwischen Marokko und Gibraltar. Schätzungsweise 2 Cent pro Kilowattstunde würde es kosten, Strom aus Nordafrika ins europäische Netz zu speisen.

Nordafrika könnte auch deshalb Standort der Wahl sein, weil die Sonne 4300 Sonnenstunden pro Jahr scheint, während es in Südspanien nur etwas mehr als 3000 Stunden sind. Zudem stehen dort einfach mehr Flächen zur Verfügung. Parabolrinnenkraftwerke brauchen sehr viel Platz – schätzungsweise 400 Hektar für 100 Megawatt Leistung. Das klingt gigantisch. Andererseits: Um Deutschlands gesamten Strombedarf zu decken, wäre eine Fläche von 45 mal 45 Kilometer notwendig. Was gemessen an der Ausdehnung der Sahara wiederum nicht so enorm ist. Allerdings würde wohl niemand auf die Idee kommen, Deutschland mit einem einzigen Großkraftwerk in der Wüste zu versorgen. Aus Gründen der Zuverlässigkeit würde man eher zahlreiche kleinere Anlagen an verschiedenen Standorten bauen.

Experten des DLR sowie der Deutschen Physikalischen Gesellschaft und des Bundesumweltministeriums gehen davon aus, dass im Jahr 2025 der nordafrikanische Strom billiger sein wird als der heimische aus dem Kohlekraftwerk. Klimaschonender ist er zweifellos: Bis 2020 könnte er insgesamt 154 Millionen Tonnen CO_2 einsparen, schätzt man bei Greenpeace. Wegen des Ausbaupotenzials hält die Deutsche Physikalische Gesellschaft in einer Studie aus dem Jahr 2005 die Solarthermie für die einzige erneuerbare Energie, die langfristig einen entscheidenden Beitrag zur Rettung des Weltklimas leisten kann.

Seitdem der Sozialdemokrat Sigmar Gabriel Bundesumweltminister ist, wird in Berlin immerhin die Idee des Stromimports wieder mit Wohlwollen verfolgt. Gabriel jedenfalls ist schon häufig nach Nordafrika gereist, sein grüner Vorgänger Jürgen Trittin hatte sich dort nie blicken lassen. In den Maghreb-Ländern wittert man inzwischen ein Geschäft mit Solarstrom. In Marokko wird derzeit mit Mitteln der Weltbank ein solarthermisches Kraftwerk gebaut, das zunächst die Region versorgen soll. »Grüner Strom für Europa gilt auf jeden Fall als Exportschlager«, sagt Mohamed El-Khawad, der für die

Gesellschaft für Technische Zusammenarbeit (GTZ) ein Zentrum für erneuerbare Energien aufgebaut hat. Auch im Land selbst wächst das Umweltbewusstsein: Die Regierung in Rabat prüft derzeit, ob sie – nach deutschem Vorbild – das Einspeisen von Strom aus Sonne oder Wind vergüten will. Auch in Tunesien macht sich Hans-Jörg Müller vom GTZ-Büro in Tunis seit längerem für den Bau eines solarthermischen Kraftwerks stark. Mehrfach wurde sein Vorschlag abgelehnt. Im Frühjahr 2007 erhielt Müller nun einen Brief von der Regierung, man prüfe die Möglichkeit, ein Solarfeld auf dem Gelände eines Gaskraftwerks zu bauen. »Da ist wirklich ein Umdenkprozess in Gang gekommen«, kommentiert Müller.

Hoffnung Wind

Es ist eine fast vergessene, aber bittere Ironie der Geschichte: Ausgerechnet in Deutschland, wo heute 40 Prozent der weltweiten Windkraftleistung installiert sind, fing die Saga der modernen Rotoren mit einer beispiellosen Pleite an. Und mit einer Lektion, wie Technikförderung gewiss nicht funktioniert. »Growian«, die »Große Windkraftanlage«, am Kaiser-Wilhelm-Koog sollte ein Vorzeigeobjekt sein: ein Rotor mit einem Durchmesser von 100 Metern und beachtlichen 3 Megawatt Leistung. Ein Weltrekord.

Es war die Zeit nach der Ölkrise von 1979, und die Bundesregierung spendierte – für damals – beachtliche 200 Millionen Mark für ein Windkraftprogramm. Ein Großteil des Geldes floss in das Windrad »Growian«, das 1981 hochgezogen wurde. Doch der Aufwand war vergebens. Risse in der Rotornabe ließen das Riesenrad immer wieder stillstehen, im ersten Betriebsjahr 1983 speiste es ganze neun Stunden lang Strom ins Netz. 1988 wurde »Growian« entsorgt, die Windeuphorie schien erst einmal vorbei zu sein. Böse Zungen behaupten, die Industrie habe das Vorhaben absichtlich in den Sand gesetzt. Federführend war ausgerechnet das Kernforschungszentrum Jülich. Man baue »Growian«, soll damals ein Vorstand des ebenfalls beteiligten Energieversorgers RWE gesagt haben, um zu zeigen, dass es nicht funktioniere.

Es war wohl vor allem der Wunsch nach Hightech, der die Ingenieure ein wenig größenwahnsinnig werden und ein paar

Stufen gleichzeitig nehmen ließ. Ein Windrad, das war zunächst einmal – im Vergleich zu Solarzellen – eine altertümliche Technik. Die ältesten Windmühlen nutzte man schon im 9. Jahrhundert in Persien zum Getreidemahlen und in China zum Wasserpumpen, in Europa verbreiteten sie sich nach dem 12. Jahrhundert.

Zur Blütezeit im 18. Jahrhundert gehörten Mühlen zum Landschaftsbild, schätzungsweise mehr als 200 000 der hölzernen Anlagen waren damals europaweit errichtet worden. Und bereits 1888 baute Charles Brush in Cleveland im US-Bundesstaat Ohio die erste Anlage zur Stromerzeugung. Im Mittleren Westen der USA stehen auf vielen Farmen noch heute die kleinen, klapprigen Räder, die Wasser aus den Brunnen hochpumpen.

Die deutschen Ingenieure aber dachten: Wenn Windkraft, dann richtig groß. »Growian«war lange Zeit die größte Windenergieanlage der Welt, mit beeindruckenden Details wie einem Maschinenhaus, das am Turm auf- und abgefahren werden konnte. Das machte »Growian« fehleranfällig. Vieles an der Anlage war neu und in dieser Größenordnung noch nicht erprobt, ständige Probleme mit den Werkstoffen und der Konstruktion führten dazu, dass das Rad zwischen dem ersten Probelauf am 6. Juli 1983 bis zum Betriebsende meistens stillstand. 1987 kamen die Abbautrupps. »Growian«wurde demontiert. Was die größte Innovation in der Geschichte der Windenergie sein sollte, entpuppte sich als größter Fehlschlag.

Dennoch ist »Growian« zur Keimzelle des deutschen Windbooms geworden. Bald nach dem endgültigen Stillstand des Riesenrotors entstand auf dem ehemaligen »Growian«-Versuchsgelände der erste kommerzielle Windenergiepark Deutschlands mit dreißig kleineren Anlagen. Die Branche lernte schnell; schrittweise wurde in den folgenden Jahren die Leistung der kleinen Rotoren gesteigert, die Materialien wurden verbessert. Die Rotorflügel wurden nicht mehr mit Stahl, sondern mit Kohlefaser verstärkt. Sie wurden mit Computern angesteuert und laufen dem Wind angepasst. Getriebeschäden wurden durch automatische Nachfettung und Ferndiagnose verringert.

Heute besitzt eine Neuanlage im Durchschnitt beachtliche 2 Megawatt Leistung, Windräder der Größe von »Growian« kauft man von der Stange. Und es gibt sogar bereits Prototypen mit mehr als der doppelten Leistung. Zum Beispiel das Modell »Repower 5 M«, der Daimler unter den Windrädern: 120 Metern hoch und mit einem Rotordurchmesser von 126 Metern bringt »Repower 5 M« bis zu 5 Megawatt. Ebenso leistungsstark ist der »Multibrid M 5000«. Und das 4,5 Megawatt mächtige Rad »Enercon 112« ist bereits in fünf Anlagen installiert. Jedes der drei Rotorblätter, in 124 Metern Höhe an der Nabe montiert, wiegt übrigens 20 Tonnen. Möglicherweise ist damit auch das buchstäbliche Ende der Fahnenstange erreicht. Denn bei der Montage und vor allem beim Transport stößt man allmählich an Grenzen. Die Ungetüme können nur zum Teil zerlegt werden – so große Lastkraftwagen aber gibt es kaum mehr, um die Teile zum Windpark zu bringen.

Nach dem verpatzten Start steht die deutsche Windkraft heute gut da. Allein im Jahr 2005 sind 1050 neue Windenergieanlagen gebaut worden. Nirgendwo sonst auf der Welt wird so viel Strom aus Wind erzeugt wie hierzulande, Ende 2006 waren 18 Gigawatt installiert – das entspricht der Leistung von fünfzehn mittleren Atomreaktorblöcken. Damit produziert Deutschland fast doppelt so viel Windstrom wie Spanien und USA, die beide Platz zwei der Weltrangliste belegen. 2005 wurden 26 Milliarden Kilowattstunden Strom ins Netz gespeist, was fast 4,5 Prozent entspricht. Anteilsmäßig wird

Deutschland freilich von dem kleinen Dänemark übertroffen, das ein Fünftel seines Stroms mit Windrädern produziert.

Deutschlands Windboom ist quasi per Gesetz besiegelt – wie auch im Fall der Sonnenenergie schreibt das Erneuerbare-Energien-Gesetz eine Einspeisevergütung vor. Und auch bei der Windenergie werden großzügig Zuschläge gezahlt, für manche ist der Windmüller zu einem lukrativen Beruf geworden. Doch während die Solarzellen ein reines Subventionsgeschäft sind, nähert man sich im Fall der Windenergie dem Punkt, an dem der Windstrom konkurrenzfähig mit dem aus Kohle ist. In Deutschland bekommt ein Windmüller, der 2005 eine Anlage ans Netz gehängt hat, die Kilowattstunde mit 8,5 Cent vergütet. Nach fünf bis zwölf Jahren (in Abhängigkeit des Standortes) sinkt die Vergütung auf 5,4 Cent, insgesamt gibt es zwanzig Jahre lang Geld. 5,4 Cent – das ist immer noch teurer als der Grundlast-Strompreis von 4,6 Cent, doch letztlich nicht mehr so weit davon entfernt, vor allem wenn man die Vergütung mit den horrenden Preisen von knapp 50 Cent für Solarstrom vergleicht.

Auch die Investitionskosten von 800 Euro pro Kilowatt installierter Leistung sind ähnlich hoch wie bei einem Kohlekraftwerk, wobei dieses allerdings wegen des gleichmäßigen Betriebs mehr Strom liefert. Im Bundesumweltministerium geht man davon aus, dass der durchschnittliche Windstrompreis im Jahr 2015 nicht höher sein wird als der Marktpreis. Denn der hat sich voraussichtlich bis dahin verteuert, weil neue Kraftwerke gebaut werden müssen und die Brennstoffpreise ständig steigen.

Wind statt Sonne: Entgegen den gängigen Erwartungen und den Träumen vom Solarland Deutschland, hat die Bundesrepublik wegen ihrer geografischen Beschaffenheit ein weitaus größeres Potenzial für den Strom aus Wind als aus Sonne.

Trotzdem hat diese Energieform durchaus Schwächen. Ist der Wind zu schwach und bläst weniger als 18 Meter pro Sekunde, stehen die Rotoren still. Ab 90 Stundenkilometern – das entspricht Windstärke zehn – müssen sie abgeschaltet werden, weil sonst die Rotorblätter beschädigt werden könnten. Die Leistung einer Windanlage schwankt also gehörig. Wenn es heißt, dass in Schleswig-Holstein ein Drittel des Stroms aus Windrädern kommt, dann stimmt das nur im Idealfall der gleichmäßig blasenden steifen Brise. Es kann passieren, dass innerhalb einer Stunde Anlagen wegen Sturm heruntergefahren werden müssen oder sie bei einer Flaute stillstehen. Strom brauchen die Menschen trotzdem für ihre Kühlschränke und Waschmaschinen, weshalb die Energieversorger Reserven bereithalten müssen – meist in Form von Kohle- oder Gaskraftwerken, deren Leistung relativ schnell hochgefahren werden kann.

Ein weiteres Problem sind die Bedenken von Umweltschützern. Seitdem es Windräder gibt, beschweren sich Menschen auch über den Lärm, die »Verspargelung« der Landschaft und die Gefahren für Vögel und Fledermäuse, die sich angeblich in den Rotorblättern verfangen und qualvoll sterben. Erst im März 2007 schmetterte die Umweltverwaltung des rotroten Senats in Berlin Pläne für ein Hochleistungswindrad ab – aus Gründen des Naturschutzes. In der Nähe des geplanten Standorts liegen mehrere Naturschutzgebiete wie die Karower Teiche und das Tegeler Fließ, wo viele geschützte Vogelarten und Fledermäuse leben, der Vogelflugbetrieb ist dort besonders dicht. Die Tiere könnten erschlagen werden, so die Sorge der Umweltschützer. Vor allem der Rotmilan, ein geschützter Greifvogel, lag ihnen am Herzen. Die letzten beiden Brutpaare in der Hauptstadt nisten im nahen Bucher Forst. Die Windräder, die ein paar Kilometer weiter in Brandenburg sogar näher an ihrem Brutplatz stehen, scheinen sie nicht zu stören.

Der Zwist ist typisch für den Konflikt zwischen einer umweltfreundlichen Energieform, die das Klima schont, und dem lokalen Naturschutz. Immer wieder flammt der Streit auf. In Freiburg wurden Gegner einer Windanlage sogar verdächtigt, tote Fledermäuse unter die Windräder gelegt zu haben. Oft geht es nicht nur um Vögel, sondern auch um das Landschaftsbild – und neuerdings um den Diskoeffekt. So wie in Wetterau in der Nähe der hessischen Stadt Friedberg, wo Bürger den Verein »Lebensraum Wetterau« gegründet haben, um zu verhindern, dass fünf immerhin 140 Meter hohe »Monsterräder« auf einem Acker errichtet werden. Die Wetterau sei zu dicht besiedelt, um Räder von derart überdimensionaler Größe ohne Schaden für Mensch und Tier zu ertragen, klagen die Bürger. Zudem würden die drehenden Flügel das Sonnenlicht reflektieren, was zum lästigen Diskoeffekt führe. Leuchtzeichen für die Flugsicherung würden ständig blitzen, das Rauschen der Rotorblätter sei zu laut, und die Räder würden störende Schatten werfen.

Umweltbedenken verhindern auch, dass Windparks modernisiert werden. Im Grunde sind inzwischen viele Anlagen veraltet, die kleinen Räder könnten durch moderne, leistungsfähigere ersetzt werden, um das volle Potenzial der Windkraft zu nutzen. Doch das »Repowering« ist ein mühsames Geschäft. Viele Städte und Gemeinden zögern, Baugenehmigungen auszusprechen, weil die neuen Türme zu hoch oder die Flächen für die größeren Anlagen nun zu klein sind oder der Abstand zu den nächsten Wohnhäusern zu gering ist. Sie wissen, dass Bürger oft weder den Anblick noch Lärm oder Schatten ertragen wollen. Auch fehlende Leitungen erschweren die Aufrüstung. Vor allem im Norden Deutschlands, wo auf dem flachen Land die besten Standorte liegen, müssen schon jetzt bei starkem Wind Anlagen vom Netz genommen werden, weil dieses sonst zusammenbrechen könnte.

Im Landesinneren sind die besten Standorte schon vergeben, ebenso an den Küsten. In den windreichen Bundesländern Schleswig-Holstein, Niedersachsen und Mecklenburg-Vorpommern werden praktisch keine Flächen mehr ausgewiesen. Nach einem lang anhaltenden Boom ist im Jahr 2002 erstmals seit 1995 weniger Windkraftleistung installiert worden als im Vorjahr. Deshalb will die Branche sich aufs Meer begeben. Denn dort können keine Anwohner gegen surrende Rotoren oder Schattenwurf protestieren. Zudem bläst der Wind stärker und gleichmäßiger als an Land. Die Zahl der Volllaststunden, in denen die Kraft der Rotoren auch tatsächlich ganz genutzt wird, ist mit geschätzten 3500 Stunden im Meer fast doppelt so hoch wie an Land. Ohne die Offshore-Anlagen wird es in Deutschland gar nicht möglich sein, den Anteil der Windenergie erheblich zu steigern.

Die Dänen haben solche Offshore-Anlagen längst erprobt: Schon 1991 bauten sie den ersten Park in der Ostsee. Auch in Deutschland hatte die rot-grüne Koalition den Charme der Energieerzeugung auf See entdeckt, sie wurde zum zentralen Baustein ihrer Windstrategie. Im Jahr 2001 prophezeite das Bundesumweltministerium, dass es fünf Jahre später mindestens hundert Windräder in Nord- und Ostsee geben werde, 2010 sollten es schon sechshundert sein, im Jahr 2030 sogar fast fünftausend – mit einer Kapazität von 25 Gigawatt. Sie würden 85 Milliarden Kilowattstunden Strom liefern, etwa die Hälfte dessen, was deutsche Atomkraftwerke ins Netz speisen. 15 Prozent des bundesdeutschen Stroms, so die kühne Vorhersage, sollten die Windräder auf hoher See liefern. Zusammen mit den Rotoren auf dem Land sollte die Windenergie dann ein Viertel des gesamten Strombedarfs decken.

Bis heute drehen sich aber im Wasser nur ein paar Mühlen, und sie drehen sich noch nicht einmal weit draußen, sondern in Häfen und nahe der Küste. Erst 2008 wird bei Borkum der erste echte Offshore-Windpark in Betrieb gehen, der allerdings zunächst auch nur ein staatlich gefördertes Testfeld ist. Im Meer nämlich, so die bittere Erkenntnis, wird alles schwieriger und vor allem teurer: Wegen des Tourismus und weil das Wattenmeer unter Naturschutz steht, sind für Deutschland die küstennahen Streifen tabu. Mindestens 20 bis 30 Kilometer weit draußen müssen die Anlagen gebaut werden. Einziger Trost: Je weiter draußen umso höher ist auch die Förderung durch das Erneuerbare Energien Gesetz. Damit der Offshore-Ausbau überhaupt vorankommt, hat die Bundesregierung in der Novelle dieses Gesetzes von 2004 den Strom vom Meer finanziell aufgewertet. Für bis Ende 2010 in Betrieb gegangene Anlagen in mindestens drei Seemeilen Entfernung von der Küste gibt es 9,1 Cent pro Kilowattstunde – das ist 1 Cent mehr als auf dem Land.

Doch neben dem finanziellen Risiko plagen die künftigen Betreiber vor allem noch technische Probleme: Während in seichtem Wasser der Turm einfach in den Meeresboden gerammt oder in ein Bohrloch abgesenkt werden kann, muss man in mittleren Tiefen von 30 bis 50 Metern die Konstruktion tiefer im Untergrund verstreben, damit sie auch starkem Wellengang standhält. Ganz weit draußen, bei Tiefen ab 50 Metern, lässt sich das Windrad im Prinzip nur noch auf einer schwimmenden Plattform aufstellen, die im Meeresboden verankert ist. Doch diese Technik ist, anders als bei den kompakten Bohrinseln, für die schlanken Windräder noch nicht erprobt.

Kompliziert sind auch das Aufstellen des Turms und das Montieren der Rotorblätter, die eine ganz andere Logistik erfordern. Als im Sommer 2006 ein 5-Megawatt-Turm der Firma Repower vor der schottischen Küste in 45 Metern Tiefe verankert wurde, musste das 900-Tonnen-Ungetüm auf einem Schwimmkran herangeschafft werden. Davon gibt es nur eine Handvoll in Europa. Wegen schlechten Wetters konnte der zweite Turm nicht hochgezogen werden. Als die See sich beruhigt hatte und man das zweite Rad gern montiert hätte, war der Schwimmkran längst wieder woanders im Einsatz. Die Installationsausrüstung werde in den kommenden Jahren der große Engpass werden, vermutet denn auch Martin Skiba, Leiter des Offshore-Bereichs bei Repower. Das wird sich auch auf die Wartung auswirken: Wenn einmal ein Windrad ausfällt, könnte es Wochen dauern, bis es repariert werden kann.

Mit Reparaturen muss auf jeden Fall gerechnet werden, denn der Betrieb birgt große Tücken. Bei einigen seiner kleineren Anlagen musste der dänische Hersteller Vestas vor ein paar Jahren Trafos und Generatoren nach neun Monaten wieder ausbauen, weil das Salz sie so korrodiert hatte, dass sie nicht mehr funktionierten. Inzwischen sind die Motoren von Offshore-Anlagen hermetisch abgeschlossen. Doch auch die Rotorblätter und der gesamte Turm müssen dem Salz standhalten – erst der langjährige Betrieb wird wohl zeigen, wie gut sie Wind und Wetter trotzen.

Als sei das alles nicht schon kompliziert genug, müssen die Ingenieure sich auch noch um die Stromübertragung kümmern. Prinzipiell ist es technisch zwar kein Problem, mit Kabeln am Meeresgrund den Strom an Land zu schaffen. Doch das Netz auf dem Land ist so angelegt, dass es Strom von großen Zentralen verteilt. Wenn von einer größeren Anzahl von leistungsstarken Windrädern auf See Strom eingespeist würde, müsste das gesamte Netz ausgebaut werden. Etwa 850 Kilometer zusätzliche Höchstspannungsleitungen müssten verlegt werden, schätzt die Deutsche Energie-Agentur, wenn das Ausbauziel des Bundesregierung Realität würde.

Und so ist es kaum überraschend, dass von der Umsetzung der hochfliegenden Pläne noch nicht viel zu sehen ist. Über ein Dutzend Offshore-Anlagen hat das Bundesamt für Seeschifffahrt und Hydrographie zwar bereits genehmigt – doch bisher sind in deutschen Gewässern eben erst drei Anlagen in seichtem Wasser in Betrieb: in Emden, Wilhelmshaven und Rostock. Typisch für die Offshore-Pleite ist die Geschichte des Windparks »Butendiek« vor Sylt. Die Planer des Parks mit immerhin achtzig 3-Megawatt-Anlagen hatten für die Errichtung ursprünglich 420 Millionen Euro angesetzt. Ende 2006 musste die Investitionssumme um gut 30 Prozent nach oben korrigiert werden. »Zur Zeit nicht möglich« sei der Bau des 240-Megawatt-Projekts, resümierte der Gesellschafterausschuss. Der Grund: Der Bau der Fundamente in 20 bis 60 Meter tiefem Wasser ist schwieriger als gedacht. Hinzu kommen drastische Preissteigerungen beim Stahl für Windkraftanlagen sowie hohe Anforderungen der Banken an Gewährleistungen, Bürgschaften und andere Sicherheiten.

Das aber ist nach Aussage Hermann Albers', des stellvertretenden Präsidenten und Mitgesellschafters des Bundesverbands Windenergie, »kein Problem Butendiek«, sondern ein deutsches Offshore-Problem. Dass von allen genehmigten deutschen Offshore-Projekten bis heute kein einziges in Bau sei, zeige doch, dass auch die anderen unter den aktuellen Rahmenbedingungen keine ausreichende Rendite erzielen könnten. Er hält das für eine politische Frage – man müsse eben höhere Einspeisevergütungen zahlen wie in England, wo die Kilowattstunde bis zu 11 Cent statt nur 9 Cent erbringt, und günstige Kredite gewähren. Die Butendieker wollen nicht aufgeben. Wenn die Genehmigung der Stromkabeltrasse von Sylt zum Festland vorliege, dann sei »Butendiek« das erste voll genehmigte Offshore-Projekt Deutschlands. Dann soll auch das Kapital aufgestockt werden.

Allerdings könnten dann die Gegner auch wieder mobil machen, die sich wohl nur vorübergehend ruhig verhalten. Für Hans-Joachim Zielinski, Vorsitzender des Vereins »Gegenwind – für eine industriefreie Nordsee« aus Westerland, ist das Vorhaben in der Nordsee nichts anderes als ein Industriegebiet. Wenn er nach Osten an die Festlandküste schaue, sehe er nur rotierende Windräder. Diesen unruhigen Anblick wolle er nicht auch noch auf See ertragen. Zudem fürchtet der Windparkgegner Schiffsunglücke, die zu ölverschmierten Stränden und damit zu einem Einbruch im Tourismusgeschäft führen könnten. Für die Planer ist es bittere Ironie, dass ihre saubere Energie ebenso wie die Kernkraft auf bürokratische Hürden und auf Widerstand von Bevölkerung und Naturschützern stößt. Gegen »Butendiek« hatten zuvor auch Umweltverbände geklagt, weil sie um Seevögel und Schweinswale fürchteten. Die Gemeinde Kampen auf Sylt war wegen »optischer Beeinträchtigung« vor Gericht gezogen. Von Sylt aus wären die Windmühlen am Horizont als weiße Punkte zu sehen.

Andere Nationen sind wesentlich weiter. Dänemark, Schweden und Großbritannien produzieren bereits in mehreren Parks Strom auf hoher See. Allerdings sind die Anlagen mit zumeist 2 Megawatt Leistung relativ klein. Da fragt sich, ob Deutschlands neue Devise – Klotzen statt Kleckern – die richtige ist. Trotz der bisher problematischen Erfahrungen soll nun schon wieder eine Stufe übersprungen werden, die geplanten Offshore-Generatoren sollen mit 5 Megawatt die weltgrößten sein. »Growian« lässt grüßen. Doch Umweltminister Gabriel ist überzeugt, dass die kühnen Ausbauziele – mit 20 bis 25 Gigawatt installierter Leistung soll 2030 mehr als die Hälfte des

Windstroms von der See kommen – sonst nicht zu erreichen sind.

Wenn Politiker Schwierigkeiten haben, ein Vorhaben durchzusetzen, gründen sie gern Kommissionen, die paritätisch besetzt sind. Dann nämlich bekommt man einen Konsens zustande, so die Vorstellung. Gabriels grüner Vorgänger Jürgen Trittin rief im Sommer eine »Stiftung Offshore« ins Leben, um der Stromproduktion auf hoher See wieder Leben einzuhauchen. Alle, die in der Branche etwas zu sagen haben, Hersteller, Verbände und Energieversorgungsunternehmen, sind Mitglieder der Stiftung. Sie soll sich nun um den Windpark »Borkum West« bemühen, der 45 Kilometer nordwestlich der Nordseeinsel Borkum liegt. Eigentlich sollte der Park schon 2004 Strom liefern, lange Genehmigungsverfahren behinderten jedoch den Start. Nun wird aus der Anlage ein Testfeld, in dem ab 2008 mehrere 5-Megawatt-Räder erprobt werden sollen. 50 Millionen Euro bezahlt die Bundesregierung dafür, beteiligt sind die Energiekonzerne RWE, E.ON und Vattenfall. Sechs kommen von Repower, sechs von der Bremerhavener Firma Multibrid.

Bundesumweltminister Sigmar Gabriel erhofft sich von dem Projekt eine »Initialzündung« für das Windgeschäft auf hoher See. Es soll den endgültigen Beweis liefern, dass sich die Mammutmühlen auf hoher See durchaus wirtschaftlich betreiben lassen, woran viele Investoren derzeit noch zweifeln. Und dann soll es endlich vorangehen mit der Offshore-Energie.

Alles Bio oder was?

Seit Jahren verfolgen Deutschlands Hausbesitzer bang die steile Kurve der Heizölpreise, die scheinbar unaufhaltsam nach oben klettern. Eine Tankfüllung für 3000 Euro – das ist für ein Einfamilienhaus schon keine Seltenheit mehr. In Jühnde aber, einem kleinen Ort in der Nähe von Göttingen, können Eigentümer ganz gelassen den Höhenflug des Erdöls beobachten, das an den Weltmärkten zu immer horrenderen Preisen gehandelt wird. Denn sie heizen nicht mit Öl, sondern mit Pflanzen. Alles Bio – auf das kleine niedersächsische Dorf trifft das zu.

Jühnde hat sich unabhängig gemacht – von Kohle, Öl und Gas. Zumindest vom ebenfalls immer teurer werdenden Erdgas. Denn Gas brauchen die 775 Einwohner von Jühnde auch zum Heizen. Doch es ist Biogas, das sie benutzen: Eine Anlage produziert aus Gülle und Grünmasse Methan. Daraus lassen sich Strom und Wärme gewinnen: Das Gas wird in einem Blockheizkraftwerk verbrannt, das jährlich mit vier Millionen Kilowattstunden doppelt so viel Strom liefert wie das Dorf braucht. Den Rest speisen sie ins Netz. Zudem entsteht Wärme, welche die Jühnder über ein unterirdisches Rohrsystem abzapfen und zum Heizen ihrer Häuser benutzen.

Die Energieidylle, eigentlich eine Idee von Wissenschaftlern vom Göttinger Institut für Nachhaltige Entwicklung, rechnet sich für die Jühnder sogar. Drei Viertel von ihnen haben auf grünen Strom umgestellt. 1500 Euro haben sie für die Mitgliedschaft in der Energiegenossenschaft gezahlt, weitere

1000 Euro hat der Anschluss an das Wärmenetz gekostet. Doch im ersten Jahr konnte die Betreibergesellschaft, die fast zweihundert Mitglieder zählt, vier Millionen Kilowattstunden Strom einspeisen und mehr als 300 000 Liter Heizöl sparen. Mächtig stolz sei man darauf, lässt die Genossenschaft wissen, deren Mitglieder vor allem die Kunden selbst sind. Der Preis der Wärme entspricht 35 Cent für einen Liter Heizöl, womit die Jühnder etwa ein Drittel ihrer Wärmekosten sparen. Zwar kommt noch eine Grundgebühr von 500 Euro jährlich hinzu, doch weil die Häuser keine Heizkessel mehr benötigen, fallen im Gegenzug die entsprechenden Unterhaltskosten weg.

Dennoch: Ohne öffentliche Fördermittel wäre die Bioenergieanlage wohl nie gebaut worden. Von den insgesamt 5 Millionen Euro Investitionskosten trug das niedersächsische Wirtschaftsministerium immerhin 1,3 Millionen. Darüber hinaus kassiert die Betreibergenossenschaft dank des Erneuerbare-Energien-Gesetzes 680 000 Euro im Jahr für die eingespeisten Kilowattstunden, die jeweils mit 17 Cent vergütet werden.

Biomasse führte lange ein Schattendasein unter den erneuerbaren Energien. Dabei ist sie eine Allround-Energieform: Mit Holz und Stroh lässt sich heizen, mit Rapsdiesel ein Auto fahren, aus Methan Strom erzeugen. Und dabei wird immer nur so viel Kohlendioxid freigesetzt wie zuvor im Treibstoff gebunden war. Eine absolut CO_2-neutrale Energieform. Und anders als Wind und Sonne steht Biomasse rund um die Uhr zur Verfügung. Doch Gülle und Holz zu verbrennen, mutet so gar nicht nach Hightech, sondern eher archaisch an. Das dürfte mit ein Grund gewesen sein, dass, als die erneuerbaren Energien in den Siebzigerjahren ihren ersten großen Aufschwung hatten, die Biomasse kaum beachtet wurde. Nur in den Entwicklungsländern trägt sie einen großen Anteil zur Primärenergie bei: Da dort viele Menschen überhaupt keinen Zugang zu Strom haben, heizen und kochen sie mit Holz.

Doch jetzt können manche Politiker in den Industrienationen gar nicht genug bekommen von Biomasse. Vor allem als Ersatz für Benzin und Diesel stehen die »Biofuels« derzeit hoch im Kurs. Deutsche Landwirte säen Raps statt Weizen, die Farmer in den USA machen aus Mais kein Mehl mehr, sondern Ethanol, und in Brasilien fährt schon jedes zweite Auto mit vergorenem Zuckerrohrdestillat.

Auch in Jühnde bauen sechs der neun Landwirte des Dorfes »Energiepflanzen« an: Sonnenblumen, Raps, Mais und Weizen. Sie gehen dabei möglichst ökologisch vor: Im Herbst säen sie Wintergetreide und ernten es im nächsten Jahr bereits vor der Fruchtreife. Denn Wintergetreide hat im Frühsommer seine maximale Biomasse bereits erreicht. So können die Bauern auf derselben Fläche im Sommer erneut aussäen und im Herbst eine zweite Ernte einfahren. Und da Pflanzenschädlinge und -krankheiten meist erst in der Zeit der Fruchtreife auftreten, können sie auf Pestizide weitgehend verzichten.

Diese Ernte und die Gülle ihres Viehs bringen die Landwirte in einen acht Meter hohen Turm, den Fermenter. Hier vergärt die Masse und wird dann in die Biogasanlage eingespeist, wo Bakterien den Brei zersetzen und Methan produzieren, den Stoff, aus dem in Jühnde Energie entsteht. Hat sich genügend Methan in der Anlage gesammelt, wird es im Blockheizkraftwerk verbrannt. Da das Gas im Winter nicht ausreicht, sorgt zusätzlich ein Holzhackschnitzel-Heizwerk dafür, dass die Bewohner nicht frieren. »Terex« heißt die 700-PS-Maschine, die sich dröhnend durch das Unterholz frisst und Baumstämme schreddert. Übrig bleiben streichholzschachtelgroße Schnitzel, die in einen Container gepustet und nach Jühnde gebracht werden.

Ihren Kohlendioxidausstoß hat die Gemeinde um 60 Prozent gesenkt. Inzwischen kommen Besucher aus aller Welt nach Jühnde, Dorfbürgermeister August Brandenburg kann sie bereits auf Japanisch, Koreanisch und Russisch begrüßen. Auch deutsche Politiker gaben sich zu Beginn in dem kleinen Dorf die Klinke in die Hand. »Die Jühnder bauen an der Zukunft dieser Republik«: Vollmundig pries die damalige Verbraucherschutzministerin Renate Künast die Biogasanlage, als der erste Spatenstich im November 2004 gesetzt wurde. Inzwischen sind etliche andere Dörfer dem Beispiel von Jühnde gefolgt.

Schätzungsweise 4000 landwirtschaftliche Biogasanlagen wie die in Jühnde stehen in Deutschland, mit einer Leistung von insgesamt 800 Megawatt – entsprechend einem Kohlekraftwerkblock. Das ist eine beachtliche Steigerung: 2002 waren es erst knapp 2000 Anlagen mit einer elektrischen Leistung von rund 250 Megawatt. Langfristig könnten 10 Prozent des deutschen Stroms durch Biomasse gedeckt werden, schätzt das Bundesumweltministerium – ein ambitioniertes Ziel, denn heute ist es gerade einmal 1 Prozent. Zwischen 8,4 und 21,5 Cent vergütet die Bundesregierung über das Erneuerbare-Energien-Gesetz jede Kilowattstunde. Mittelfristig, so eine Studie der Baseler Beratungsfirma Prognos, könnte die Produktion einer Kilowattstunde Strom aus einer Biogasanlage nur noch zwischen 7,5 und 12 Cent kosten.

Möglicherweise aber wird nicht so sehr der Strom, sondern vielmehr die Wärme den Anteil der Biomasse am Primärenergieverbrauch steigern. Denn seit einiger Zeit stehen bei Hausbesitzern Pellet-Anlagen hoch im Kurs: Heizungen, die Holz oder andere Biomasse in Form kompakter Stücke verbrennen. Schätzungsweise sind in Deutschland 2,6 Millionen Kaminöfen, 2,5 Millionen Heizkamine und offenen Kamine sowie 1,8 Millionen Kachelöfen – insgesamt etwa 7 Millionen Einheiten – in Betrieb. Auch wenn sich vor allem Holzpellets wegen der Nachfrage in den letzten zwei Jahren stark verteuert haben: Gülle, Grünzeug und Holz können langfristig ein Fünftel des Wärmebedarfs Deutschlands decken, schätzt das Umweltministerium.

Insgesamt stammen derzeit weltweit rund 11 Prozent des Primärenergiebedarfs aus Biomasse. Diese Zahl täuscht ein wenig, denn zum großen Teil handelt es sich dabei um eine sehr primitive Form der Energieerzeugung: Noch ist Biomasse vorzugsweise die Energiequelle der Armen dieser Welt. Sie heizen und kochen mit Holz und Dung. In manchen afrikanischen Ländern kommen 95 Prozent der Energie, welche die Menschen für den Haushalt verbrauchen, aus Biomasse. In Indien sind es immerhin 85 Prozent, im Boomland China 70 Prozent. Etwa 2,4 Milliarden Menschen kochen und heizen mit traditioneller Biomasse, schätzt die Internationale Energieagentur. Doch selbst in manchen Ländern der Europäischen Union macht die Biomasse den größten der Anteil der regenerativen Energien aus, noch vor der etablierten Wasserkraft. Vor allem in den holzreichen Staaten deckt Biomasse 10 Prozent des Primärenergiebedarfs, in Finnland sind es sogar 24 Prozent.

Das gesamte energetische Potenzial der Biomasse ist schwer abzuschätzen, weil die Größe der landwirtschaftlichen Flächen und Wälder nur ungefähr bekannt ist. Nach Zahlen der Fachagentur für Nachwachsende Rohstoffe könnte Biomasse etwa ein Viertel des weltweiten Primärenergiebedarfs decken. Weil sich allerdings der Energieverbrauch langfristig verdoppeln wird, kann Biomasse nicht viel mehr als 10 Prozent beitragen, meint dagegen eine Studie der Deutschen Physikalischen Gesellschaft – es sei denn, es gelingt, Pflanzen zu züchten, die mehr Energie bringen. Das Beispiel Jühnde zeigt, dass Strom und Wärme aus Biomasse im Kleinen gut funktionieren.

Im großen Maßstab aber werden wohl nur jene Länder diese Energieoption nutzen, die aus geografischen Gründen viel Biomasse haben.

Hoch im Kurs stehen derzeit jedoch die Biotreibstoffe, die nach einem Beschluss des EU-Gipfels im März 2007 bis zum Jahr 2020 10 Prozent des gesamten Treibstoffverbrauchs decken sollen. Denn sie sind, verglichen mit Benzin und Diesel, besonders rein und erzeugen bei der Verbrennung weniger Schadstoffe. Biodiesel, Bioethanol, Biomethanol, Biogas, Pflanzenöl – die Liste der alternativen Treibstoffe ist mittlerweile lang. Sie könnten auch das schlechte Gewissen der Autofahrer beruhigen, die mit ihrer ungebremsten Freude an Mobilität zu einem Fünftel zum Ausstoß von Kohlendioxid beitragen.

Der Renner in Deutschland ist Biodiesel aus Raps. Er wird an knapp 2000 Zapfsäulen angeboten. Inzwischen werden insgesamt 2 Millionen Tonnen davon abgesetzt, weil die Mineralölgesellschaften dem herkömmlichen Diesel ein paar Prozent Biotreibstoff beifügen. Biodiesel kostet an der Zapfsäule etwa 10 Cent weniger als herkömmlicher Diesel, was aber daran liegt, dass die Steuern geringer sind. Die Herstellung selbst ist nämlich teurer – je nach Verfahren sind es 50 bis 80 Cent pro Liter, während Benzin oder Diesel nur die Hälfte dessen kostet.

Nach einer Faustregel entspricht der maximale Brennwert der Biomasse, die pro Jahr auf einem Hektar Ackerland wächst, rund 10 000 Litern Mineralöl. Zieht man den Energieaufwand für Treibstoff und Mineraldünger ab, bleiben schätzungsweise 9000 Liter Öl, die pro Hektar eingespart werden können. Nach einer Hochrechnung der Welternährungsorganisation FAO gibt es bereits 5 Milliarden Hektar erschlossenes Acker- und Weideland. Selbst wenn alle 6,5 Milliarden Menschen Fleisch essen würden und damit besonders viel Fläche für ihre Ernährung bräuchten, blieben noch 2,4 Milliarden Hektar übrig, um darauf Kraftstoffpflanzen anzubauen. Das würde ausreichen, schätzen Agrarökonomen, um den derzeitigen Mineralölbedarf von 3,8 Milliarden Tonnen pro Jahr durch Biomasse zu decken. Zumindest theoretisch.

Ob in Zukunft in ganz Deutschland Energiepflanzen aus dem Boden sprießen werden, ist jedoch zweifelhaft. Was zunächst ein brauchbarer Ersatz für klimaschädliches Benzin zu sein schien, gerät zunehmend in Misskredit. Bisher galt es als ökologisch korrekt, mit in der Sonne gereiften »Nawaros«, den nachwachsenden Rohstoffen, zu heizen oder zu fahren, weil sich damit Kohlendioxid einsparen lässt. Plötzlich ist das nicht mehr so. Es greift die Erkenntnis um sich, dass der Anbau von Energiepflanzen durch Düngung, Wasser- und Landverbrauch ökologische Kollateralschäden verursacht und insbesondere mit der Herstellung von Nahrungsmitteln konkurriert.

Nicht nur Naturschützer sorgen sich angesichts wachsender Monokulturen. Auch Umweltschützer streiten darüber, wie ökologisch sinnvoll einige der nachwachsenden Rohstoffe sind. Das Umweltbundesamt etwa stellt dem Raps im Tank kein sonderlich gutes Zeugnis aus. Würden alle Emissionen samt Stickoxiden sowie der Einsatz von Düngemitteln und Pestiziden berücksichtigt, sei die Ökobilanz nicht besser als bei Mineralölen. Und die Grünen im Europaparlament starteten Ende Januar 2007 sogar eine Kampagne gegen »Umwelt- und Ernährungsrisiken durch den Pflanzentreibstoffboom«.

Um das EU-Ziel der 10 Prozent Biotreibstoffe einzuhalten, werden einige Länder wohl Pflanzenöl einführen müssen, was anderswo auf der Welt zu massiven ökologischen Problemen führen könnte. In Indonesien etwa werden Urwälder abgeholzt, um Palmöl zu produzieren. Dieses wiederum wird zur Weiterverarbeitung weltweit exportiert. Bis vor kurzem war in Emden eine 50 Millionen Euro teure Raffinerie für indonesisches Palmöl geplant. Das Projekt ist wegen technischer Probleme gescheitert – vorerst.

Erste Alarmzeichen kamen aus Mexiko, wo die Menschen Anfang 2007 auf die Straße gingen und demonstrierten, weil innerhalb eines Jahres der Preis für Maismehl fast aufs Doppelte angestiegen war. Maismehl aber ist Grundstoff für die Nationalspeise Tortilla. Der Grund für die Preisexplosion ist weiter nördlich zu finden: Hauptmaislieferant für Mexiko sind die USA. Doch die setzen den Rohstoff nun lieber in der heimischen Biospritindustrie ein, anstatt ihn auszuführen. Ein Fünftel der landwirtschaftlichen Fläche wird inzwischen für die Ethanolproduktion genutzt. Die Wende kam, als US-Präsident George W. Bush in seiner Ansprache an die Nation Anfang 2006 gestand, Amerika sei süchtig nach Öl. Das aber sei gefährlich, denn die Abhängigkeit sei viel zu groß geworden. »Wir wollen«, sagte George W. Bush, »dass die Leute mit Treibstoff fahren, der in Amerika wächst.« Die Werbekampagne dazu war schnell entworfen: Von Plakaten grinst ein Farmer neben einem Ölscheich – darunter steht: Von wem würden Sie Ihr Öl lieber kaufen?

Doch auch anderswo drohen steigende Lebensmittelpreise. Rapsöl zum Beispiel verteuerte sich im Jahr 2006 im deutschen Großhandel um 20 Prozent, das Naturprodukt ist gefragter denn je. Zu den Abnehmern in der Lebensmittelindustrie, die daraus vor allem Margarine herstellt, haben sich in den vergangenen Jahren zahlreiche Raffineriebetreiber gesellt, die Rapsöl zu Biodiesel verarbeiten. Bei Nestlé, dem weltweit größten Lebensmittelkonzerns heißt es, dass viele Beschaffungskosten des Unternehmens steigen werden, wenn Landwirte weiter ermutigt würden, Biokraftstoffe herzustellen. Wie sich der Wettbewerb auf dem Acker in Zukunft auf die Lebensmittelpreise auswirken wird, mag niemand genau vorhersagen. Doch Rohstoffexperten befürchten, dass, wenn alle angekündigten und bereits in Bau befindlichen Biokraftstoffanlagen in Deutschland tatsächlich in Betrieb gehen, die Lebensmittelpreise langfristig steigen werden. Denn dann müsste die Bundesrepublik zusätzlich 10 bis 15 Millionen Tonnen Getreide importieren, heißt es beim Agrarkonzern BayWa.

Ob das überhaupt noch möglich ist, weiß niemand. Die weltweiten Getreidereserven haben den niedrigsten Stand seit gut dreißig Jahren erreicht. Getreide ist nicht nur knapp, sondern auch teurer geworden – allein 2006 auch aufgrund von Ernteausfällen bis zu 40 Prozent. Zu spüren bekamen dies beispielsweise die Biertrinker. Viele Brauereien hoben in den vergangenen Monaten ihre Preise an, weil das aus Braugerste gewonnene Malz plötzlich rar geworden war.

Gleichwohl werden die Deutschen und die Bewohner anderer Industrieländer durch höhere Lebensmittelpreise nicht so stark belastet wie die Menschen in ärmeren Ländern. In der Bundesrepublik werden im Schnitt nur 13 Prozent des Verdienstes für Nahrung ausgegeben, weil der harte Verdrängungswettbewerb im Handel, der beinahe zur Hälfte von Billigketten wie Aldi oder Lidl dominiert wird, dazu führt, dass Lebensmittel hierzulande so günstig zu haben sind wie kaum in einem anderen Industrieland. Deutlich härter treffen steigende Nahrungsmittelpreise dagegen die weniger reichen Nationen, in denen die Menschen die Hälfte oder sogar ihr ganzes Einkommen fürs tägliche Brot ausgeben müssen. Was passiert, wenn dort die Preise plötzlich nach oben schießen, wurde unlängst bei den Tortilla-Demonstrationen in Mexiko deutlich. Auch andere Importeure von US-Mais wie China und Indien, die die Pflanze hauptsächlich als Viehfutter verwenden, dürften die Folgen spüren.

In Indien oder China werden steigende Nahrungsmittelpreise inzwischen sogar als Bedrohung für den Wirtschaftsboom in diesen Ländern angesehen. Die Teuerungsrate bei Lebensmitteln gilt gerade in Schwellenländern und erst recht in unterentwickelten Ländern als eines der größten Hemmnisse für die wirtschaftliche Entwicklung. Indien, selbst bis kurzem noch Nettoexporteur, muss inzwischen Getreide einführen. Da die Bevölkerung rasant wächst, wird immer mehr Ackerland zu Siedlungsgebiet. Und als Folge des Treibhauseffekts verwandeln sich einst fruchtbare Anbaugebiete in karge Steppenlandschaften.

»Amerikas Farmer ernähren nicht länger die Welt«, höhnt Ken Cook von der Environmental Working Group in Washington, sie ernährten stattdessen heimische Geländewagen. Dabei nutzt der Ethanol-Kraftakt dem Klima nur wenig. Für Dünger, Pestizide, den Landmaschineneinsatz und schließlich die Verarbeitung der Maiskörner zu Sprit bedarf es großer Mengen fossiler Treibstoffe. Deshalb liefert Bioethanol nur 20 Prozent mehr Energie, als zu seiner Herstellung nötig war. Die anderen Biokraftstoffe schneiden bei der Klimawirkung ebenfalls nicht besser ab. Besonders unerfreulich fällt nach einer Studie des Heidelberger ifeu-Instituts für Entsorgung und Umwelttechnik die Umweltbilanz von Raps aus. Der hohe Flächenverbrauch und der intensive Einsatz von Dünge- und Pflanzenschutzmitteln fressen den Energie-Output der Pflanze praktisch wieder auf. Am besten ist noch die Energiebilanz von Ethanol aus Zuckerrohr, aber auch nur in den Tropen. Und selbst dort muss 1 Megajoule Energie eingesetzt werden, um 1,4 Megajoule an Ethanol zu gewinnen.

Was sich derzeit in Schwellenländern abspielt, ist kein Vorbild für die energiehungrige Welt. Beispiel Brasilien: Das Land ist zum größten Produzenten von Ethanol aus Zuckerrohr avanciert, das scharfe Aroma von Alkohol steige an den Tankstellen des südamerikanischen Landes in die Nase, schrieb einmal der Südamerika-Korrespondent der *Süddeutschen Zeitung* – jede Tankstelle ist per Gesetz verpflichtet, an mindestens einer Zapfsäule Ethanol anzubieten. Ethanol hat gegenüber Rapsdiesel den großen Vorteil, dass es sich problemlos mit herkömmlichem Treibstoff mischen lässt. Ein Liter kostet um die 50 Cents, fast jedes zweite brasilianische Auto fährt damit. Und auf den Straßen riecht es inzwischen nach vergorenem Zuckerrohr.

Die Stängel gedeihen in Brasilien auf derzeit ungefähr 6 Millionen Hektar, täglich werden es mehr. Aus der Rekordernte von 475 Millionen Tonnen im Jahr 2006 wurden 30 Millionen Tonnen Zucker und 17,8 Milliarden Liter Ethanol gewonnen – der Liter lässt sich für umgerechnet 20 Cent herstellen. Der Export floriert, 3,5 Milliarden Liter flossen 2006 ins Ausland. Bald soll es ein Vielfaches sein, denn der grüne Boom beginnt gerade erst so richtig. Was die Militärdiktatur in den Siebzigerjahren nach der Ölkrise im kleinen Maßstab initiierte, wird nun perfektioniert. Brasilien will in zehn Jahren mindestens 30 Milliarden Liter Ethanol produzieren. Die weltweite Nachfrage wird nach Berechnungen der Internationalen Energie-Agentur bis 2020 von 40 auf 120 Milliarden Liter pro Jahr steigen. Zu den dankbarsten Abnehmern dürften die EU-Länder gehören – wegen ihres erklärten Ziels, bis 2020 10 Prozent des Treibstoffs aus erneuerbaren Quellen zu beziehen.

Brasiliens Zuckerbarone verdienen Geld wie Ölscheichs, doch zugleich fressen sich die Monokulturplantagen in den Regenwald vor. Sie drängen Kakao zurück, teilweise sogar Soja und Weiden und vor allem die Bäume im Regenwald am Amazonas, der ohnehin durch den Klimawandel gefährdet ist, weil er dieser Region Trockenheit bescheren dürfte. Die exzessive Zuckerrohrwirtschaft sei unpassend für eine nachhaltige Entwicklung, wettert auch Greenpeace in Brasilien. Der Regenwald ist seit 1970 schätzungsweise um ein Gebiet der Größe Frankreichs abgeholzt worden. Obwohl die Regierung von Silva da Lula sich offiziell als Schützerin des Regenwaldes gibt, sind 2006 immer noch 16 700 Quadratkilometer Urwald verschwunden, eine 6700 Fußballfelder große Fläche. Selbst die Katholische Bischofskonferenz forderte Präsident Lula auf, den Kahlschlag zu stoppen. Regenwald werde »für Zuckerrohr gefällt, und auch die grauenhafte Ausbeutung wird verschwiegen«. Kleinbauern und Eingeborene würden vertrieben, Zuckerrohrarbeiter zugunsten des Profits unmenschlich behandelt. Auch deshalb seien Brasiliens Ethanol und Biodiesel so billig, alte Zuckerrohrregionen wie Pernambuco und Alagoas bleiben arm. Für den Mindestlohn von monatlich umgerechnet 160 Euro müssen Helfer mindestens 10 Tonnen der störrischen Pflanze ernten. Die katholische Kirche prangert die unmenschlichen Bedingungen an, etliche Plantagenarbeiter sollen bereits durch Erschöpfung zu Tode gekommen sein.

Hunderte Gruppierungen forderten deshalb Anfang 2007 die EU in einem offenen Brief dazu auf, Ethanol nicht zu importieren. Das wäre wohl konsequent. Ob die EU-Mitglieder angesichts des 10-Prozent-Ziels diesem Appell folgen werden, ist fraglich. Hinter dem brasilianischen Ethanol steht ohnehin eine mächtige Lobby. Nicht nur die Regierung in Brasilia, sondern auch Washington fördert das Energiegeschäft nach Kräften. US-Präsident George W. Bush hat Anfang 2007 bei seiner Lateinamerikareise Verträge mit Brasilien unterschrieben. Denn Bushs Ziel, 35 Millionen Gallonen Benzin durch Biotreibstoffe zu ersetzen, können die USA aus eigener Kraft kaum schaffen. Zudem hoffen US-Politiker, dass der Zuckerrohranbau Arbeitsplätze schaffen und den Strom an illegalen Einwanderern aus Südamerika verringern wird.

Monokulturen, die durch übermäßigen Einsatz von Pestiziden und Düngemitteln die Böden schädigen, viel Energie brauchen und zudem die natürlichen Reservate verdrängen – mit der Umweltfreundlichkeit der Biomasse ist es also nicht weit her, zumindest nicht, wenn Pflanzen zu Sprit destilliert werden. Als »Irrweg« bezeichnete es in einem Interview mit der *Zeit* der Agrarökonom Stefan Tangermann von der OECD, jenen Biosprit zu subventionieren, der aus landwirtschaftlichen Rohstoffen gewonnen wird, die Grundlage für Nahrungsmittel sind.

Ökologisch können Biotreibstoffe möglicherweise dennoch sein – wenn sie nicht nur aus den Früchten oder Knollen, sondern aus den ganzen Pflanzen stammen, das heißt aus dem, was bisher gemeinhin als Abfall galt. Holz- und Ernteabfälle, getrockneter Biomüll aus dem Haushalt, Durchforstungsholz – eine Menge ungenutzter Biomasse kommt zusammen, die zu Sprit veredelt werden kann. »Biomass-to-Liquid«, kurz BtL, heißt die Lösung, bei der aus Biomüll synthetischer Kraftstoff der »zweiten Generation« gewonnen wird. Weil dabei vielfältige Biomasse zum Einsatz kommen kann, erhöht sich die Menge an Kraftstoff, die pro Hektar produziert werden kann, was letztlich die Klimabilanz verbessert.

Einer der Vorreiter dieser Technologie ist das sächsische Unternehmen Choren. Die Firmengründer haben das mehrstufige »Carbo V«-Verfahren entwickelt, das Stroh und Holz in Sprit umwandelt. Ende 2007 soll die weltweit erste kommerzielle Anlage zur Herstellung von BtL-Kraftstoff in Betrieb gehen. Voraussichtlich 15 000 Tonnen beziehungsweise 18 Millionen Liter Treibstoff soll sie jährlich produzieren, ausreichend für den Bedarf von 20 000 Pkw. Beim Carbo-V-Verfahren wird die Biomasse zunächst bei 500 Grad in teerhaltiges Gas und Biokoks zerlegt. Das Gas wird anschließend auf 1400 Grad erhitzt, wodurch es vom Teer gereinigt wird. In einem dritten Schritt wird es gekühlt, entstaubt und nochmals gereinigt, um zum Schluss in einem Reaktor in flüssigen Treibstoff umgewandelt zu werden. Diese Methode ist übrigens achtzig Jahre alt, erfunden haben die Verflüssigungstechnik die deutschen Chemiker Franz Fischer und Hans Tropsch. Die Nazis nutzten sie noch zu Kriegsende in der Raffinerie Leuna, um Sprit für die Militärfahrzeuge herzustellen, als Benzin bereits knapp war. Chorens BtL-Verfahren bringt einen Ertrag von 4000 Litern Treibstoff pro Hektar, was deutlich mehr ist als bei Raps oder Zuckerrohr.

Choren ist ambitioniert: Mittelfristig will die Firma mehrere Anlagen in Deutschland bauen, die jährlich jeweils 200 000 Tonnen umsetzen sollen und damit 250 Millionen Liter für eine Viertelmillion Pkw erbringen können. Die großen Mengen an Biomasse, die dafür benötigt werden, können freilich nicht allein von Stroh aus der Landwirtschaft oder Abfallholz kommen. Bei Choren setzt man auf schnell wachsende Bäume wie Pappeln oder Weiden, die in Plantagen gedeihen sollen.

Parallel dazu forschen Wissenschaftler an Verfahren, bei denen aus Lignozellulose Ethanol gewonnen werden kann – also Ethanol aus Bäumen oder Getreidehalmen. In den USA wird es bereits als »Treethanol« angepriesen. Marktführer ist das kanadische Unternehmen Iogen, das sich den Pilz *Trichoderma reesei* zunutze macht. Dieser setzt Enzyme frei, welche die Fasern der Pflanze in Zucker verwandeln. Die Versuchsanlage bei Ottawa hat bereits 400 000 Liter Ethanol produziert. Die Iogen-Ingenieure schätzen, dass sie mit ihrer Technik 10 000 Liter Ethanol pro Hektar produzieren können. Das entspricht dem Energiegehalt von 6600 Litern Benzin und ist mehr als das Dreifache dessen, was die Verfahren der ersten Generation von Flüssigtreibstoffen bringen. Als Abfallprodukt entsteht bei Iogen Lignin, das sogar zum Befeuern der Anlage dienen kann.

Allerdings brauchen auch die BtL-Verfahren eine Menge an Rohstoff. So durstig wie Pkws sind, so schnell können Holz und Halme gar nicht nachwachsen, abgesehen davon, dass durch den Boom an Kaminen und Öfen der Preis für Holzschnitzel deutlich gestiegen ist. Nach Schätzungen von BtL-Experten an der Technischen Universität Bergakademie Freiberg erscheinen die Zahlen von Iogen zu hoch gegriffen: Sie halten die 4000 Liter Treibstoff aus einem Hektar für eine sehr optimistische Prognose. Abzüglich des Energiebedarfs blieben noch 3700 Liter übrig – umgerechnet wären das gut 2000 Liter Benzin. So üppig ist das nicht. Ein großer Nachteil der BtL-Treibstoffe ist überdies ihr Preis. Nach heutigem Stand dürfte die Produktion eines Liters 90 Cent kosten – das ist dreimal so teuer wie Benzin oder Diesel und doppelt so teuer wie Ethanol aus Lignozellulose.

Angesichts dieser Nachteile kommen manche Experten nun sogar wieder auf die erste Generation der Treibstoffe zurück. Beim Bundesverband Erneuerbare Energien heißt es, dass wenn die gesamten Pflanzen verwertet würden, die Bilanz weitaus besser aussähe als bisher. Aus den Planzenteilen, die für Ethanol nicht nutzbar sind, lässt sich zum Beispiel Biogas herstellen. Damit kann man auch fahren – allerdings ist die Verteilung kompliziert. In den Achtzigerjahren wurden Autos mit Erdgas gefördert, doch der Aufwand, das Gas flächendeckend an die Tankstellen zu bringen, erwies sich als zu hoch.

So verlockend Strom und Sprit aus Biomasse erscheinen – die Schwierigkeiten sind erheblich. Für Wärme mag Biomasse bereits jetzt taugen, doch auch nur im kleineren Maßstab – angesichts der Flächen, die benötigt werden, wird Energie aus Biomasse vorläufig nur einen kleinen Anteil ausmachen. Und das schlechte Gewissen der Autofahrer können Biotreibstoffe nicht wirklich beruhigen. Weder Ethanol noch Rapsdiesel sind heute eine besonders ökologische Alternative zu Erdölprodukten. Ob die Kraftstoffe der zweiten Generation das halten, was sie versprechen, wird sich erst in ein paar Jahren zeigen. Am umweltschonendsten wird es einstweilen sein, aufs Auto zu verzichten. Mobilität hat eben einen hohen Preis.

Zwischen Verzicht und Sparen

Manche Menschen sind wie Felsen in der Brandung. Da kann sich die Welt noch so schnell drehen, sie selbst scheinen sich nicht zu verändern. Amory Lovins gehört zu dieser konservativen Spezies. Sicher, der amerikanische Physiker mit den stechenden Augen hinter dicken Brillengläsern und dem Schnauzer ist in den vergangenen dreißig Jahren rundlich geworden, er sieht weicher aus. Doch die Botschaft, die er unermüdlich verbreitet, mit der Beharrlichkeit eines Maulwurfs, der einen unterirdischen Gang gräbt, ist die gleiche, knallharte geblieben: Es ist billiger, Strom zu sparen, als neue Kraftwerke zu bauen.

Wie lassen sich von der Stromrechnung noch einige Kilowatt abspecken, wo könnte man mit ein paar Litern Öl weniger auskommen? Das sind seine Fragen. »Energiesparpapst«, dieser Titel ist nicht übertrieben – niemand hat so viele originelle Ideen ausgebrütet wie Amory Lovins. Dass sich ausgerechnet ein Amerikaner dazu aufmacht, der Welt eine Energierevolution durch mehr Effizienz zu bescheren, ist fast eine Ironie der Geschichte, wo doch die USA bisher die größten Verschwender und Klimasünder sind. Aber Lovins verbreitet seine Botschaft ohne Berührungsängste. Er hat zahlreiche Stromversorger davon überzeugt, dass sie sogar mehr Geld verdienen, wenn sie ihren Kunden das Sparen schmackhaft machen, statt ihnen immer mehr Kilowattstunden zu verkaufen. »Negawatts« nennt Lovins das, die Watts also, die gar nicht existieren, weil sie nicht verbraucht werden. Sparen als Energiequelle sozusagen.

Vielleicht wäre Lovins, der nach einem Abschluss in Oxford Anfang der Siebzigerjahre als politischer Berater zu der Graswurzelbewegung »Friends of the Earth« nach San Francisco ging, eine Randfigur der Weltgeschichte geblieben – wenn er nicht politische Aufmerksamkeit auf sich gezogen hätte. Als er 1976 einen Aufsatz in der renommierten Zeitschrift *Foreign Affairs* veröffentlichte, wurde er schlagartig als Öko-Vordenker in den USA bekannt. Nun ist Energiesparen immer dann in Mode, wenn Öl teuer ist. Auch Lovins Marktwert schwankte mit dem Ölpreis. Zwischenzeitlich, als ein Barrel weniger als 30 Dollar kostete, war es still um Lovins geworden. Trotzdem schaffte der umtriebige Physiker es immer wieder, sich ins Gespräch zu bringen. Seine nüchternen Analysen, sein Vertrauen in die Technik, sein Glaube an einen Markt, der sich früher oder später für die ökonomischste Lösung entscheiden wird – das ist typisch für Amory Lovins, und darin ist er dann auch wieder typisch amerikanisch. Und deshalb wohl erfolgreicher als die deutschen Weltverbesserer in Birkenstocksandalen. Auch Lovins will die Welt retten, aber zugleich will er, wie bereits erwähnt, »Spaß haben und Geld verdienen«.

Seitdem die Klima-Energie-Frage heftig diskutiert wird, hat auch Amory Lovins sich zurückgemeldet, seine Ideen haben nun wieder Hochkonjunktur – alles andere wäre angesichts der rasant steigenden Ölpreise und des Klimawandels verwunderlich. Lovins Rat ist gefragt, ob bei den Managern beim World Economic Forum in Davos oder im Wissenschaftsblatt *Scientific American*. Dort hat er unlängst wieder einmal vorgerechnet, wo überall Energie verpulvert wird. Ein paar Beispiele: Die Umwandlung von Kohle im Kraftwerk zu Strom für die Glühbirne zu Hause hat einen Wirkungsgrad von nur 3 Prozent. Anders ausgedrückt: Drei Hundertstel der in Kohle enthaltenen Energie werden letztlich wirklich ausgenutzt, um Licht zu machen. Oder: In der Wärme, die in amerikanischen Kraftwerken ungenutzt verpufft, stecken 20 Prozent mehr Energie, als ganz Japan verbraucht. Und allein die falsch konstruierten Stand-by-Schaltungen von Elektrogeräten verbrauchen so viel Strom wie ein gutes Dutzend Kernkraftwerke.

Inzwischen sind auch Politiker davon überzeugt, dass sich allein durch Energieeffizienz ein Gutteil des Strom- und Wärmebedarfs einsparen lässt. Um ein Fünftel will die Europäische Union bis zum Jahr 2020 den Verbrauch senken – durch Energiesparlampen, effizientere Motoren, wärmegedämmte Häuser. Es wurde auch höchste Zeit. Viel zu lange ist das Potential der Energieeffizienz verschlafen worden, auch in Deutschland. Paradoxerweise hat ausgerechnet die rot-grüne Regierung wenig getan. Sie förderte lieber Solarzellen auf dem Dach und Windräder – das verkauft sich in der Öffentlichkeit besser als Sparen. Vielleicht befürchtete der damalige grüne Umweltminister Jürgen Trittin auch, dass die meisten Menschen Energieeffizienz mit Sparen gleichsetzen würden – und Sparen kommt nicht so gut an wie grüner Hightech-Strom. Und in gewisser Weise hatte er auch recht.

Denn Sparen klingt nach Verzicht, und Verzicht klingt nach Müsli und selbst gestricktem Schafswollpulli. Verzicht verträgt sich nicht mit Konsum. Und Verzichten wollen die meisten nicht. Da mögen noch so viele Umfragen ergeben, dass die Deutschen Umweltverschmutzung und Klimawandel inzwischen als größte Bedrohung empfinden, größer gar als Terror und Atomkrieg. Zumindest gilt das für die jüngere Generation, wie eine Umfrage des Meinungsinstituts Forsa unter 20- bis 35-Jährigen für das Magazin *Neon* ermittelt hat. 87 Prozent der Befragten glauben, dass die Erderwärmung dem Menschen besonders gefährlich werden kann. 81 Prozent sind überzeugt, dass sie die negativen Folgen des Klimawandels selbst noch erleben werden oder sie bereits spüren. Die jungen Erwachsenen sind des Themas keineswegs überdrüssig und durchaus bereit, über Verzicht nachzudenken. Die große Mehrheit (84 Prozent) meint, dass man beim Thema Umweltschutz bei sich selbst anfangen sollte.

Alles prima für das Klima? Keineswegs. Denn was eigenes Handeln angeht, ist die junge Generation erstaunlich lethargisch: Nur 3 Prozent haben schon einmal aus Umweltschutzgründen auf eine Flugreise verzichtet. Nur ein Drittel ist für ein Verbot von Flugreisen, die kürzer als 500 Kilometer sind. Nur 53 Prozent achten bei Obst und Gemüse auf die Saison. Bloß 7 Prozent nutzen Ökostrom – obwohl erneuerbare Energien doch eine sehr hohe Akzeptanz bei den Befragten haben. 62 Prozent haben sich nie für ein Umweltprojekt engagiert, gespendet oder sind je Mitglied einer Umweltschutzorganisation gewesen.

Interessanterweise ist die Diskussion in den USA und Großbritannien viel weiter. »The Global Warming Survival Guide« titelte unlängst das US-Magazin *Time* eine seiner Ausgaben. Die frohe Botschaft: Jeder Einzelne kann das Klima schützen, indem er auch mal die Wäsche auf die Leine hängt, statt sie in den Trockner zu werfen. Oder im Sommer zwei Fenster öffnen, um der kühlen Brise den Weg durchs Haus zu bahnen, statt die Klimaanlage hochzudrehen. Mal auf das Steak verzichten. Oder auf dem nahe gelegenen Markt kaufen, wo Obst und Gemüse von den Bauern der Region kommen. Das senkt die Stromrechnung und den CO_2-Ausstoß. Wesentlich ist immer zu wissen, was wie viel Kohlendioxid einspart. »Carbon Footprint« nennen die Angelsachsen das – und in Großbritannien ist längst die reizvolle Idee der CO_2-Kreditkarte erfunden worden: Demnach bekäme jeder ein Verschmutzungskontingent. Wenn das aufgebraucht ist, muss man einen CO_2-Kredit aufnehmen und später abbezahlen.

Kleinvieh macht auch Mist, könnte man sagen, oder jedes gesparte Gramm Kohlendioxid summiert sich. Allerdings erweisen sich individuelle Verzichtsstrategien dann doch häufig als nutzlos, weil sie kaum CO_2 sparen. Beispiel für ökologischen Spar-Unsinn ist die in Deutschland so geliebte Mülltrennung. Viele Menschen glauben, das Auseinanderfieseln von Joghurtbechern und Alufolie sei der wichtigste Beitrag, um die Umwelt schützen. »Mülltrennung ist völlig unerklärlicherweise zum Symbol des Umweltschutzes geworden«, mokiert sich der Klimaforscher Hans Joachim Schellnhuber. Wer Müll trennt, höhnte auch der Ökonom Birger Priddat in der *Zeit*, lebt im Bewusstsein, etwas Gutes getan und seine ökologische Schuld abgetragen zu haben. Eine Art Ritual also. Ein klimafreundliches Verhalten mag das Gewissen des Einzelnen beruhigen, doch in der Summe bringen Verzichtsmaßnahmen wenig, wenn sie nicht von einem politischen Programm unterfüttert werden. Das wiederum haben offenbar die jungen Befragten dann doch erkannt. Denn sie äußern großes Verständnis für internationale und nationale Vorgaben. Von sich aus unternimmt diese Generation zwar nicht besonders viel, jedoch würde sie sich zum Wohle der Umwelt einiges von oben vorschreiben lassen.

Insofern ist es richtig, statt auf individuellen Verzicht stärker auf globale Effizienzstrategien zu setzen. Immerhin drei Viertel des Einsparpotenzials an Kohlendioxid gingen auf das Konto der Energieeffizienz, prognostizieren Experten der Organisation für Wirtschaftliche Zusammenarbeit (OECD). Dabei lassen sich 36 Prozent der Klimagase durch eine bessere Nutzung fossiler Treibstoffe sparen, das heißt, vor allem durch

Autos, die weniger Sprit schlucken. 29 Prozent könnten durch die effizientere Verwendung von Strom und weitere 13 Prozent durch bessere Techniken der Stromerzeugung vermieden werden. Das »Super-Effizienz-Szenario« der Energiepropheten der OECD würde bis zum Jahr 2030 immerhin 412 Gigawatt an Leistung einsparen, was 650 neuen Kraftwerken entspräche. Allein wenn Haushalte Strom und Heizung effizient einsetzten, könnten sie bis 2050 das Klima erheblich schonen, und zwar weltweit: Die größten Sparpotenziale sind in Nordamerika vorhanden, wo ein Haushalt jährlich umgerechnet 2,6 Tonnen Erdöl verbraucht. Der Verbrauch ließe sich auf 1,5 Tonnen senken. Doch auch in Europa könnte der Konsum von 1,75 auf 1,1 Tonnen Erdöläquivalent pro Haushalt und Jahr sinken.

160 Millionen Tonnen Treibhausgase jährlich könnte Deutschland in den nächsten zehn Jahren einsparen, rechnete das Wuppertal Institut für Klima, Umwelt, Energie kürzlich in einer Studie vor: Vorausgesetzt, beim Kauf von Elektrogeräten, beim Neubau und bei der Renovierung von Gebäuden und Produktionsanlagen würde die jeweils energiesparsamste, heute schon verfügbare Lösung gewählt. Mindestens 120 Millionen Tonnen pro Jahr an Emissionen könnten dabei sogar mit Gewinn vermieden werden. Das heißt, die Einsparung in der Strom- und Heizkostenrechnung wäre deutlich höher als das, was für das sparsamste Gerät, die effizienteste Anlage oder eine zusätzliche Wärmedämmung ausgegeben werden muss.

Insgesamt 40 Prozent des derzeitigen Energieverbrauchs könnten in den nächsten Jahrzehnten in Haushalten, Industrie, Gewerbe, Handel sowie bei privaten und öffentlichen Dienstleistungen eingespart werden, wenn immer die sparsamten Kühlschränke oder die effizientesten Motoren benutzt würden. Auch das rentiert sich: Investitionen in Energieeffizienz bringen Renditen von zumeist mehr als 10 Prozent, rechnet das erwähnte Wuppertal Institut vor. Das eröffnet einen großen Markt für Energieeffizienz-Dienstleistungen, vor allem bei Industrie, Gewerbe, Handel sowie privaten und öffentlichen Dienstleistungen.

Tatsächlich haben sich bereits allein in Deutschland weit über hundert Firmen etabliert, die gegen Verschwendung zu Felde ziehen. Die Berater spüren durstige Heizbrenner, falsch eingestellte Klimaanlagen und veraltete Drucker in Unternehmen auf. Sie beraten Hausbauer bei der Wahl der besten Wärmedämmung und der sparsamsten Elektrogeräte. 3500 Kilowattstunden Strom verbraucht ein durchschnittlicher Haushalt in Deutschland, die Stromrechnung lässt sich bei optimaler Technik auf ein Sechstel davon drücken, schätzt das Wuppertal Institut.

Auch Amory Lovins und sein Team am Rocky Mountain Institute haben sich in den vergangenen Jahrzehnten als Energieberater betätigt. Zahlreiche große Firmen wie IBM, General Motors, Hewlett-Packard oder Xerox haben ihn konsultiert wie auch Regierungen und Organisationen. Auf seinen Rat hin senkten die Konstrukteure einer Teppichfabrik in Shanghai vor etwa zehn Jahren die für den Heizkreislauf nötige Pumpenergie um 90 Prozent – und zwar durch einfache Tricks: Sie installierten große statt kleiner Rohre, wodurch die Reibung sank. Außerdem wurden erst die Rohre verlegt und dann die Geräte angeschlossen, was das Rohrsystem enorm vereinfachte.

Heute leuchtet das ein; doch in Zeiten billigen Öls schien es viel zu mühselig, sich den Kopf über überflüssige Kilowattstunden zu zerbrechen. Dabei sind bei jedem Prozess die Verluste enorm. Fast überall lässt sich Energie sparen, ohne dass dabei an Komfort oder Geschwindigkeit eingebüßt würde.

Erstens im Haus, wie Amory Lovins und seine Frau Hunter bereits Mitte der Achtzigerjahre belegt haben. Das 370 Quadratmeter große Gebäude, in dem das Paar wohnt und wo auch ein Teil seines Rocky Mountain Institutes untergebracht ist, verbraucht kaum mehr Strom von außen als eine 100-Watt-Glühbirne. Es liegt hoch oben in den Bergen Colorados, wo es im Winter oft minus 40 Grad kalt wird und auch im Sommer Frost geben kann. Doch das Haus kommt ohne Heizung aus, im Wohnzimmer wachsen Bananenstauden: Eine dreißig Zentimeter dicke Schicht aus Polyurethanschaum isoliert von oben, in den vierzig Zentimeter starken Mauern stecken noch mal zehn Zentimeter Schaum. Doppelscheibenfenster sind mit Wärme reflektierenden Folien bedeckt und im Zwischenraum mit dem Edelgas Krypton gefüllt – dadurch halten sie die Wärme so gut zurück wie acht bis vierzehn gewöhnliche Glasscheiben. Aus der Abluft wird Wärme zurückgewonnen. Insgesamt liegt der Verlust nur ein Prozent über dem, was die Sonne an Wärme durch die Fenster einstrahlt und was die Menschen an Wärme abgeben. Den Strom liefern Solarzellen. Nur ein paar tausend Dollar zusätzlich habe er für die Wärmedämmung und Solarpanels investiert, rechnet Lovins vor. Nach zehn Monaten hätten sich die Energieinvestitionen amortisiert.

Vor allem in den amerikanischen Häusern verbergen sich ungeahnte Einsparmöglichkeiten. Wer in den USA gelebt hat, kennt die dünnen Holzwände und zugigen Fenster. Da Öl und vor allem das häufig zum Heizen benutzte Gas bisher so billig waren, haben Architekten und Bauherren sich wenig Gedanken über eine gute Isolierung gemacht. Pro Einwohner wird in den USA im Schnitt doppelt so viel Energie verheizt wie in Deutschland. Doch auch hierzulande macht die Heizung den größten Anteil des Energiebedarfs eines Haushaltes aus: Sie schluckt über die Hälfte der Energie, während das Auto mit etwa einem Drittel zu Buche schlägt und Warmwasser sowie Elektrogeräte je 8 Prozent ausmachen.

Dass nicht nur Designerhäuser wie das von Lovins sparsam sein können, belegt die Entwicklung der »Passivenergiehäuser«. Als Forscher des Freiburger Fraunhofer-Instituts für solare Energiesysteme 1992 das erste »Niedrigenergiehaus« in einem Industriegebiet der badischen Metropole bauten, mutete es arg futuristisch an: Solarzellen und Warmwasserkollektoren auf dem Dach, eine milchige Fassadenverkleidung, die Sonnenstrahlen einfangen und zugleich Energie im Haus speichern sollte, eine Wärmepumpe unter dem Erdboden. Heute bieten Firmen wie Danhaus oder Allkaufhaus energiesparende Häuser an. Die Hersteller unterbieten sich beim Energieverbrauch und inzwischen auch beim Preis: Laut Prospekt schluckt »Haus Glücksburg« von Danhaus für die Heizung jährlich nur einen Liter Heizöl pro Quadratmeter Wohnfläche. Zum Vergleich: Neubauten dürfen seit 2002 nicht mehr als sechs Liter pro Quadratmeter verbrauchen, Altbauten kommen häufig auf mehr als zwanzig Liter.

Niedrigenergiehäuser sind bereits ab 87 000 Euro (ohne Keller) zu haben. Im Durchschnitt kosten sie nur etwa 10 Prozent mehr als ein konventionelles Haus. Große Fenster nach Süden, welche die Sonnenwärme einfangen, kleine oder gar keine Fenster Richtung Norden sind wesentliche Elemente. Die Gläser haben in der Regel einen dreifachen Wärmeschutz. Hinzu kommt eine mindestens zwanzig Zentimeter dicke Wärmedämmung der Wände. Rechnet man zur Heizung die Kosten für Warmwasser hinzu, dann summiert sich der jährliche Energieverbrauch auf etwa 40 Kilowattstunden pro Quadratmeter. Häuser, die wie das von Lovins so gut wärmegedämmt sind, dass sie keine Heizungsanlage mehr brauchen, heißen »Passivenergiehäuser«. Wenn Solarzellen auf dem Dach montiert sind, kann ein Passivenergiehaus sogar ein »Plusenergiehaus« sein, indem es unter dem Strich sogar noch Energie erzeugt.

Doch auch in Altbauten steckt noch eine Menge Sparpotenzial. Ordentliche Fenster, wärmegedämmte Wände und vor allem richtig eingestellte Heizungen können die Heizkostenrechnung locker halbieren. Umweltschützer weisen immer wieder darauf hin, dass acht von zehn Heizungen hydraulisch nicht abgeglichen sind – ihre Pumpen arbeiten mit viel zu hoher Leistung. Die Sanierung von Altbauten freilich ist teuer – Experten gehen von 300 bis 500 Euro pro Quadratmeter aus, was sich beim gesamten Bestand auf insgesamt 900 Milliarden Euro summieren würde. Dafür würden, wie der Physiker Konrad Kleinknecht berechnet hat, nach zwanzig Jahren Renovierung jährlich 60 Millionen Tonnen CO_2 eingespart, immerhin 7 Prozent der gesamten Emissionen. Zurzeit stellt der Staat allerdings nur 1,4 Milliarden Euro jährlich für billige Sanierungskredite zur Verfügung.

Auch wenn der Strom für Elektrogeräte und Licht weitaus weniger ausmacht als die Energie fürs Heizen – Sparen lohnt sich in diesem Bereich, wie das berühmte Beispiel der Energiesparlampe zeigt. Sie verbraucht fünfmal weniger Strom als die herkömmliche Glühbirne und hält zehnmal länger. Wer alle seine Lampen im Haus nachrüstet, wird das schon auf der Stromrechnung merken. Wenn ein Land im großen Maßstab Sparbirnen austeilt, dann kann das sogar kurzfristig den Neubau eines Kraftwerks vermeiden: In Südafrika verteilte die Regierung auf Rat von Amory Lovins Leuchten im Wert von 5 Millionen Dollar und sparte damit innerhalb von zwei Monaten die fehlende Kapazität von 200 Megawatt. Das war billiger, als die Leistung der bestehenden Kraftwerke hochzufahren, geschweige denn ein neues zu bauen.

Der zweite große Bereich, in dem sich nach Meinung von Lovins viele Kilowattstunden einsparen lassen, sind Industrieprozesse. Betrachtet man die gesamte Kette vom Kraftwerk bis zu einer Fabrikpipeline, so verschwindet auf dem Weg eine Menge Energie: Schon im Kraftwerk summieren sich die Verluste auf mehr als ein Drittel – von der eingespeisten Energie in Form von Kohle etwa kommen nur 60 Prozent als Strom heraus. Übertragungsverluste machen fast 10 Prozent aus. Motoren, die Pumpen antreiben, sind häufig veraltet und verbrauchen mehr Strom als nötig, an Ventilen entweicht viel Energie. Insgesamt kommen am Ende einer Prozesskette von 100 nur 9,5 verwertbare Energieeinheiten an. Doch viele Firmen scheren sich nicht darum, weil Energie oft mit nur ein paar Prozent bei den gesamten Produktionskosten zu Buche schlägt. Dabei können elektronisch geregelte Motoren und reibungsarme Rohre den Energieverbrauch um die Hälfte senken, wie Lovins' Team in Erdölraffinerien, Bergwerken oder Mikrochipfabriken demonstriert hat.

Des Weiteren lohnt sich das Sparen beim Verkehr. Der Transport von Personen und Gütern frisst etwa 20 Prozent des gesamten Energiebedarfs auf und 70 Prozent des Erdöls. In Deutschland werden jährlich 180 Millionen Tonen Kohlendioxid aus den Auspuffen von Pkws und Lastkraftwagen in die Atmosphäre gepustet. Was die Fahrzeuge im Durchschnitt an Benzinverbrauch in den letzten Jahren eingespart haben – seit 1991 ist der Verbrauch in Deutschland von etwa 9,2 Liter pro 100 Kilometer auf 7,9 Liter gesunken –, ist durch die gestiegene Zahl an Autos wieder wettgemacht worden. Auch in den USA ist nach den Ölkrisen der Siebzigerjahre der Verbrauch der Automobile gesunken. Doch als das Benzin wieder billiger wurde, schwappte die Welle der Geländewagen auf den Markt. Breite Reifen und schwere Motoren steigern den Verbrauch enorm. Noch beängstigender für die Zukunft des Klimas ist die steigende Motorisierung in den Schwellenländern. Dort kommen heute auf hundert Menschen nur zwei bis drei Autos, während es in den USA achtzig sind. Den Chinesen und Indern ist es zu gönnen, dass sie sich jetzt Autos leisten können. Umwelt und Klima aber droht eine Katastrophe, wenn knapp zwei Milliarden Menschen mobil werden.

In den Autos steckt eine Menge Einsparpotenzial – immerhin gibt es bereits kleine 3-Liter-Benziner oder leistungsstarke Dieselfahrzeuge, die nur knapp 4 Liter pro 100 Kilometer verbrauchen. Würden alle Pkws durch Fahrzeuge mit einem so niedrigen Verbrauch ersetzt, ließe sich etwa die Hälfte des Treibstoffs und damit auch der CO_2-Emissionen einsparen. Nach einer Analyse des Rocky Mountain Institute könnte der Erdölverbrauch in den USA insgesamt um ein Drittel gesenkt werden – ohne dass die Autos weniger komfortabel, sicher und leistungsfähig würden. Weniger als ein Siebtel der im Treibstoff enthaltenen Energie kommt überhaupt bei den Rädern an, rechnet Lovins vor, der Rest entweicht als Wärme und Lärm aus Motor und Antrieb, verpufft im Leerlauf oder wird für Komfort verschleudert. Von der Energie, die an den Rädern ankommt, wird wiederum nur die Hälfte tatsächlich für den Antrieb verwendet. Die andere Hälfte heizt Reifen, Straße und Luft auf. Und weil das Auto selbst 95 Prozent der beschleunigten Masse ausmacht, dient unter dem Strich nur 1 Prozent des Treibstoffs tatsächlich der Fortbewegung.

Lovins propagiert deshalb Fahrzeuge aus Leichtmetalllegierungen und Kohlefaser-Verbundwerkstoffen. Sie könnten den Verbrauch der derzeitig sparsamsten Hybridautos noch mal halbieren: 2 Liter auf 100 Kilometer prophezeit Lovins. Die Schlankheitskur würde auch Brennstoffzellen-Fahrzeuge begünstigen, die sich bisher wegen der geringen Reichweite einer Wasserstoff-Tankfüllung nicht durchgesetzt haben.

Was ist eigentlich aus der Brennstoffzelle geworden, die statt Benzin Wasserstoff verfeuert? Das fragt man sich nach

Jahrzehnten der Entwicklung und vollmundiger Versprechen. Warum ist die Autoindustrie nicht weitergekommen? Im Jahr 2004, so die Vorhersage bei Mercedes in den Neunzigerjahren, sollten die ersten Fahrzeuge marktreif sein. Später hieß es 2012, inzwischen haben die Automanager die Jahreszahl verschämt auf 2020 verschoben. Bisher ist es nämlich nicht gelungen, leichte und effiziente Brennstoffzellen herzustellen. Die Membranen, das Herzstück der Zelle, an dem sich Wasserstoff und Sauerstoff verbinden und elektrische Energie freisetzen, sind teuer und arbeiten einfach noch nicht effizient genug. Das macht Brennstoffzellen schwer und sperrig.

Zudem ist Wasserstoff ein flüchtiges Gas und damit schwer zu transportieren. Das geht praktisch nur im verflüssigten Zustand bei einer Temperatur von minus 250 Grad. Oder aber unter hohem Druck von 700 bar. Beides erfordert viel Energie: Für die Kompression muss etwa 10 Prozent der an Wasserstoff gebundenen Energie aufgewendet werden, bei der Verflüssigung sind es 20 bis 30 Prozent. Das mit Abstand größte Problem des Wasserstoffs ist jedoch seine Herstellung durch die Spaltung von Wasser durch Elektrolyse. Wasser ist auf der Erde zwar genug vorhanden, doch die Elektrolyse braucht Strom. Unter dem Strich ist ein Wasserstoffauto nur dann klimafreundlich, wenn dieser Strom zu einem erheblichen Teil – mindestens einem Drittel schätzt das Bundesumweltministerium – aus erneuerbaren Quellen gewonnen wurde. »Die Schwierigkeiten des Wasserstoffsystems sind enorm«, heißt es bei VW. Für die nächsten zwanzig Jahre bleiben als Benzinersatz wohl doch nur die Biotreibstoffe aus Holz, Pflanzen und Abfall, die jedoch auch ihre Tücken haben.

Der vierte Sparbereich ist die Stromerzeugung selbst. In einem traditionellen Großkraftwerk gehen bei der Umwandlung des Brennstoffs in Strom knapp 40 Prozent der Energie verloren, Leitungsverluste machen wiederum ein paar Prozent aus. Beim Verbraucher kommen nur noch 36 Prozent nutzbare Energie an. Der Grund für die großen Verluste: Der Dampf, der den Generator antreibt, enthält noch Wärme. Diese Restwärme geht normalerweise einfach verloren, sie wird über Kühltürme oder Schornsteine geleitet. Nun ist es durchaus möglich, diese Restwärme zu nutzen – das wird bei der Technik der Kraft-Wärme-Kopplung getan, um Gebäude zu heizen, oder in Form von Prozesswärme in Industriebetrieben. Damit verringert sich der Energieverlust bei der Stromerzeugung von etwa zwei Dritteln auf 10 bis 20 Prozent.

Die Wärme auszubeuten lohnt sich allerdings nur, wenn die Gebäude, die geheizt werden, nicht zu weit weg sind – sonst machen die Verluste den Gewinn wieder zunichte. Abgelegene Kohle- oder Kernkraftwerke eignen sich deshalb kaum für die Kraft-Wärme-Kopplung, sondern eher kleine bis mittelgroße, in den Städten gelegene Kraftwerke. Die Bundesregierung fördert die Kraft-Wärme-Kopplung durch einen Zuschlag für jede Kilowattstunde. Umweltschützer befürworten die Technik, auch weil sie eher auf dezentrale Einheiten setzt statt auf Großkraftwerke. Bisher macht in Deutschland die Kraft-Wärme-Kopplung allerdings nur 12 Prozent der Stromerzeugung aus.

Effizienz ist mit Sicherheit die »Energiequelle«, mit der sich das Klima am schnellsten und einfachsten schonen lässt. Einfacher, schneller und billiger jedenfalls als mit Solarzellen oder Windrädern. Der Staat muss im Prinzip nur die Anreize schaffen – durch Förderprogramme und Steuererleichterungen. Bei den Autos zum Beispiel könnte man die Neuwagen mit hohem Verbrauch mit einer Gebühr belegen, die den Käufern sparsamer Modelle als Rabatt zugute käme.

In Europa, glaubt Amory Lovins, sei die Überzeugung,

man habe schon so viel erreicht, das Haupthindernis für Einsparungen. Doch es ist auch die Einstellung, die bisher gebremst hat. Es ist oft einfacher, die Stromrechnung zu bezahlen, als nachzurechnen, ob es sich lohnt, den alten energiefressenden Kühlschrank durch einen neuen, sparsamen zu ersetzen. Energiesparen kostet meistens – Gedanken und dann auch zunächst einmal Geld. Deshalb funktioniert Energieeffizienz auch nur, wenn der Staat die Rahmenbedingungen richtig setzt. In Japan zum Beispiel werden die Normen für Haushaltsgeräte dynamisch angepasst: Immer wenn ein neues Gerät auf den Markt kommt, ist es das Vorbild und setzt den Standard.

Amory Lovins jedenfalls bleibt ein unermüdlicher Handlungsreisender in Sachen Sparen. Viele seiner Ideen sind umgesetzt worden, viele nicht. Aber er ist überzeugt, dass eines Tages auch die schwierigeren Projekte realisiert werden – wie der Hypercar, das 1-Liter-Auto aus Kunststoff mit Hybridantrieb. Irgendwann werden sie in Detroit schon auf ihn hören. Und Amerika wird sich, so sein Credo, bis 2040 vom Öl abnabeln.

Atom – der Deutschen liebste Angst

Glaubt die ganze Welt wieder an Atomenergie? Nein. Ein Land leistet Widerstand … Deutschland als gallisches Dorf gegen die weltweite Atomlobby: Das Bild mag übertrieben sein. Schließlich gibt es auch anderswo Gegner der Kernkraft, und viele Länder dieser Erde nutzen sie überhaupt nicht. Dennoch ist Deutschland die einzige Industriemacht, die den Schwenk von einer breiten Nutzung der Atomkraft hin zum Totalausstieg vollzieht. Mitten in einem globalen Revival der Atomenergie, schrieb unlängst das US-Magazin *Newsweek*, bliebe ein Land, das erbittert dagegen sei: Deutschland – und das, obwohl 28 Prozent des Stroms aus Atommeilern komme. Obwohl die Deutschen sich in zunehmende Abhängigkeit des immer mächtigeren Gasexporteurs Russland begäben. Obwohl der Klimawandel drohe. Mit Logik, so *Newsweek*, sei das alles nicht mehr zu erklären.

Tatsächlich versagt jegliche Logik, wenn es um die Deutschen und den Atomstrom geht. Man muss wohl eher historische und psychologische Studien betreiben, um zu verstehen, warum die Bundesbürger sich so sehr gegen die Atomkraft wenden. Natürlich lassen sich handfeste sicherheitstechnische Argumente aufzählen – doch Bedenken wegen des Mülls oder einer drohenden Kernschmelze reichen im Grunde nicht, um das tief sitzende Unbehagen der Bundesbürger zu erklären. Schließlich haben auch die Schweizer ein nukleares Moratorium abgelehnt, die Schweden erwägen den Ausstieg aus dem

Ausstieg. Woanders scheinen die Wunden von Tschernobyl verheilt, die Zeit der Totalablehnung scheint vorbei zu sein.

In Deutschland aber sitzen Ängste und Widerstand tiefer. Um die Vorbehalte zu verstehen, lohnt sich sowohl ein Blick zurück zu den euphorischen Anfängen der Kernenergie als auch zu den Ursprüngen der grünen Bewegung, die nirgendwo so tief verwurzelt ist wie hierzulande und die einen Teil ihrer Legitimation aus dem Widerstand gegen Kernkraft bezogen hat.

Von der Euphorie ist es oft nur ein kurzer Weg zur Angst. Und fast nirgendwo auf der Welt war die Atomeuphorie so ausgeprägt gewesen wie in der frühen Bundesrepublik. Bei der ersten wichtigen und besonders einflussreichen Konferenz der Vereinten Nationen im August 1955 in Genf wurde das Zeitalter der friedlichen Atomnutzung mit großem Pomp eingeleitet. Die Tagung hatte US-Präsident Dwight D. Eisenhower angeregt, denn die Vereinigten Staaten befürchteten nach der ersten russischen Atombombe im Jahr 1949 ein atomares Wettrüsten. Die Welt, zumindest jener Teil, der noch nicht im Besitz von Kernwaffen war, sollte auf die Bombe verzichten und stattdessen mit Unterstützung der USA die friedliche Nutzung der Atomenergie vorantreiben – Atome für den Frieden lautete Eisenhowers Losung. Viele Forscher waren begeistert, sahen sie doch die friedliche Nutzung als eine Art Wiedergutmachung für die in den Laboren ausgebrütete Atombombe mit den schrecklichen Folgen in Hiroshima und Nagasaki. Die Stimmung bei der Konferenz in Genf war so euphorisch, dass selbst der deutsche Atomphysiker und überzeugte Kernenergiebefürworter Wolf Häfele, der in den Sechzigerjahren den Schnellen Brüter entwickelte, später von einem »unnatürlichen Optimismus« sprach.

In Westdeutschland war die Begeisterung für die neue

Energietechnik besonders groß. Das lag vor allem daran, dass viele befürchteten, die Bundesrepublik würde sonst weiterhin als atomarer Habenichts dastehen. Schließlich hatten die Alliierten unmittelbar nach dem Krieg Deutschland jede Art der Kernforschung verboten. Erst nachdem die Bundesrepublik souverän geworden war, durfte sie auch die Kernspaltung zu friedlichen Zwecken verfolgen. Adenauer gründete bereits im Oktober 1955 ein Bundesministerium für Atomfragen, dessen erster Minister der damals stellvertretende CSU-Chef Franz Josef Strauß wurde. Er erklärte die Kerntechnik zur »Existenzfrage«, mit der Deutschland sich »in der vordersten Reihe der Industrienationen behaupten« könne. Man fürchtete, die Deutschen könnten ein »atomar unterentwickeltes Volk« bleiben. Die Begeisterung war übrigens so groß wie die Ahnungslosigkeit. Man ging davon aus, dass eines Tages auch Autos mit Uran fahren und Flugzeuge mit Uran fliegen würden. Die »Atomenergie kann zu einem Segen für Hunderte von Millionen Menschen werden, die noch im Schatten leben«, hieß es im SPD-Programm von 1956 – und helfen, die »Demokratie im Innern und den Frieden zwischen den Völkern zu festigen«. Die atomare Internationale lässt grüßen.

Es ist eine Ironie der Geschichte, dass damals auch die Sozialdemokraten an der Spitze der Bewegung standen, während die Stromkonzerne von der Atomkraft gar nicht begeistert waren. Vor allem die Rheinisch-Westfälischen Elektrizitätswerke RWE hatten viel Geld in den Braunkohle-Tagebau gesteckt und scheuten das Risiko. Das Tauziehen zwischen Staat und Stromwirtschaft endete damit, dass die Regierung Forschung und Entwicklung der Atomtechnik finanzierte. Umgerechnet 100 Millionen Euro wurden als Kredite und Bürgschaften für jedes der ersten drei Reaktorprojekte in Gundremmingen, Lingen und Obrigheim bereitgestellt. Der große Ausbau der Kernenergie geschah dann in den Siebzigerjahren unter den sozialliberalen Regierungen von Willy Brandt und Helmut Schmidt.

Doch irgendwann zu dieser Zeit schlug die Technikeuphorie in eine allgemeine Technikfurcht und in eine spezielle Atomangst um, wobei das erstarkte Umweltbewusstsein eine wesentliche Rolle spielte. Die grüne Bewegung war jedoch nicht nur eine Antwort auf die Atomkraft, sie speiste sich vielmehr auch aus starken historischen Wurzeln. Nirgendwo auf der Welt haben sich die Menschen wohl so für Natur-, Tier- und Heimatschutz begeistert wie im späten 19. Jahrhundert in Deutschland. Die Liebe zu Feld, Wald und Wiesen war auch eine Reaktion auf die gescheiterte Revolution, man zog sich zurück ins Privatleben, entdeckte die Natur. Die Wandervogelbewegung, das romantische Verhältnis zum Wald, ein wenig später die Lebensreformbewegung als Kritik an der wachsenden Industrialisierung und Verstädterung – all das hatte seine Ursprünge in Deutschland und der Schweiz. Es war die Zeit der Naturheilkunde und auch der Freikörperkultur. Irgendwo, tief in der deutschen Seele, gibt es eine starke Affinität zur Natur und das Bedürfnis, sie zu schützen.

Anfang der Siebzigerjahre des 20. Jahrhunderts formierte sich eine zweite Welle der Umweltbewegung. Sie entstand aus Bürgerbewegungen heraus, wobei die Menschen in Baden besonders aktiv waren: Im südwestlichen Zipfel der Bundesrepublik und im benachbarten Elsass engagierten sich Gruppen zunächst gegen Erdölraffinerien und Industrieanlagen, später gegen das geplante Atomkraftwerk Wyhl. Die lokalen Protestgruppen bildeten die erste größere Basis des später 600 Bürgerinitiativen umfassenden »Bundesverbandes Bürgerinitiativen Umweltschutz« (BBU), dessen Anhängerschaft maßgeblich an der Gründung der Grünen beteiligt war.

Zum ersten großen Erfolg dieser Bürgerbewegung und zum

späteren Symbol der Anti-Atomkraft-Bewegung wurden die Aktionen gegen das geplante Kernkraftwerk Wyhl. Hans Filbinger, damals Ministerpräsident von Baden-Württemberg, hatte beschlossen, in Südbaden am Fuße des Kaiserstuhls ein Atomkraftwerk zu bauen, weil sonst zu befürchten sei, dass im Ländle »schon im Jahr 1980 die Lichter ausgehen« würden. Filbinger und die anderen Politiker hatten jedoch nicht mit der Kraft des bunten Protestbündnisses aus Studenten, Winzern und Bauern gerechnet. Die belagerten den Bauplatz, Tag für Tag, wochenlang. Die Polizei riegelte den Platz ab, sicherte ihn mit Stacheldraht. Doch dann, am 23. Februar 1975, waren knapp 30 000 Demonstranten gekommen. Sie schnitten Löcher in den Zaun und stürmten den Platz. Die Polizei machte sich aus dem Staub. So einfach war diese Platzbesetzung, dass die Ökoaktivisten es gar nicht glauben wollten. Denn die Polizei kam nicht wieder, und die Bautrupps kamen auch nicht. Das Atomkraftwerk Wyhl wurde nie gebaut.

In Wyhl wurde erstmals im größeren Maßstab der zivile Widerstand geprobt. Auch deshalb entwickelte sich der südbadische Flecken zum Gründungsmythos der Anti-Atomkraft-Bewegung, die freilich nicht immer so friedlich blieb wie in Wyhl. Wo lokale Bürgerinitiativen gegen Projekte protestierten, wurden sie bundesweit unterstützt, vor allem durch den BBU, aber auch durch Berufsrandalierer. In Brokdorf kam es Ende 1976 zu regelrechten Schlachten am Bauplatz des Kernkraftwerks. Es folgten der Widerstand gegen Grohnde, den Schnellen Brüter in Kalkar und die Wiederaufarbeitungsanlage Gorleben, die der niedersächsische Ministerpräsident Albrecht schließlich im Jahr 1979 aufgab, weil sie »politisch nicht durchsetzbar« war.

Geschürt wurden die Proteste nicht nur durch Angst vor einer vermeintlich unbeherrschbaren Großtechnologie, sondern auch durch die Furcht vor dem atomaren Wettrüsten. Atomkraftgegner und Friedensaktivisten, die gegen die Stationierung amerikanischer Mittelstreckenraketen protestierten, fanden zueinander. Dass daraus in den Siebziger- und Achtzigerjahren eine Massenbewegung wurde, liegt wohl auch an der in Deutschland besonders ausgeprägten Proteststimmung der Generation der Achtundsechziger. Zudem hatten die Ölkrise von 1973 und die Warnungen des Club of Rome vor einer globalen ökologischen Katastrophe dem Glauben an Fortschritt durch Technik einen empfindlichen Knacks versetzt. Auch die friedliche Nutzung der Atomkraft erschien vielen nicht mehr als Mittel für mehr Frieden und Wohlstand, sondern als gefährliche Technologie. Und die radikale Linke entdeckte diese Großtechnologie als Symbol für den Kapitalismus. Eine diffuse Technik- und Fortschrittsfeindlichkeit verband die Protestierenden aller Glaubensrichtungen.

Aus dem Dachverband der Umweltaktivisten BBU entstand Mitte der Siebzigerjahre die Anti-Atomkraft-Bewegung, die sich aus über ganz Westdeutschland verstreuten Gruppen der außerparlamentarischen, linken Opposition (APO) zusammensetzte. Sie trafen sich in Biblis, Brokdorf und Brunsbüttel. Diese breite Bewegung bildete Anfang der Achtzigerjahre auch den Kern der jungen Partei der Grünen. Dass die noch atomfreundliche SPD einmal der Kernkraft abschwören und mit den Grünen den Atomausstieg beschließen würde, war damals nicht abzusehen.

Der Protest erreichte Anfang der Achtzigerjahre sogar das CSU-Land Bayern. Der damalige Ministerpräsident Franz Josef Strauß wollte beweisen, dass es im Freistaat möglich sei, eine Atomanlage zu bauen. In Wackersdorf, einem industriegewohnten, aber strukturschwachen Landstrich der Oberpfalz, sollte eine Wiederaufarbeitungsanlage für abgebrannte Brennelemente entstehen. Doch Strauß, der eine WAA für genauso ungefährlich wie eine Fahrradspeichenfabrik erklärte, unterschätzte den Widerstand. Vor allem aber machten er und die Planer wesentliche Fehler, indem sie das Projekt heimlich vorantrieben. Nachdem die eigens gegründete Deutsche Gesellschaft zur Wiederaufarbeitung von Kernbrennstoffen (DWK) ein Raumordnungsverfahren beantragte, kam es immer wieder zu friedlichen Demonstrationen. Doch je weiter das Projekt fortschritt, umso heftiger wurde der Widerstand. 1985 besetzten WAA-Gegner das Baugelände im Wald von Wackersdorf, sie wurden in einer der größten Polizeiaktionen der Bundesrepublik vertrieben. Als Ende April 1986 der Reaktor in Tschernobyl explodierte, lieferten sich an Pfingsten Demonstranten und Polizisten eine Schlacht. Die Protestierenden schnitten Löcher in den Bauzaun, die Polizei antwortete mit Schlagstöcken und Tränengas.

Knapp drei Jahre später kam das Aus für die WAA in Wackersdorf. Aus ökonomischen Gründen, hieß es damals. Doch die Angst vor einem anhaltenden Protest dürfte auch eine Rolle gespielt haben. Zumal die Wiederaufarbeitung einen Schritt weiter geht als die reine Spaltung von Kernen in einem Reaktor. Sie bedeutet die gezielte Produktion von Plutonium – und dieses Element ist nun einmal ein ausgewiesener Bombenstoff. Es gibt gute Gründe, gegen die Wiederaufarbeitung zu sein, ohne deshalb die Atomenergie abzulehnen.

Doch der Massenprotest gegen Wiederaufarbeitung und Kernenergie speiste sich eher aus einer diffusen Angst vor der Atomtechnik. Und zur Angst neigen die pessimistischen Deutschen ohnehin. Einen »Wettlauf der Ängste« haben die zwei Journalisten Dirk Maxeiner und Michael Miersch den Bundesbürgern vorgeworfen. Kaum habe jemand eine neue technische Lösung für ein Problem empfohlen, so erhebe sich die Stimme derjenigen, die davor noch mehr Angst hätten als vor der Bedrohung, die beseitigt werden solle. Maxeiner und Miersch nennen Beispiele für eine »Angstkette«: Wir haben Angst vor der Atomkraft, folglich werden die Atomkraftwerke abgeschaltet. Gleichzeitig fürchten wir die globale Erwärmung, warum auch Kohlekraftwerke Angst machen. Deshalb wurden fast 20 000 Windkraftanlagen gebaut. Die liefern Strom, wenn der Wind weht, aber nicht unbedingt, wenn er gebraucht wird. Und sie stehen logischerweise dort, wo es stürmt und bläst, und meist nicht, wo Industrie und Verbraucher siedeln. Aus beiden Gründen müssen dringend neue Hochspannungsleitungen gebaut werden. Doch wir haben auch Angst vor Elektrosmog.

Es mag paradox scheinen, doch die gleichen Bürger, die den Ausbau der Windenergie fordern, ziehen jetzt gegen die dafür notwendigen elektrischen Hochspannungsleitungen zu Felde. Und irgendwann werden die Menschen sich auch vor den Pestiziden fürchten, welche die großen Monokulturen von Raps und anderen Energiepflanzen vor Schädlingen schützen sollen, damit wir letztendlich kein Benzin mehr für unsere Autos brauchen. Ob daraus tatsächlich eine Selbstblockade entsteht, wie Maxeiner und Miersch prophezeien, sei dahingestellt. Doch fest steht, dass die Deutschen mit ihrem ausgeprägten Sicherheits- und Risikovermeidungsdenken sich so manches Bein stellen.

Wie sehr uns die Angst plagt, zeigt das Beispiel Tschernobyl. Mit den radioaktiven Schwaden, die von Osten nach Deutschland hinüberwehten, kam auch die Furcht vor der Verstrahlung. Monatelang stritten vor allem die Bewohner Süddeutschlands, wo die meiste Radioaktivität niedergegangen war oder wie viele Becquerel ein Liter Milch enthalten durfte. Besorgte Eltern ließen ihre Kinder nicht mehr draußen spielen, Salat wurde vom Speiseplan gestrichen, die Frischmilch durch

H-Milch ersetzt. Später veranlassten Eltern die Behörden, den Sand auf Spielplätzen auszutauschen. Molke von der Milch jener Kühe, die nach der Reaktorkatastrophe auf den Weiden gestanden hatten, wurde durch die Republik gekarrt und später teuer entsorgt. Man hätte übrigens die Molke auch auf Felder ausbringen können, weil sie nicht stärker strahlte als manches Düngemittel.

Paradoxerweise machte die radioaktive Wolke an der Grenze zu Frankreich Halt. Jenseits des Rheins schienen die Menschen sich weitaus weniger zu sorgen als diesseits, obwohl sie zumindest im Elsass eine ähnliche Strahlendosis abbekommen hatten wie im benachbarten Baden. Angst ist relativ.

Angst ist auch relativ, weil Tschernobyl inzwischen ein Symbol geworden ist wie Hiroshima und Nagasaki. Beim Abwurf der zwei ersten und glücklicherweise bis jetzt einzigen Atombomben Anfang August 1945 starben um die 350 000 Menschen. Über die Zahl der Opfer von Tschernobyl wird noch immer gestritten. Die Weltgesundheitsorganisation und andere offizielle Stellen sprechen von bisher 50 Todesopfern, die an den direkten Folgen der Strahlen gestorben sind, an akuter Strahlenkrankheit oder Schilddrüsenkrebs. Langfristig seien 4000 Todesfälle zu erwarten, die aber auch auf die indirekten Folgen der Katastrophe wie schlechte Ernährung oder Stress durch Umsiedlung zurückgehen dürften. Die Umweltorganisation Greenpeace dagegen spricht von weit über 90 000 Opfern.

Ein makabres Zahlenspiel, das vor allem eines zeigt: In Deutschland ist es kaum möglich ideologiefrei über Atomenergie nachzudenken. Eine ganze Generation hat die Kernkraft zum Symbol des drohenden Weltuntergangs gewählt. Diesem Feindbild nun abzuschwören, würde eine Kehrtwende bedeuten, die wehtut.

Es sei denn, im Wettlauf der Ängste würde der Klimawandel den atomaren GAU überholen. Wenn die Menschen sich mehr vor den Folgen des Treibhauseffekts fürchten als vor einer – eher unwahrscheinlichen – Kernschmelze und dem (zugegebenermaßen noch nicht gelösten) Müllproblem, dann könnte es die Wende geben. Dann wäre nicht auszuschließen, dass eine Mehrheit der Bundesbürger doch bereit wäre, über Atomkraft neu nachzudenken.

Renaissance der Kernkraft

Möglicherweise haben am 30. Juni 2007 ein paar Menschen in Brüssel drei Kreuze geschlagen. An diesem Tag ging die deutsche EU-Ratspräsidentschaft zu Ende. Die Deutschen haben zwar der Europäischen Union gewissermaßen neues Leben eingehaucht, indem Bundeskanzlerin Angela Merkel nicht nur einen EU-Vertrag auf den Weg gebracht, sondern auch einen beachtlichen Beschluss zum Schutz des Klimas durchgesetzt hat. Doch in einem Punkt haben die Deutschen stets laviert, vor allem die Unionspolitiker unter ihnen: Bei der Atomfrage mochten sie keine wirklich klare Linie finden.

Kein Wunder. Der Koalitionsvertrag nagelt die Union auf die von Sozialdemokraten und ihrem früheren grünen Partner beschlossenen Ausstieg fest. Zwar ist es kein Geheimnis, dass Angela Merkel die Kernkraft befürwortet. Doch öffentlich darf sie sich zu der umstrittenen Energieform nicht bekennen. Andere Unionspolitiker hoffen insgeheim, dass die nächste Wahl eine neue politische Konstellation hervorbringen und damit den Ausstieg aus dem Ausstieg ermöglichen wird.

Einstweilen aber muss Berlin offiziell die Kernkraft als Energieform der Vergangenheit geißeln. In Brüssel gehen deutsche Politiker damit vor allem den Franzosen gehörig auf die Nerven, die knapp vier Fünftel ihres Stroms aus Atommeilern beziehen. Der damalige Präsident Jacques Chirac machte vor dem Energiegipfel im März 2007 klar, dass er gar nicht einsehe, warum Frankreich die klimaschonende Kernkraft zugunsten von teureren alternativen Quellen herunterschrauben solle. Auch die Finnen, die Balten und Slowenen setzen auf Kernkraft.

Und gerade die neuen Mitglieder in Osteuropa lassen die Deutschen spüren, was sie von ihrer Atomverhinderungspolitik halten. Energiekommissar ist ausgerechnet Andris Piebalgs. Als Lette und Physiker ist er kein Kernkraftgegner. Sein Land plant schließlich mit den baltischen Nachbarn ein neues Kraftwerk am litauischen Standort Ignalina. Piebalgs Kommissionskollege Jan Potocnik, zuständig für Forschung, kommt aus Slowenien und ist Volkswirt. Beide stellten kurz vor dem EU-Energiegipfel im März 2007 ein gemeinsames Papier vor, das auslotete, woher in Zukunft Europas Energie kommen soll und wie sie möglichst sauber und erschwinglich sein könnte. Die Kommissare mochten sich nicht verkneifen, Atomstrom als eine besonders kohlenstoffarme Energiequelle zu preisen. Sollten Kernkraftwerke abgeschaltet werden, so heißt es in dem Papier, werde es schwieriger, die Klimaziele einzuhalten. Das war schon fast ein Verstoß gegen die offizielle Sprachregelung in Brüssel, wonach die Kommission sich in die Nuklearpläne der Mitgliedsländer nicht einmischen will. Jeder EU-Staat müsse selbst entscheiden, so die Devise, wie er einen ausgewogenen Energiemix hinbekomme und zugleich das Klima schütze. In dem Papier von Piebalgs und Potocnik dagegen heißt es, Atommeiler könnten bis 2050 ein Viertel der gesamten Energie Europas und sogar 40 Prozent des Stroms liefern.

Das aber war nur ein Geplänkel vor dem Energiegipfel. In den Tagen unmittelbar vor dem Treffen der Staats- und Regierungschefs entzündete sich ein heftiger Streit darüber, ob die Deutschen den anderen Mitgliedern erneuerbare Energien aufzwängen können, oder ob eben nicht doch jeder auf seine Art – also auch mit Atomstrom – selig werden soll. Daran drohte eine Einigung auf gemeinsame Ziele fast zu scheitern. Wie so oft schaffte Europa es noch in letzter Minute, einen Kompromiss zu basteln. Darin waren Ziele für den Klimaschutz, für erneuerbare Energien, für Biotreibstoffe und fürs Energiesparen festgeschrieben. Keine Erwähnung des A-Wortes. Die Deutschen jubelten, denn es schien, als ob Angela Merkel ihrem Kollegen Jacques Chirac auf seine letzten Tage ein Zugeständnis abgetrotzt hätte.

Doch schnelle Erfolge haben fast immer einen Haken. Auf dem Papier liest sich der Energieplan ambitioniert, gespickt mit griffigen Zielen. Das Kleingedruckte aber verschwiegen Merkel und ihre Verhandlungsführer. Den Kompromiss hatte die Kanzlerin sich nämlich mit einem weitreichenden Zugeständnis erkauft: Erstens erhielten die Mitgliedstaaten ein Vetorecht bei der Frage, wie viel Ökoenergie sie letztlich erzeugen müssen. Zweitens räumte man ihnen eine Menge Spielraum bei der Erfüllung der Planziele ein. Konkret soll zwar der Anteil erneuerbarer Quellen wie Sonne, Wind, Wasser und Biomasse bis 2020 von derzeit 6,5 auf dann 20 Prozent des gesamten Energieverbrauchs steigen – allerdings nur im Durchschnitt. Deshalb muss die Kommission bis zum Herbst 2007 Quoten für jedes Mitgliedsland berechnen. Sie werden vor allem den aktuellen Energiemix berücksichtigen – und damit auch die CO_2-Einsparung durch Kernkraft – sowie die künftigen Potenziale für Wind, Sonne und Biomasse.

Damit haben Chirac und die anderen Atomfreunde durchaus einen Kernkraftbonus in Aussicht gestellt bekommen. Es wird noch einen harten Kampf um die Quote an erneuerbaren Energien geben; und erst das Ergebnis wird zeigen, ob die Deutschen sich tatsächlich durchgesetzt haben. Einstweilen aber gilt wohl eher die Botschaft: »Die Atomenergie produzierenden Länder sind weniger gefordert«, wie die französische Tageszeitung *Le Monde* nach dem Gipfel titelte. Die Deutschen dagegen feierten einen Triumph für die erneuerbaren Energien.

Nun könnte man, getreu der Devise der Kommission, argumentieren: Sollen doch die Länder mit Kernkraftwerken weiter Reaktoren bauen und jene, die nicht wollen, eben aussteigen. So einfach funktioniert das Geschäft aber nicht. Erstens könnte der internationale Druck auf die Atomskeptiker wachsen, wenn tatsächlich der Trend weltweit zur Kernkraft geht. Wenn Frankreich und Finnland neue Reaktoren bauen, Großbritannien in die Planung einsteigt und die Niederlande die Laufzeit ihres einzigen Atommeilers verlängern – wird dann nicht auch die Bundesrepublik in Zugzwang geraten? Zweitens stellt sich die Frage, ob eine große Industrienation wie Deutschland tatsächlich völlig aus der Technik aussteigen kann, wenn zugleich die Schwellenländer China und Indien in großem Maßstab einsteigen. Deshalb lohnt ein Blick auf die Weltkarte der Atomkraftwerke, um zu entscheiden: Handelt es sich bei der Kernkraft um ein Auslaufmodell, oder ähnelt die Atombranche derzeit dem viel zitierten Phönix, der sich aus der Asche erhebt?

Weltweit macht laut der Statistik der Internationalen Energieagentur IEA, die sich auf das Jahr 2004 bezieht, die Kernenergie 6,5 Prozent des gesamten Primärenergiebedarfs aus. In den Industrieländern, die zur Organisation für wirtschaftliche Zusammenarbeit (OECD) gehören, sind es 11 Prozent. Zur globalen Stromproduktion trägt die Kernkraft mit 16 Prozent bei. Nicht überraschend also, dass ein Großteil des Atomstroms in OECD-Ländern produziert wird: Von den insgesamt 2378 Milliarden Kilowattstunden weltweit stammen fast 85 Prozent aus OECD-Ländern. Russland trägt mit 9 Prozent bei, Asien (ohne China) mit 2,2 Prozent und alle anderen summieren sich auf 3 Prozent. Allerdings wächst der Anteil der Kernenergie, die von außerhalb der OECD kommt, im Verhältnis zum Atomstrom der Industrienationen.

Wer sind nun die großen Nuklearstaaten? Der Menge nach steht Deutschland auf Platz 4: Hierzulande werden 167 Milliarden Kilowattstunden Atomstrom jährlich produziert, das sind 6,1 Prozent der Weltproduktion. Platz 1 nehmen die USA mit insgesamt 813 Milliarden Kilowattstunden jährlich und einem Anteil von 29,6 Prozent ein. Es folgen Frankreich (448 Milliarden Kilowattstunden, 16,4 Prozent) und Japan (282 Milliarden Kilowattstunden, 10,3 Prozent). Auch national gesehen gehört Deutschland zu den Atomstrommächten: 28 Prozent der elektrischen Energie kommen aus Atommeilern, was Platz fünf der Rangliste bedeutet. Auf Platz eins liegt Frankreich mit 78 Prozent, gefolgt von Schweden (50 Prozent), der Ukraine (48 Prozent) und Korea (37 Prozent).

Die Weltkarte der insgesamt 435 Kernkraftwerke in 31 Ländern zeigt denn auch deutliche Ballungsräume: Entlang der Ostküste der Vereinigten Staaten sowie in den Industriegebieten des Mittleren Westens reihen sich die Atommeiler aneinander: Insgesamt 103 Kernreaktoren gibt es in den USA. Westeuropa (130 Kraftwerke) und Japan (55) bilden die zwei anderen großen Nuklearzonen der Welt. In Russland und den ehemaligen Sowjetrepubliken gibt es einige Sprenkel. Afrika dagegen hat nur ein einziges Kernkraftwerk, und zwar in Südafrika. Auch in Südamerika stehen nur zwei Reaktoren.

Seit 1973 ist der Anteil des Atomstroms an der gesamten Stromproduktion von 3 auf 16 Prozent im Jahr 2004 gestiegen. Die spannende Frage ist: Wie geht es weiter? Die Experten der Internationalen Atomenergiebehörde IAEA beschreiben zwei Szenarien: Bei dem einen würde die Menge an Atomstrom nur ganz geringfügig wachsen, beim anderen würde sie sich bis 2030 verdoppeln. Etwas optimistischer sehen es die Fachleute der OECD: Für sie wird die Kernenergie in diesem Zeitraum zwischen 15 und 40 Prozent zulegen. Im Gesamtenergieszenario aber verliert die Kernkraft an Bedeutung: Da zugleich auch der Anteil des Ökostroms steigen wird, würde die Kernenergie trotz erheblicher absoluter Zunahme laut IEA nicht mehr als 14 Prozent zur weltweiten Stromerzeugung beitragen.

Kernenergiegegner dagegen weisen gerne darauf hin, dass die Zahl der Reaktoren, die in den nächsten Jahren ans Netz gehen könnten, von der Zahl der Reaktoren, die stillgelegt werden, bei weitem übertroffen wird. Wollte man die Zahl der Kernkraftblöcke konstant halten, müssten innerhalb der nächsten zehn Jahre etwa achtzig Einheiten geplant, gebaut und in Betrieb genommen werden, haben die Energieexperten Mycle Schneider und Antony Froggatt 2005 in einer Studie für das Europaparlament geschätzt. Achtzig neue Blöcke hieße, dass alle sechs Wochen ein Block ans Netz gehen müsste. Und weil die Zahl der Stilllegungen nach 2015 rapide steigt, müssten in den folgenden zehn Jahren weitere zweihundert neue Blöcke entstehen. Kernkraft habe an der derzeitigen Steigerung der Energieerzeugung nur einen Anteil von maximal 2,5 Prozent. Was eben nicht reicht, um den Anteil von 16 Prozent an der Stromgewinnung zu halten, so die Untersuchung.

Doch die Diskussion über die Folgen der Erderwärmung gibt der Kernenergie neuen Auftrieb. Auffallend jedenfalls ist, dass etliche Länder, die den Ausstieg diskutiert oder beschlossen haben, ihre Energiestrategie überdenken. Hier einige Beispiele:

In Belgien hat die Koalition im Jahr 2005 eine Vereinbarung der sozialliberalen Vorgängerregierung, an der die Grünen beteiligt waren, teilweise rückgängig gemacht. Demnach hätten landesweit sieben Reaktoren nach der Laufzeit von vierzig Jahren schließen sollen und später auch keine neuen gebaut werden dürfen. Nach den neuen Regeln wurde die Ausstiegsfrist um zwanzig Jahre verlängert, ebenso wird die Option für weitere Verlängerungen der Gesamtlaufzeit offengehalten. Unklar bleibt, ob neue Kernkraftwerke gebaut werden – explizit ist dies derzeit nicht vorgesehen. Begründet wurde die Entscheidung damit, dass es unrealistisch sei, den Strom, der durch Atomkraftwerke erzeugt wird, durch andere Quellen zu ersetzen.

In den Niederlanden hatte die Parlamentsmehrheit im Jahr 1994 den Ausstieg beschlossen. Eines der beiden Kernkraftwerke wurde 1997 geschlossen, das zweite sollte 2003 heruntergefahren werden. 2005 hob die konservative Regierung von Jan-Peter Balkenende den Ausstieg auf und beschloss, die Schließung des Atommeilers Borssele auf das Jahr 2013 zu verschieben. 2006 ging die Regierung noch einen Schritt weiter, indem Borssele eine Betriebsgenehmigung bis 2033 erhielt, falls es die höchsten Sicherheitsstandards erfüllen kann. Allerdings müssen die Betreiber zusammen mit der Regierung 500 Millionen Euro in erneuerbare Energien investieren.

Italien begann den Atomausstieg im Jahr 1987 – nach einer Volksabstimmung wurden die vier italienischen Atomkraftwerke geschlossen, das letzte im Jahr 1990. Eine Wartefrist für den Bau neuer Kernkraftwerke, die ursprünglich bis 1993 galt, wurde auf unbestimmte Zeit verlängert. Allerdings importiert Italien große Mengen an Atomstrom vor allem aus Frankreich. Zudem beteiligt sich der größte italienische Energieversorger ENEL an dem Bau von zwei Reaktoren in Frankreich und der Slowakei.

In der Schweiz ist man sich derzeit unschlüssig. Setzt sich die Regierung in Bern durch, dann würden die fünf Atomkraftwerke des Landes ersetzt beziehungsweise sogar zwei neue gebaut werden. Das wäre eine Kehrtwende, denn 1998 hatte sich die damalige Regierung für einen Rückzug aus der Kernkraft ausgesprochen. Davor hatten die Eidgenossen in mehreren Volksabstimmungen einen kompletten Ausstieg allerdings abgelehnt und nur einer zehnjährigen Wartefrist für neue Meiler zugestimmt. Diese wäre 2000 zu Ende gewesen. Dass die Schweizer mittlerweile – vor allem aus Gründen des Klimaschutzes – zur Kernkraft neigen, zeigt der Ausgang von zwei Volksabstimmungen im Jahr 2003: Sowohl das Ausstiegsreferendum »Strom ohne Atom« als auch das Referendum »Für längere Wartefristen«, das eine Verlängerung der Wartefristen für den Bau neuer Kraftwerke vorsah, scheiterten.

Interessant ist die Lage in Schweden, wo die Hälfte des Stroms aus Kernkraftwerken kommt. Nach dem Durchbrennen des Reaktors von Harrisburg im US-Bundesstaat Pennsylvania im Jahr 1979 sprachen sich die Schweden für einen Ausstieg aus der Atomkraft aus. Der Reichstag beschloss deshalb ein Jahr später, dass keine weiteren Atomkraftwerke gebaut werden sollen, und leitete einen Ausstieg ein, der bis 2010 vollendet sein soll. Dieser Plan wurde allerdings nur teilweise vollzogen. Stattdessen wurden die Laufzeiten verlängert. Nur die beiden Blöcke des Kernkraftwerks Barsebäck sind inzwischen geschlossen worden. Zugleich wurde die Energieproduktion der verbliebenen Kernkraftwerke in den letzten Jahren beträchtlich erhöht, um die Verluste zu kompensieren. Denn es sollen aus Umweltschutzgründen auch keine weiteren Staudämme gebaut werden. Deshalb ist es unwahrscheinlich, dass das Land den Atomausstieg bis 2010 schafft. Die derzeit laufenden Meiler werden schätzungsweise noch bis zum Jahr 2050 am Netz hängen. Die Zentrumspartei, früher einer der schärfsten Gegner der Atomkraft, hatte vor der Wahl im September 2006 den Ausstieg aus ihrem Programm gestrichen. Meinungsumfragen zufolge sind sogar mehr als vier Fünftel der Schweden der Meinung, dass die Kernenergie aufrechterhalten oder sogar ausgebaut werden soll. Daran hat noch nicht einmal der Störfall im Kernkraftwerk Forsmark Ende Juli 2006 etwas geändert.

In den beiden Supermächten USA und Russland könnte die zunächst forcierte und später vernachlässigte Kernenergie ein Revival erleben. Zwar kann Russland seinen Energiebedarf locker mit eigenem Erdgas decken. Schließlich sitzt das Land auf einem Viertel der Weltreserven. Doch Präsident Wladimir Putin hat entdeckt, welche Macht sich in den russischen Gasquellen verbirgt. Zudem will er den Rohstoff lieber gewinnbringend auf dem Weltmarkt verkaufen, als ihn daheim zu verfeuern. Deshalb plant er ein ambitioniertes Nuklearprogramm, das zusätzlich zu den bestehenden 31 Kraftwerken bis 2030 den Bau von 42 neuen Anlagen vorsieht.

Auch die Regierung von US-Präsident George W. Bush hat sich für neue Atomzentralen ausgesprochen. Seit dem Unfall von Harrisburg waren keine neuen Kernkraftwerke mehr geplant worden. Das 2005 beschlossene Energiegesetz sieht Subventionen für den Bau neuer Kraftwerke vor – die Betreiber können mit umgerechnet 1,8 Cent pro Kilowattstunde rechnen. Zudem sind die Genehmigungsverfahren vereinfacht worden. Inzwischen haben 22 Energieversorger Anträge für den Neubau von 32 Reaktoren bei der Genehmigungsbehörde gestellt. Für 41 Reaktoren ist die Betriebszeit auf sechzig Jahre verlängert worden, oder es liegt zumindest ein Antrag auf Verlängerung bei der Nationalen Atomenergiebehörde NRC vor.

Als neue Kernenergieländer dürften sich in Zukunft China und Indien profilieren. Beide Staaten haben wegen ihres Wirtschaftsbooms einen besonders großen Energiehunger. In China geht jede Woche ein Kohlekraftwerk ans Netz. Zugleich ist die Regierung in Peking bemüht, die Umweltprobleme in den Griff zu bekommen, um nicht als größter Klimasünder des Globus dazustehen. In dem Land, wo es derzeit neun Meiler gibt, soll sich binnen fünfzehn Jahren mit dem Bau von 45 Reaktoren die Kapazität des AKW-Parks verfünffachen. Schaffen will die Pekinger Führung das mit einem standardisierten Typ eines 1000-Megawatt-Meilers heimischer Bauart. Ähnlich ist die Lage in Indien, wo zurzeit acht Atomreaktoren entstehen und 24 in der Planung sind.

Symbolland für die nukleare Renaissance ist jedoch Finnland, das mit einem Reaktorneubau den seit zwanzig Jahren geltenden inoffiziellen Baustopp in Europa beendet hat. Mit dem 1600 Megawatt starken Meiler Olkiluoto 3 entsteht derzeit am Bottnischen Meerbusen an der Westküste des Landes nicht nur der größte Atomreaktor der Welt, sondern auch der erste, der in einem westlichen Industriestaat nach der Katastrophe von Tschernobyl gebaut wird. Er soll 2009 ans Netz gehen – falls alles nach Plan verläuft, wonach es allerdings derzeit nicht aussieht. Das Vorhaben liegt nämlich um anderthalb Jahre im Zeitplan zurück, und vermutlich wird Olkiluoto 3 erst 2011 Strom liefern. Zudem dürfte der Reaktor teurer werden als der vorgesehene Festpreis von 3 Milliarden Euro. Kernkraftgegner sprechen schon von einem »PR-Desaster« für die Kraftwerksbauer, die natürlich ein Interesse daran haben, dass ihr Projekt reibungslos läuft.

Es handelt sich schließlich um den ersten Reaktor der so genannten dritten Generation. Der European Pressurized Reactor (EPR) ist ein Druckwasserreaktor mit verbessertem Sicherheitskonzept, bei dem das Risiko schwerer Unfälle etwa hundertmal geringer sein soll als bei einem Leichtwasserreaktor klassischer Bauart. Die Regierung begründet den Neubau – der fünfte Reaktor Finnlands – mit dem Klimaschutzabkommen von Kyoto. Zudem will das Land sich unabhängiger vom ungeliebten Nachbarn Russland machen, der den Finnen 12 Prozent ihres Strombedarfs liefert.

Entwickelt hat den neuartigen Druckwasserreaktor das deutsch-französische Konsortium Framatome, an dem neben Areva die deutsche Firma Siemens zu gut einem Drittel beteiligt ist. Mit Olkiluoto 3 wird der Nuklearanteil an der finnischen Stromproduktion von einem Viertel auf gut ein Drittel steigen. Allerdings nimmt Finnland wegen seines rauen Klimas und seiner energieintensiven Metallindustrie und Papierbranche einen europäischen Spitzenplatz beim Verbrauch ein: Jeder Finne verbraucht 15 400 Kilowattstunden im Jahr – mehr als doppelt so viel wie jeder Deutsche.

Besonders interessant ist Finnlands Bekenntnis zur Atomenergie, weil zeitgleich mit dem Reaktor am Standort von Olkiluoto auch ein Endlager im Granitgestein entsteht. Dieses wird das weltweit erste Endlager für abgebrannte Kernbrennstäbe sein – und könnte damit den Beweis erbringen, dass eine Endlagerung hochradioaktiven Abfalls möglich ist. Von 2020 an soll hier im 500 Meter tiefen Granit der gesamte finnische Atommüll endgelagert werden. Proteste gibt es übrigens kaum, weder gegen den neuen Reaktor noch gegen das Endlager. Die Finnen haben ein sehr entspanntes Verhältnis zur Atomenergie. Zu einer der wenigen Protestaktionen gegen den Reaktor- und Endlagerbau kamen gerade einmal hundert Demonstranten. Kritik an dem Großprojekt Olkiluoto richtet sich eher gegen die Finanzierung, man wirft der Regierung vor, die Reaktorbauer aus Deutschland und Frankreich mit günstigen Staatskrediten zu subventionieren.

Auch in Frankreich hat im April 2007 der Bau eines EPR begonnen. Das Projekt im normannischen Flamanville gilt als weniger spektakulär als das finnische Vorhaben, schließlich bezieht das Land schon fast vier Fünftel seines Stroms aus

58 Kernkraftwerken. Mit Ausnahme der Grünen und des Globalisierungsgegners José Bové hatten auch alle Parteien im Wahlkampf 2007 um die Präsidentschaft die Kernenergie befürwortet. Selbst die sozialistische Kandidatin Ségolène Royal mochte sich nicht zu mehr als zu einem Moratorium durchringen. Dennoch wird Flamanville zum Testfall für die nukleare Erneuerung werden, schließlich hat auch Frankreich seit zwei Jahrzehnten keinen Reaktor mehr gebaut. Inzwischen altern die französischen Meiler, der erste muss voraussichtlich im Jahr 2017 abgeschaltet werden. Derzeit sind etwa zehn Ersatzkraftwerke des Typs EPR geplant.

Auch wenn sich die derzeit im Bau befindlichen Reaktoren an zwei Händen abzählen lassen – ein Trend zur Nuklearenergie ist kaum zu leugnen. Die Zeichen deuten auch auf mehr als auf eine »weltweite, perfekt organisierte Kampagne« der Atomlobby, wie der SPD-Bundestagsabgeordnete und Vorkämpfer für die Solarenergie, Hermann Scheer, argwöhnt.

Ob die Kernkraft auch langfristig eine Rolle spielen wird, kann sich erst in ein paar Jahren zeigen – wenn klar ist, wie viele Reaktoren tatsächlich gebaut werden und ob diese Zahl ausreicht, um die alten Kraftwerke, die abgeschaltet werden, zu ersetzen. Dass es sich aber beim Revival der Kernenergie um mehr als eine Kampagne der Atombranche handelt, suggeriert zumindest ein Blick auf Großbritannien. Wenn es einen Politiker gibt, der eine besonders feine Nase für sich ankündigende Umbrüche besitzt, dann ist es der frühere britische Premier Tony Blair. Noch 2003 hatte seine Labour-Regierung den Bau neuer Kraftwerke verworfen. Als erster Staatsmann Europas setzte er dann im Jahr 2005 den Klimawandel bewusst auf die Agenda des G-8-Gipfels im schottischen Gleneagles, mittlerweile diskutieren Regierungschefs schon bei jedem Treffen Rezepte gegen die Erderwärmung. Und im Sommer 2006 ging

Blair geradeheraus in die Offensive. Er habe seine Meinung über die Kernenergie geändert, bekannte Blair. Das neue britische Energie-Weißbuch von 2006 sprach sich erstmals deutlich für einen Ersatz der bestehenden Atommeiler aus, inzwischen hat eine Kommission bereits neue Standorte ausgemacht. Solange niemand beweisen könne, dass Energieeffizienz und erneuerbare Quellen das Problem der Erderwärmung lösen könnten, sagte Blair, so lange sei er der Meinung, dass Kernkraft eine Zukunft habe.

Mit seinem Totalausstieg steht Deutschland inzwischen ziemlich allein da.

Reaktor mit geringem Risiko

The China Syndrome kam im Frühjahr 1979 in die amerikanischen Kinos. Der Streifen, in dem Jane Fonda die Hauptrolle einer kalifornischen Reporterin spielt, erzählt eine spannende Geschichte über die versuchte Vertuschung eines Unfalls in einem Kernkraftwerk. Mit China-Syndrom umschreibt der Film das Szenario eines schmelzenden Kerns, der sich in die Erde bohrt und auf der anderen Seite des Globus, in China also, wieder herauskommt. Nicht auszudenken, was die Folgen dieses absolut unwahrscheinlichen Horrorszenarios wären. Zum Glück schrammt im Film der fiktive Atommeiler an der fiktiven Katastrophe vorbei. Nur zwölf Tage, nachdem *The China Syndrome* anlief, kam es in Harrisburg zum GAU. Die Parallele zwischen fiktivem Film- und realem Reaktorunglück ist gespenstisch. Man mag fast nicht glauben, dass es solche Zufälle auf Erden überhaupt geben kann. Ähnlich wie im Film schmolz auch der Kern des Atomkraftwerks Three Mile Island in der Nähe von Harrisburg im US-Bundesstaat Pennsylvania, weil die Reaktorfahrer die Lage völlig falsch einschätzten.

Im Frühsommer 1979 kam der Film nach Deutschland – und für Atomkraftgegner war es Pflicht, den Film anzusehen. Besseres Anschauungsmaterial für den Kampf gegen die unberechenbare Kernkraft konnte es schließlich kaum geben. Der Film bestätigte auch alle Vorurteile, die wir hatten: eine gefährliche Technik, eine berechnende Atomlobby, schutzlos ausgelieferte Bürger.

Three Mile Island, auch als Harrisburg bekannt, war einschneidend für die Geschichte der Nukleartechnik. Es handelte sich um den ersten großen Unfall in einem westlichen Kernkraftwerk, bei dem alle vier Sicherheitsbarrieren versagten. Zwar war es bereits 1957 im britischen Windscale zu einem schweren, tagelang wütenden Brand des Reaktors gekommen, in dessen Folge mehrere Menschen starben. Doch dieser Meiler war einer der primitiven Sorte, der noch nicht einmal eine Sicherheitshülle hatte. Deshalb schockierte der Unfall von Harrisburg besonders – und es lohnt sich, die Kette an Ereignissen bei der weltweit ersten Kernschmelze eines kommerziellen Reaktors genauer zu untersuchen. Schließlich stellt sich die Frage, ob ein solcher Unfall wieder passieren kann. Davon sind viele Kernkraftgegner überzeugt.

Als am frühen Morgen des 28. März 1979 Arbeiter die Kondensatreinigungsanlage des Kraftwerks warteten, fiel die Hauptpumpe im so genannten Sekundärkühlkreislauf aus. Dieser kühlt die Turbine, das Wasser in den Rohren ist nicht radioaktiv. Es war 4.36 Uhr. Warum die Pumpe versagte – möglicherweise war sie defekt, oder jemand hatte die Schläuche falsch angeschlossen –, ist bis heute nicht vollständig geklärt. Doch dieser Ausfall hatte weitreichende Folgen.

Da die Kühlung der Turbine nicht richtig funktionierte, schaltete sich zunächst ordnungsgemäß der Kernreaktor ab, die Regelstäbe fielen automatisch in den Kern und stoppten die Kettenreaktion. Nach einer Abschaltung des Reaktors entsteht aber immer noch eine beträchtliche Menge Wärme, weshalb der Druck im Primärkreislauf des Reaktors, der radioaktives Wasser enthält, in Harrisburg anstieg. Um einen Leitungsbruch zu vermeiden, öffnete sich ein Sicherheitsventil, das sich normalerweise wieder hätte schließen sollen, sobald der Druck unter 155 bar gefallen war. Das geschah jedoch nicht und blieb über einen Zeitraum von mehr als zwei Stunden unbemerkt. Pro Minute entwich eine Tonne Kühlwasser zunächst in den Tank des Druckhalters. Als der voll war, konnte Reaktorkühlmittel offen in den Sicherheitsbehälter des Reaktors fließen. Ein Leck im Primärkreislauf war entstanden – und nichts fürchten Reaktorbetreiber mehr. Normalerweise springen dann weitere Sicherheitssysteme ein. Doch in Three Mile Island zeigten die Anzeigen im Kontrollraum nicht an, dass das Ventil noch offen war. Der Druck im primären Kühlkreislauf sank immer weiter ab.

Zwischenzeitlich war an anderer Stelle des Kraftwerks ein weiteres Problem aufgetreten. Das Notfallkühlwassersystem, das als Reserve für das Hauptsystem dienen sollte, war zweiundvierzig Stunden vor dem Unfall getestet worden. Als Teil des Tests wurden zwei Blockventile geschlossen und sollten am Ende des Tests wieder geöffnet werden. Doch dieses Mal, auch hier ist der Grund nicht klar, wurden die Ventile nicht wieder geöffnet. Mit einer schwerwiegenden Folge: Das Notkühlsystem funktionierte nicht mehr. Dessen Pumpen liefen zwar, konnten aber aufgrund der geschlossenen Blockventile kein Wasser in die Dampferzeuger befördern. Nach acht Minuten bemerkte die Mannschaft die geschlossenen Ventile und öffnete sie. Danach begann das Notkühlsystem ordnungsgemäß zu funktionieren und versorgte die Dampferzeuger mit Wasser.

Dummerweise hatten sich, während der Druck im Primärsystem weiter sank, Dampfblasen außerhalb des Druckhalters gebildet. Die Blasen aber kann man nicht sehen und die Reaktorfahrer vermuteten, der Druckhalter sei mit zu viel Wasser gefüllt. Sie stoppten den Zufluss. Das war gemäß den Regeln, denn die Dampfblase dient dazu, den Druck im Primärkreislauf konstant zu halten. Was die Männer aber nicht wussten: Eine große Dampfblase befand sich im oberen Bereich des Reaktordruckbehälters.

Langsam wurde das Kühlwasser knapp. Nach fast achtzig Minuten stetigen Temperaturanstiegs bockten die Pumpen des Primärkreislaufs, weil sie nicht mehr Wasser, sondern Dampf ansaugten. Sie wurden abgeschaltet, und man glaubte, dass die natürliche Strömung den Wasserfluss aufrechterhalten würde. Doch der Dampf im System der Rohrleitungen blockierte den primären Kühlkreislauf. Das Wasser verwandelte sich in Dampf, der nicht mehr kühlte. Gut zwei Stunden, nachdem die erste Panne passiert war, war der obere Teil des Reaktors nicht mehr von Kühlflüssigkeit umgeben, und er wurde immer heißer. Bei hohen Temperaturen aber reagiert das Zirkonium mit Wasser. Die Reaktion zerstörte die Hüllrohre der Brennstäbe von außen nach innen. Der dabei freigesetzte Wasserstoff sammelte sich zunächst im Reaktordeckel und gelangte später über die offene Verbindung zwischen Druckhalter und Abblasetank zusammen mit dem Kühlmittel in den Sicherheitsbehälter. Darin befand sich aber Luftsauerstoff, es konnte sich demzufolge Knallgas bilden. Das ausgeströmte Kühlmittel sammelte sich an der tiefsten Stelle des Sicherheitsbehälters, dem so genannten Sumpf. Von dort wurde es durch einen Schaltfehler in einen Sammeltank in einem Gebäude mit Hilfsanlagen gepumpt. Der Tank lief schließlich über, und radioaktives Kühlwasser gelangte in das Gebäude.

Um 6 Uhr war Schichtwechsel im Kontrollraum. Die neu Angekommenen bemerkten, dass die Temperatur in den Vorratstanks zu hoch war, und nutzten ein Reserveventil, um den Verlust von Kühlwasser zu beenden. Bis zu diesem Zeitpunkt waren schon 950 Kubikmeter Kühlwasser aus dem primären Kühlkreislauf entwichen. Erst knapp drei Stunden nach dem Beginn des Störfalls meldeten Sensoren radioaktiv kontaminiertes Wasser. Zu diesem Zeitpunkt war die Radioaktivität im primären Kühlkreislauf 300 Mal höher als erwartet.

Es war den Bedienern im Kontrollraum nicht bewusst, dass der primäre Kühlkreislauf sehr wenig Wasser enthielt und mehr als die Hälfte des Kerns nicht mehr mit Kühlwasser bedeckt war. Ungefähr sieben Stunden nach dem Beginn der Unfallkette wurde neues Wasser in diesen Kühlkreislauf gepumpt. Ein Reservesicherheitsventil wurde geöffnet, um den Druck zu reduzieren. Nach neun Stunden entzündete sich das Knallgasgemisch im Sicherheitsbehälter. Es waren fast sechzehn Stunden vergangen, als die Pumpen im Primärkreislauf wieder eingeschaltet wurden und die Kerntemperatur zu fallen begann. Ein großer Teil des Kerns war geschmolzen.

Der Grund des Unfalls lag, wie Experten in der späteren Untersuchung feststellten, in der schlechten Ausstattung des Kontrollraums sowie der unzureichenden Ausbildung der Mitarbeiter. Der Unfall hätte vermieden werden können, so das Fazit der Untersuchungskommission. Hätte das Personal das offene Sicherheitsventil am Druckhalter bemerkt und geschlossen, wäre der Unfall in Three Mile Island ein unbedeutendes Ereignis geblieben. Doch die Schicht verließ sich eben auf eine einzige, fehlerhafte Anzeige. Immerhin: Aus dem Unfall zog man Lehren. Zumindest in westlichen Kernkraftwerken wurden Komponenten verbessert und Betriebsvorschriften verändert.

Der katastrophale Unfall von Three Mile Island geht einher mit zwei guten Nachrichten und einer schlechten. Die schlechte ist, dass dieser Unfall überhaupt passieren konnte, obwohl die Sicherheitssysteme eigentlich so hätten angelegt sein müssen, dass der Kern nicht schmelzen konnte. Die Schäden am Reaktor, der nur drei Monate in Betrieb gewesen war, waren enorm: Ihre Beseitigung dauerte mehr als zwölf Jahre und kostete umgerechnet eine knappe Milliarde Dollar. Von 1985 bis 1990 mussten fast 100 Tonnen radioaktives Material weggeschafft werden. Allerdings war das radioaktive Wasser teilweise in den Beton der Fundamente diffundiert, der nicht mehr beseitigt werden konnte. Das Containment steht deshalb immer noch dort und darf nicht betreten werden.

Die guten Nachrichten: Erstens hat trotz der Schwere des Unfalls das mehrstufige Sicherheitskonzept, das Grundlage der Kernreaktoren ist, funktioniert. Durch eine Verkettung unglücklicher Umstände wurden zwar die ersten vier Barrieren zerstört. Sicherheitsbehälter und Stahlbetonhülle aber hielten stand und verhinderten, dass große Mengen an Radioaktivität nach außen gelangten. Zweitens: Obwohl der radioaktive Wasserdampf teilweise direkt in die Atmosphäre abgelassen wurde, waren die Folgen für die Umwelt überraschend gering. Die durchschnittliche Dosis, die die Anwohner in der 15-Kilometer-Zone um den Reaktor abbekamen, betrug 8 Millirem – das ist etwa so viel, wie eine Röntgenaufnahme der Lunge verursacht. Die maximale Dosis belief sich auf 100 Millirem, was der natürlichen Strahlenbelastung in der Gegend von Three Mile Island entspricht. In einer ersten Langzeitstudie über achtzehn Jahre hinweg wurden, laut einer medizinischen Untersuchung bei rund 30 000 Anwohnern, keine gesundheitlichen Schäden festgestellt, die auf die Strahlung zurückgingen. Allerdings haben einige Studien eine erhöhte Lungenkrebsrate in der Gegend festgestellt – der Beweis, dass diese auf den Reaktorunfall zurückgeht, steht noch aus. Inzwischen weiß man, dass die Gegend von Harrisburg die höchste Radonbelastung der USA hat, was die hohe Zahl an Lungenkrebserkrankungen erklären könnte.

Der zweifellos schwere Unfall von Three Mile Island hat dennoch bei weitem nicht die Folgen gezeitigt wie Tschernobyl. Das liegt nicht nur an der Zahl der Toten von Tschernobyl, sondern auch an der Stimmung damals in den USA. Zwar sank die

Zustimmung zur Kernenergie von 70 auf 50 Prozent. Doch wegen der Ölkrise waren viele Menschen in den USA immer noch der Meinung, dass die Atomkraft Grundlage für billigen Strom und dieser wiederum notwendig für eine brummende Wirtschaft sei. In Deutschland dagegen hatte sich bereits der Widerstand gegen die Atomkraft gebildet.

Und so traf die Reaktorkatastrophe von Tschernobyl auf genau die richtige Stimmung in Deutschland. Dass es sich um einen Unfall handelte, der aus bestimmten Gründen so nicht in einem westlichen Kernkraftwerk passieren konnte, war eher zweitrangig.

Der Unfall Ende April 1986 war die Folge eines außer Kontrolle geratenen Experiments. Der stellvertretende Chefingenieur der Anlage wollte nachweisen, dass es nach einer Reaktorabschaltung ausreichend Strom für die Kühlung gibt, selbst wenn das äußere Stromnetz ausgefallen ist. Nach den Sicherheitsvorschriften hätte dieser Versuch eigentlich bereits vor der kommerziellen Inbetriebnahme im Dezember 1983 stattfinden müssen, und die Folgen wären in einem Reaktor ohne Abbrand nicht so gravierend gewesen. Warum das unterblieb, ist nicht bekannt. Die Hauptursachen für die Katastrophe sind zum einen darauf zurückzuführen, dass der Kernreaktor sowjetischer Bauart RBMK-1000 mit Graphit moderiert wurde und dass er zum anderen in Tschernobyl in einem unzulässig niedrigen Leistungsbereich gefahren wurde.

Der Tathergang: Am 25. April 1986 um 13.06 Uhr wurde der Reaktor heruntergefahren. Doch aufgrund eines Bedienungsfehlers stellte sich die automatische Regelung falsch ein, die Leistung sank auf 30 Megawatt. Dadurch erhöhte sich vorübergehend die Konzentration des Isotops Xenon-135 im Reaktorkern. Leider aber schluckte dieses Xenon-135 die für die nukleare Kettenreaktion benötigten Neutronen, weshalb die Leistung immer weiter abnahm. Als die Betriebsmannschaft am 26. April eine halbe Stunde nach Mitternacht die Leistung des Reaktors durch weiteres Ausfahren von Steuerstäben wieder anheben wollte, gelang ihr das wegen der hohen Xenon-Konzentration nur bis zu etwa 200 Megawatt oder 7 Prozent der Nennleistung. Laut Vorschrift aber darf der Reaktor nicht unterhalb von 20 Prozent der Nennleistung betrieben werden. Trotzdem schaltete die Mannschaft den Reaktor nicht ab.

Normalerweise wäre in einer solchen Situation das Kernnotkühlsystem angelaufen. Dieses war jedoch wegen des Experiments ausgeschaltet. Um dessen Stromverbrauch zu simulieren, wurden nacheinander zwei zusätzliche Hauptkühlmittelpumpen in Betrieb genommen. Mehr Kühlmittel umfloss den Kern und führte Wärme ab. Damit sank auch – wegen der RBMK-Besonderheit – die Zahl der Kernreaktionen, worauf die automatische Reaktorregelung weitere Steuerstäbe entfernte. Der Reaktorzustand verschob sich weiter in den unzulässigen Bereich.

Indem die Mannschaft die Turbinenventile schloss, begann der eigentliche Test. Dadurch wurde die Wärmeabfuhr aus dem Reaktor unterbrochen, sodass die Temperatur des Kühlmittels nun anstieg. Die Leistung stieg ebenfalls an, worauf wiederum die Steuerstäbe eingefahren wurden. Allerdings stabilisierte sich die Leistung nicht, und der Neutronenfluss wuchs weiter. Damit nahm auch wieder das Xenon zu. Reaktivität und Reaktorleistung stiegen weiter an, wodurch immer größere Mengen an Dampfblasen entstanden, die ihrerseits wieder die Leistung erhöhten. Die Effekte schaukelten sich auf. Um 1.23 Uhr löste der Schichtleiter manuell die Notabschaltung des Reaktors aus.

Das geschah, indem alle Steuerstäbe wieder in den Reaktorkern eingefahren wurden. Da jedoch an den Spitzen der

Stäbe Graphitblöcke angebracht waren, verstärkte sich die Kettenreaktion zunächst einmal, bis der Stab tiefer in den Kern eingedrungen war – was ein regelrechter Fehler im Reaktorkonzept ist.

Innerhalb von Sekunden überstieg die Leistung das Hundertfache des Nennwertes, der Kern wurde »überkritisch«.

Die Hitze verformte die Kanäle der Steuerstäbe, sodass diese nicht weit genug in den Reaktorkern eindringen konnten, um ihre volle Wirkung zu erzielen. Die Druckröhren rissen und das Zirkonium der Brennstäbe wie auch das Graphit reagierten heftig mit dem umgebenden Wasser. Wasserstoff und Kohlenmonoxid entstanden in größeren Mengen und konnten aufgrund der Beschädigungen des Reaktorkerns entweichen. Unterhalb des Reaktorgebäudedeckels bildeten diese mit dem Sauerstoff der Luft ein Gas, das sich vermutlich entzündete und zu einer zweiten Explosion führte.

Welche der beiden Explosionen den über 1000 Tonnen schweren Deckel des Reaktorkerns abriss, ist nicht ganz klar. Doch die Explosionen zerstörten auch das Dach des Reaktorgebäudes, sodass der Reaktorkern nun nicht mehr eingeschlossen war und direkte Verbindung zur Atmosphäre hatte. Der glühende Graphit im Reaktorkern fing sofort Feuer. Insgesamt sollten während der folgenden zehn Tage 250 Tonnen Graphit verbrennen. Eine weitere Schwäche des RBMK war, dass er gar keinen Sicherheitsbehälter besaß. Ob dieser überhaupt noch etwas genutzt hätte, ist allerdings fraglich.

Explosionen und Brand bewirkten, dass große Mengen an radioaktiver Materie nach außen gelangten. Da die Temperaturen so hoch waren, wurden die Partikel in großer Höhe freigesetzt und über weite Strecken bis nach Westeuropa verfrachtet. Insbesondere die leicht flüchtigen Isotope Iod-131 und Cäsium-137 bildeten gefährliche Partikel, die in einer radioaktiven Wolke teilweise Hunderte oder gar Tausende Kilometer weit getragen wurden, bevor der Regen sie aus der Atmosphäre auswusch. Erst gegen fünf Uhr gelang es, die Brände außerhalb des Reaktors zu löschen. Rettungsmannschaften schütteten Blei, Bor, Dolomit, Sand und Lehm auf den Kern, um den brennenden Graphit im Kern notdürftig abzudecken.

Die sowjetischen Behörden verschwiegen zunächst den Unfall. Erst zwei Tage später, am 28. April schlugen am Morgen im schwedischen Atomkraftwerk Forsmark die Alarmgeräte aus. Der Verdacht richtete sich wegen der Windrichtung schnell gegen eine sowjetische Anlage. Dann konnten auch die Behörden die Explosion nicht mehr verheimlichen: Am gleichen Tag meldete die amtliche sowjetische Nachrichtenagentur TASS erstmals einen »Unfall« im Atomkraftwerk Tschernobyl.

Die Folgen von Tschernobyl sind hinlänglich bekannt, wenn auch in ihrem Ausmaß immer noch umstritten. Besonders betroffen waren die Liquidatoren, die 200 000 Aufräumarbeiter, die unmittelbar nach dem Unglück an den Ort des havarierten Reaktors geschickt wurden. Tausende von ihnen erhielten innerhalb des ersten Tages nach der Kernschmelze sehr hohe Strahlendosen. Nach Angaben der Weltgesundheitsorganisation sollen insgesamt 600 000 bis 800 000 Liquidatoren eingesetzt worden sein. Laut der ukrainischen Gesundheitsbehörde sind inzwischen 15 000 Liquidatoren gestorben, allerdings auch an anderen Ursachen als den Strahlen. Auffallend viele sollen Selbstmord begangen haben. Die Weltgesundheitsorganisation schätzt, dass insgesamt 50 Menschen an den direkten Folgen der Strahlen gestorben sind und etwa 4000 noch sterben werden, wobei dafür nicht die Radioaktivität, sondern auch Stress oder schlechte Ernährung verantwortlich sein werden.

Etwa 116 000 Personen mussten im Frühjahr und Sommer

die 30-Kilometer-Zone rund um den Reaktor verlassen, später wurden ca. 240 000 weitere Personen umgesiedelt. Für die Bevölkerung wirkte sich vor allem die Aufnahme von radioaktivem Jod aus, das sich in der Schilddrüse einlagert. Zu den bisher am häufigsten beobachteten gesundheitlichen Folgen gehört deshalb ein dramatischer Anstieg der Fälle von Schilddrüsenkrebs bei Menschen aus Weißrussland, Russland und der Ukraine, die zum Zeitpunkt des Unglücks Kinder oder Jugendliche waren. Insgesamt wurden in den genannten drei Ländern bis Anfang 2006 etwa 5000 Fälle diagnostiziert. Mit weiteren Fällen wird noch über viele Jahre gerechnet. Von den betroffenen Patienten waren bis 2002 in Weißrussland 14 gestorben, wobei allerdings sechs aus anderen Ursachen ums Leben gekommen sein sollen.

Andere Krebsarten als Schilddrüsentumore sind schwieriger festzustellen, weil es teilweise Jahrzehnte dauert, bis eine Geschwulst sich bemerkbar macht. Forscher der Internationalen Agentur für Krebsforschung (IARC) konnten bislang mit Ausnahme der Schilddrüsentumore keine erhöhten Krebsraten feststellen, die eindeutig auf Strahlung zurückgehen. Die IARC stützt sich bei ihren Schätzungen auf Risikomodelle, die auf den Erkenntnissen aus dem Atombombenabwurf von Hiroshima und Nagasaki beruhen und eine lineare Dosis-Wirkung-Beziehung annehmen. Das heißt: Man geht davon aus, dass die Folgen einer Bestrahlung umso schlimmer sind, je höher die Dosis ist. Manche Forscher lehnen das ab; sie glauben, dass auch sehr geringe Dosen schädlich sein können. Der IARC zufolge würden bis 2065 in Europa etwa 16 000 Menschen an Schilddrüsenkrebs, 25 000 an anderen Tumoren als Folge von Tschernobyl erkranken. Insgesamt 16 000 von ihnen würden sterben. Die meisten Opfer stammten aus Weißrussland, der Ukraine und den am stärksten kontaminierten Gebieten Russlands. Bei der hohen Zahl von Krebserkrankungen in Europa wird dieser Anstieg aber kaum in den nationalen Krebsstatistiken nachzuweisen sein. Zu weitaus höheren Fallzahlschätzungen kommt der alternative Tschernobyl-Bericht »Torch«: Er schätzt, dass unter den damals lebenden 570 Millionen Menschen zwischen 30000 und 60000 zusätzlich an Krebs wegen Tschernobyl sterben könnten.

Jedes Opfer ist eines zu viel. Und Tschernobyl ist eine Katastrophe vor allem für die Region, wo viele Menschen immer noch an den psychischen Folgen der Umsiedlung und der Strahlenbelastung leiden. Trotzdem lässt sich Tschernobyl nicht als Beleg für die Gefahr der Kernkraft allgemein benutzen. Zum einen wies die Konstruktion des Reaktorstyps RBMK gravierende Mängel auf, denn die Barrieren gegen den Austritt radioaktiver Substanzen waren weitaus geringer als in westlichen Modellen. Insbesondere fehlten Sicherheitsbehälter und Stahlbetonhülle praktisch vollkommen. Anders als in Reaktoren westlicher Bauart überhaupt möglich, wirkten die Regelstäbe wie ein Gaspedal, das die Katastrophe beschleunigte. Zum anderen machte die Bedienungsmannschaft etliche Fehler. Sie schaltete Sicherheitseinrichtungen ab, um zu experimentieren. Sie hielt Betriebsvorschriften nicht ein. Deshalb kann der gleiche Unfall wie in Tschernobyl in einem westlichen Kernkraftwerk mit Sicherheit ausgeschlossen werden.

Was aber ist mit den Zwischenfällen in der Bundesrepublik? Immer wieder passieren Pannen, zuletzt kam es zu einem Schwelbrand im Turbinenhaus des Kernkraftwerks Brunsbüttel, kurz danach entzündete sich die Kühlflüssigkeit in einem Transformatorhäuschen des Kernkraftwerks Krümmel. Noch ist ungewiss, ob beide Feuer zusammenhängen, es könnte sein, dass der Zusammenbruch des Stromnetzes nach der Schnellabschaltung von Brunsbüttel einen Kurzschluss in Krümmel verursachte. Beide Feuer aber haben mit dem Reaktor selbst nichts zu tun, und Brände kommen in jedem Kraftwerk vor. Auch dass die Reaktoren heruntergefahren wurden, bedeutet nicht, dass eine Kernschmelze bevorstand. Es ist völlig normal, dass man die Leistung drosselt, um zu verhindern, dass zu viel Energie in ein defektes System abgeführt wird.

Jede Panne ist eine zu viel. Und wegen der möglichen Gefahr einer radioaktiven Verseuchung müssen die Kraftwerksbetreiber auch jeden Zwischenfall öffentlich machen und restlos aufklären. Entgegen der weit verbreiteten Meinung unter Kernkraftgegnern hat es in Deutschland aber keine schweren Unfälle gegeben, bei denen Menschen in Gefahr waren, weil große Mengen an Radioaktivität nach außen gelangt sind. Die Vorfälle lassen sich an zwei Händen aufzählen.

Der wohl schwerste Unfall geschah im Jahr 1977 im Block A des schwäbischen Kraftwerks Gundremmingen und endete mit einem Totalschaden. Bei kaltem und feuchtem Wetter waren an zwei stromabführenden Hochspannungsleitungen Kurzschlüsse aufgetreten. Bei der Schnellabschaltung des Reaktors kam es zu Fehlsteuerungen, nach etwa zehn Minuten stand im Reaktorgebäude das radioaktive Wasser etwa drei Meter hoch, und die Temperatur war auf rund 80 Grad Celsius angestiegen. Der Reaktor wurde nicht wieder ans Netz gehängt, teils aus politischen, teils aus ökonomischen Gründen, weil die Behörden eine Modernisierung der Leit- und Sicherheitstechnik verlangten.

1978 traten in Brunsbüttel durch einen Abriss eines Stutzens zwei Tonnen radioaktiver Dampf in das Reaktorgebäude aus. Trotzdem lief der Reaktor noch über zwei Stunden weiter, denn die Betriebsmannschaft hatte das automatische Sicherheitssystem manipuliert, um die Anlage am Netz zu halten. Das Kernkraftwerk stand daraufhin mehr als zwei Jahre still.

1986 traten aus dem Hochtemperaturreaktor von Hamm-Uentrop radioaktive Aerosole aus. Einige der kugelförmigen Brennelemente waren zerbrochen und verstopften die Rohre der Befüllungsanlage. Techniker versuchten daraufhin, sie mit hohem Gasdruck frei zu blasen. Der Reaktor musste abgeschaltet werden. Die Betreibergesellschaft versuchte, den Störfall zu vertuschen, der erst durch anonyme Hinweise von Mitarbeitern nachgewiesen werden konnte. Der Reaktor wurde nicht wieder in Betrieb genommen und 1989 endgültig stillgelegt.

Ebenfalls 1986 wurde auf dem Gelände des Kernkraftwerks Krümmel erhöhte Radioaktivität gemessen. Doch ein Störfall im Kraftwerk konnte nicht nachgewiesen werden. Von 1989 an kam es zu einer ungewöhnlichen Häufung an Leukämieerkrankungen in der Region um das Kraftwerk. Später geriet auch das nahe gelegene GKSS-Forschungszentrum (Gesellschaft für Kernenergieverwertung in Schiffbau und Schifffahrt) in Verdacht. Noch heute streiten Forscher über die Ursachen der Leukämie-Cluster, die für Atomkraftgegner ein Beweis für die Gefahren der Nukleartechnik sind.

Im Block A von Biblis klemmte 1987 beim Anfahren des Reaktors ein Ventil und blieb offen. Erst nach fünfzehn Stunden nahm das Betriebspersonal die aufleuchtende Warnlampe ernst, vermutlich hielt man die Ansteuerlogik der Lampe für defekt. Die Mannschaft fuhr den Reaktor nicht sofort herunter, sondern öffnete ein zweites Sicherheitsventil, um das verklemmte Ventil durchzuspülen. Das Ventil schloss nicht, und 107 Liter radioaktives Kühlwasser liefen aus.

2001 übersah man im Kernkraftwerk Philipsburg beim Anfahren von Block 2, dass das Notkühlsystem nicht den Anforderungen des Betriebshandbuches genügte. Nach zwei Wochen wurde der Fehler entdeckt. Die Betreibergesellschaft entschied, den Reaktor nicht abzuschalten. Stattdessen wurde das Notkühlsystem bei laufendem Betrieb entsprechend den Anforderungen des Betriebshandbuchs nachgebessert. Das war ein klarer Verstoß gegen die Regeln: Kraftwerksleiter und zwei Vorstandsmitglieder des Betreibers verloren ihre Posten.

Im selben Jahr ereignete sich in Brunsbüttel eine Wasserstoffexplosion in direkter Nähe des Reaktordruckbehälters, Leitungen rissen. Der Betreiber, die Hamburgischen Electricitätswerke, versuchte den Vorfall zunächst zu verschleiern; Erst nach zwei Monaten wurde das Ausmaß des Störfalls entdeckt.

2004 gerieten zwei Hochspannungsleitungen in der Nähe des KKW Biblis aneinander und verursachten einen Kurzschluss. Daraufhin fiel im Kraftwerk ein Hauptnetzanschluss aus, kurze Zeit später der zweite. Der Reserveanschluss funktionierte ebenfalls nicht. Die Notstromversorgung von Block A und die Eigenbedarfsversorgung von Block B versagten. Allerdings funktionierten die Notstrom-Dieselgeneratoren ordnungsgemäß.

In Neckarwestheim ereignete sich ebenfalls 2004 ein Zwischenfall, bei dem kontaminiertes Wasser aus Block II unbemerkt in den Neckar geleitet wurde. Erstmals musste die Betreibergesellschaft eines Atomkraftwerks ein Ordnungsgeld zahlen, ein Geschäftsführer wurde entlassen.

Insgesamt jedoch sind die Folgen dieser Zwischenfälle in keiner Weise mit Tschernobyl oder Harrisburg vergleichbar. Das liegt auch an der seit den Achtzigerjahren verfolgten Sicherheitsphilosophie westlicher Kernkraftwerke. Zum einen müssen sowohl der radioaktive Primärkreislauf, der den Reaktorkern kühlt, als auch der nicht radioaktive Sekundärkreislauf, der den Dampferzeuger kühlt, vierfach redundant sein. Das heißt: Es muss jeweils mindestens vier parallele Systeme geben. Wenn eine Pumpe ausfällt, müssen drei andere im Prinzip einsatzbereit sein.

In den am meisten verbreiteten Leichtwasserreaktoren dienen immerhin sechs Barrieren zum Zurückhalten der radioaktiven Stoffe:

1. Das natürliche Kristallgitter des Brennstoffs. Bei den Kernspaltungen in einem Reaktor entstehen die Spaltprodukte gewissermaßen als Fremdatome im Kristallgitter des Urandioxids. Solange dieses intakt bleibt, werden sie im Kristallgitter zurückgehalten.

2. Die gasdicht verschweißten Hüllrohre der Brennstäbe schützen den gefährlichen Brennstoff im Inneren. Solange alle Schweißnähte dicht sind und auch sonst kein Loch in einem Hüllrohr auftritt, halten die Hüllrohre alle Spaltprodukte in ihrem Inneren sicher zurück. Allerdings entstehen während des Betriebs im Laufe der Jahre kleine Risse, durch die gasförmige Spaltprodukte wie Jod, Xenon und Krypton in kleinen Mengen entweichen können.

3. Der Reaktordruckbehälter besteht aus etwa 25 Zentimeter dickem Stahl. Zusammen mit den anschließenden Rohrleitungen bildet er ein geschlossenes Kühlsystem, in dem auch die eventuell aus den Hüllrohren austretenden Spaltprodukte eingeschlossen sind.

4. Der thermische Schild schirmt Direktstrahlung aus dem Reaktorkern ab.

5. Der gas- und druckfeste Sicherheitsbehälter (»Containment«) aus etwa vier Zentimeter dickem Stahl oder Spannbeton schützt im Falle eines Lecks im Reaktorkühlkreislauf. Er kann das gesamte austretende Gemisch aus Wasser und Dampf mit allen darin eventuell enthaltenen Spaltprodukten aufnehmen.

6. Der gesamte Sicherheitsbehälter wird von einer anderthalb bis zwei Meter dicken Stahlbetonhülle umgeben, die vor allem Einwirkungen von außen verhindern soll, aber auch ra-

dioaktive Materialien in seinem Inneren zurückhalten kann. Im Prinzip ist die Stahlbetonhülle gegen den Absturz von Verkehrsflugzeugen ausgelegt. Seit dem 11. September wird allerdings kontrovers diskutiert, ob gezielt in den Reaktor geflogene Maschinen die Hülle zum Bersten bringen können.

Nach dem Unfall von Three Mile Island hat man außerdem Sicherheitsmaßnahmen eingeführt, die chemische Explosionen verhindern sollen. Im »Containment« von Druckwasserreaktoren wurden daraufhin an exponierten Stellen so genannte Rekombinatoren installiert, an deren Oberfläche das Knallgas (auch weit unterhalb der Explosionsgrenze) zu Wasser reagiert. Der Sicherheitsbehälter von Siedewasserreaktoren wird im Normalbetrieb mit Stickstoff geflutet, sodass bei einem Unfall zwar freier Wasserstoff entsteht, für die Entstehung von Knallgas aber der Sauerstoff fehlt. Rekombinatoren sind auch im Primärkreislauf installiert. Allerdings ist dennoch im Kernkraftwerk Brunsbüttel im November 2001 ein an den Reaktordeckel angeschlossenes Rohr durch eine Knallgasexplosion zerstört worden.

Die Erfolgsbilanz in westlichen Kernkraftwerken bestätigt, dass das Sicherheitskonzept funktioniert. Immerhin wurden in bisher rund 10 000 Reaktorbetriebsjahren insgesamt über 40 000 Milliarden kWh Strom erzeugt – ohne nennenswerte Gefahr für die Bevölkerung.

Nach der »Deutschen Risikostudie« der Gesellschaft für Reaktorsicherheit von 1989 ist für eines der deutschen Kernkraftwerke alle 33 000 Betriebsjahre mit einem schweren Unfall der Meldestufe sechs (auf der internationale Skala von eins bis sieben) zu rechnen. Das heißt: Bei siebzehn laufenden Kernkraftwerken, von denen jedes dreißig Jahre lang am Netz hängt, liegt die Wahrscheinlichkeit, dass sich während der gesamten Laufzeit aller Kernkraftwerke ein schwerer Unfall mit Freisetzung von Radioaktivität ereignet, bei knapp 2 Prozent. Kernkraftgegner monieren, dass bei dieser Studie Sabotage oder panikbedingte Fehlentscheidungen des Personals wie in Harrisburg nicht berücksichtigt sind. Andere Studien, insbesondere die der Internationalen Atomenergiebehörde in Wien, kommen wiederum zu niedrigeren Unfallswahrscheinlichkeiten, da nachgerüstete Kernkraftwerke und erst recht neue Modelle über weitergehende Sicherheitssysteme verfügen. So wird das Risiko eines Unfalls mit Reaktorschaden für den neuen Europäischen Druckwasserreaktor, der derzeit in Finnland und Frankreich gebaut wird, mit eins pro einer Million Betriebsjahre angegeben.

Die Strahlenmengen, die aus einem Kernkraftwerk im Normalbetrieb entweichen, sind extrem gering. Und im Übrigen ungefähr so hoch wie die eines Kohlekraftwerkes. Denn Kohle enthält kleine Mengen an Uran und Thorium, bei der Verbrennung entweichen radioaktive Gase und Zerfallsprodukte aus dem Schornstein. Die jährliche Dosis, die Menschen dadurch im Durchschnitt erhalten, liegt unter einem Hundertstel Millisievert – das ist die Einheit für die effektive Belastung. Zum Vergleich: Die Menschen in der Umgebung des brennenden Reaktors von Tschernobyl haben teilweise 500 Millisievert abbekommen, eine Dosis, bei der sich bereits das Blutbild verändert. In Bayern summierten sich die Folgen von Tschernobyl für die Bevölkerung auf etwa 1 Millisievert. Insgesamt macht die Belastung der Atom- und Kohlekraftwerke höchstens 5 Prozent der künstlichen Radioaktivität aus, der Menschen in Deutschland im Durchschnitt durch Röntgenaufnahmen oder andere nuklearmedizinische Untersuchungen wie PET-Aufnahmen ausgesetzt sind. Eine Röntgenaufnahme der Brust etwa schlägt bereits mit 1,9 Millisievert zu Buche.

Für den Durchschnittsbürger dürfte die größte Belastung

die natürliche Strahlen sein. Kosmische Strahlen machen eine Dosis von 0,3 Millisievert im Jahr aus, die terrestrische Strahlung kann – je nach Ort – bis zu 1,2 Millisievert betragen. So viel Radioaktivität sind Menschen im Schwarzwald und im Bayerischen Wald ausgesetzt, während die Bewohner im Flachland mit nur 0,6 Millisievert jährlich leben müssen. Ein Transatlantikflug übrigens belastet den Körper mit so viel Strahlung wie ein ganzes Jahr im Schwarzwald.

Und was ist mit Forsmark?, mag mancher fragen. Ende Juli 2006 kam es zu einem Störfall in dem schwedischen Kernkraftwerk. Während Kernkraftgegner vom schwersten Unfall seit Tschernobyl sprachen, stuften Schwedens Kernkraftaufsichtsbehörde SKI sowie die Internationale Atomenergiebehörde IAEO das Geschehen nur als Zwischenfall der Stufe zwei (von eins bis sieben) ein. Am 25. Juli war der Block 1 in Forsmark an der mittelschwedischen Ostseeküste nördlich von Uppsala nach einem Kurzschluss in einem Stellwerk automatisch ausgeschaltet worden, weil zwei Reservegeneratoren zur Kühlung des Reaktorwassers nicht angesprungen waren. Bedenklich ist jedenfalls, dass zwei Sicherheitssysteme aus demselben Grund versagten – und damit auch die grundlegende Sicherheitsphilosophie der Redundanz infrage gestellt ist.

Zudem räumte der Konzern Vattenfall, der das Kraftwerk betreibt, in einem späteren Untersuchungsbericht generelle Sicherheitsprobleme ein. Wegen »starker Belastungen« durch hohe Produktion und Modernisierungsarbeiten habe man nicht immer alle Sicherheitsfragen so behandelt, wie es sein sollte. Außerdem mussten nach einem Alkoholtest bei fünfundzwanzig Personen drei Mitarbeiter nach Hause geschickt werden. Die drei Reaktoren in Forsmark liefern etwa 17 Prozent der gesamten Elektrizität des Landes. Bis 2013 sollen insgesamt 440 Millionen Euro investiert werden, um die Lebensdauer der

Reaktoren zu verlängern sowie die Produktion um 410 Megawatt auf 3630 Megawatt zu steigern. Diese Umbauarbeiten seien teilweise auf Kosten der Sicherheit gegangen, stellte die konzerninterne Analyse fest. Insgesamt habe es im vergangenen Jahr 22 Unfälle und 68 Zwischenfälle gegeben, von denen einige »Unfälle mit potenzieller Todesfolge waren«.

Das ist natürlich starker Tobak. Solche Vorfälle, wie auch der Unfall in Krümmel im Juni 2007, stören nachhaltig das Vertrauen in die Kraftwerksbetreiber. Dass sie die Anlagen verantwortungsbewusst fahren, ist eine grundlegende Voraussetzung dafür, dass Kernkraftwerke überhaupt betrieben werden dürfen. Und wer bestehende Anlagen länger laufen lassen will, darf nicht den Funken eines Verdachts aufkommen lassen, dass dabei auch nur eine Sekunde lang die Sicherheit vernachlässigt wird. Ältere Kraftwerke brauchen zwangsläufig mehr Wartung, weil Teile verschleißen. Diese Wartung wird mehr Geld und Zeit kosten als bei einer neueren Anlage. Doch daran darf keinesfalls gespart werden. Und sollte sich herausstellen, dass es in Brunsbüttel oder Krümmel wegen Altersschwäche zu dem Brand gekommen ist, dann muss tatsächlich ernsthaft erwogen werden, die Kraftwerke möglichst bald dauerhaft vom Netz zu nehmen.

Ein Restrisiko bleibt immer, wie bei jeder Technik. Bei der Kernkraft sind wegen der potenziellen radioaktiven Verseuchung ganzer Landstriche die Folgen eines Unfalls katastrophaler als bei einem Kohlekraftwerk. Wenn in Zukunft neue Reaktoren gebaut werden sollen, dann muss die Wahrscheinlichkeit großer Katastrophen praktisch null sein.

Deshalb hat man in den vergangenen Jahrzehnten versucht, das Risiko der Leichtwasserreaktoren weiter zu reduzieren. Der European Pressurized Reactor (EPR) ist ein Reaktor der »dritten Generation«. Er funktioniert nicht nach einem neuen Prinzip, aber mit einem verbesserten Design, das Ingenieure von Siemens und dem französischen Konzern Areva entwickelt haben. Sie haben dabei versucht, Bedenken von Atomkritikern Rechnung zu tragen – insbesondere den Folgen eines Flugzeugabsturzes und dem Risiko einer Kernschmelze. Zum Beispiel besitzt der EPR, anders als bisherige Leichtwasserreaktor-Modelle, ein Auffangbecken für den geschmolzenen Kern. Eine doppelte Reaktorkuppel soll bei einem Absturz von Verkehrsmaschinen schützen. Zudem verfügt der EPR über zusätzlich Ventile am Druckhalter, die Lecks im Kühlkreislauf besser beherrschbar machen sollen.

Doch die prinzipiellen Sicherheitsbedenken kann auch das EPR-Design nicht zerstreuen. Selbst wenn es unwahrscheinlich ist – auch der Kern des EPR kann schmelzen. Kritiker monieren, dass der EPR – im Gegensatz zu anderen Weiterentwicklungen, etwa den »AP-Modellen« der US-Firma Westinghouse, auf »aktive« Sicherheitssysteme vertraut, die Strom brauchen. Wenn der Strom ausfällt, sind die Risiken groß. Außerdem produziert der EPR hochstrahlenden Atommüll, wenn auch etwas weniger als herkömmliche Reaktortypen. Deshalb forschen Experten bereits an Reaktoren der »vierten Generation«, die inhärent sicher sind. Gemeint ist damit, dass die Wahrscheinlichkeit eines Schadens am Reaktorkern geringer ist als eins pro zehn Millionen Reaktorjahre, was zehnmal weniger ist als beim EPR. Sie sollen zudem weniger strahlenden Abfall produzieren und billiger sein. Ein ganz neuer Wurf sozusagen. Seit Anfang 2000 haben sich Wissenschaftler in dem Forschungsverbund »Generation IV International Forum for Advanced Nuclear Technology« (GIF) zusammengeschlossen – deutsche Experten fehlen allerdings, weil die rot-grüne Bundesregierung mit dem Ausstiegsbeschluss auch die Reaktorforschung zurückgefahren hatte. Inzwischen hat GIF sechs Typen ausgewählt, die bis 2030 weiterentwickelt werden sollen.

Alle Designs brechen radikal mit dem bisherigen Stand der Technik. Der Brennstoff wird so verpackt, dass es schwierig ist, Material für Waffen abzuzweigen. Brennen sollen die Reaktoren bei hohen Temperaturen von 1000 Grad, was die Stromgewinnung effizienter macht. Schließlich sollen die Reaktoren durch spezielle kernphysikalische Reaktionen einen Teil ihres eigenen Abfalls verbrennen, weshalb weniger und auch weniger gefährlicher Müll entstünde.

Drei der sechs Typen arbeiten mit schnellen Neutronen, sind also eine Art Schneller Brüter. Allerdings brauchen sie die Technik der Wiederaufarbeitung – und angesichts der Vorbehalte dagegen und gegen die bisherige Brütertechnik ist fraglich, ob diese Modelle sich in Europa durchsetzen können. Chancenreicher könnte der Ultrahochtemperaturreaktor sein, der dem deutschen Hochtemperaturreaktor von Hamm-Uentrop ähnelt, der im Forschungszentrum Jülich entwickelt wurde. Er kann schon aufgrund der Naturgesetze auch bei gröbsten Betriebsfehlern nicht in einen gefährlichen Zustand gebracht werden, wie der frühere Hamburger Umweltsenator und Chef des Windenergieunternehmens Repower, Fritz Vahrenholt, sagt.

Wenn überhaupt einmal wieder ein neuer Reaktor in Deutschland gebaut wird – was Vahrenholt für möglich hält, falls die Endlagerfrage gelöst ist –, dann werde es ein Kraftwerk der vierten Generation sein. Wenn bis dahin die Menschen nicht die Energie der Sonne auf die Erde geholt haben. Nicht in Form der Strahlen, sondern als Fusionsenergie: Die Verheißung, ähnlich wie im Inneren der Sonne Atomkerne zu verschmelzen und die Energie anzuzapfen, ist ein alter Traum. Das Prinzip klingt einfach: Bei extrem hoher Temperatur vereinigen sich die Kerne des Wasserstoffisotops Deuterium zu Helium und setzen dabei Energie frei. Die Ausbeute ist gigantisch: Ein Kilo Wasserstoff, das zu Helium fusioniert wird, liefert so viel Energie wie 10 000 Tonnen Steinkohle. Die Vorteile der Fusion liegen auf der Hand: Der Brennstoff ist in praktisch unendlichen Mengen auf der Erde verfügbar. Ein Fusionsreaktor kann nicht »durchgehen«, er ist inhärent sicher. Und der Abfall strahlt zwar auch, ist aber bei weitem nicht so gefährlich und langlebig wie der Müll aus einem Kernkraftwerk. Außerdem bildet sich bei der Fusion kein Kohlendioxid, und verglichen mit erneuerbaren Quellen wie Sonne und Wind würde ein Reaktor Tag und Nacht laufen, unabhängig vom Wetter.

Und die Nachteile? Die Technik ist sehr, sehr schwierig – viele Milliarden Euro sind inzwischen bereits investiert worden. Waren Physiker noch in den Fünfzigerjahren davon überzeugt, dass sie innerhalb von zwanzig Jahren eine Fusionsmaschine bauen könnten, so lautete die Vorhersage in den vergangenen Jahrzehnten stets: fünfzig Jahre. Das wesentliche Problem besteht darin, dass man das Wasserstoffgas (Plasma) auf mehrere hundert Millionen Grad bringen muss, damit es überhaupt zündet. Dafür braucht man zunächst einmal enorme Mengen an Energie, im Grunde ist also ein kleines Kraftwerk nötig, um das Plasma zu erhitzen. Eine weitere Schwierigkeit ist die Geometrie: Das heiße Gas darf nicht die Wände des Gefäßes berühren, denn sonst würde es sofort abkühlen: Das am meisten versprechende Design ist ein »Tokamak«, ein Ring, in dem riesige Magnetspulen das Plasma in der Schwebe halten.

In dem internationalen Experiment ITER (Internationaler thermonuklearer experimenteller Reaktor) haben sich zahlreiche Forschergruppen aus aller Welt, auch aus Deutschland, zusammengeschlossen, um zu beweisen, dass es möglich ist, einen Tokamakreaktor zu bauen. ITER geht übrigens auf die früheren Präsidenten der USA und der Sowjetunion, Ronald Reagan und Michail Gorbatschow, zurück, die gegen Ende des Kalten

Krieges ein Zeichen der Versöhnung setzten wollten. ITER hat Höhen und Tiefen erlebt. Noch vor einigen Jahren stand das 10-Milliarden-Euro-Projekt vor dem Aus. Die USA hatten sich zurückgezogen, später stritt man darum, wo der Versuchsreaktor gebaut werden sollte. Inzwischen jedoch verspüren die ITER-Forscher Aufwind. Amerika ist wieder mit von der Partie, und man konnte Japan davon überzeugen, dabeizubleiben, obwohl ITER dort nicht gebaut wird: Die an ITER beteiligten Länder einigten sich 2006 auf das südfranzösische Cadarache. Dort soll noch im Jahr 2007 der erste Spatenstich gesetzt werden.

Das Dilemma der Fusion ist: Falls sie funktioniert, wäre die Menschheit ihre ganzen Energiesorgen los. Im Vergleich zu Energiekosten, die weltweit jährlich mehrere Billionen Euro betragen, sind die paar Milliarden für ITER vermutlich auch gut investiert. Allerdings weiß niemand, ob es wirklich gelingen wird, ein Kraftwerk zu vertretbaren Kosten zu bauen. Es wird nämlich tatsächlich mindestens fünfzig und vermutlich eher knapp hundert Jahre dauern, bis die ersten kommerziellen Fusionsmeiler Strom erzeugen. Fusion ist deshalb nicht die Energiereform, mit der sich kurzfristig das Klima retten lässt.

Tief unten im Salzstock

Ob der Castor voll oder leer ist, stört die Demonstranten im Wendland nicht. Im Mai 2007 war es wieder einmal so weit: Ein Lastwagen transportierte den Atombehälter – diesmal ohne Inhalt. Die Atomkraftgegner kamen trotzdem, und blockierten die Zufahrtsstraße zum Zwischenlager Gorleben. Dass der Laster für die zwanzig Kilometer lange Strecke fast drei Stunden brauchte, freute die paar hundert Protestierer.

Streng genommen handelte es sich bei dem jüngsten Castor-Transport auch gar nicht um einen Castor-Behälter, sondern um den neuen Typ TN 85. Das französische Fabrikat hat, anders als der Castor, keine in die Behälterwand eingelassenen Kunststoffstäbe zum Abschirmen der Neutronen. Die örtliche Bürgerinitiative befürchtet deshalb, dass Neutronen- und Gammastrahlen bei Transportunfällen leichter entweichen können. Dann doch lieber einen Castor?

Der Castor (*ca*sk for *s*torage and *t*ransport *o*f *r*adioactive material), genauer gesagt: seine Lagerstätte, ist zum neuen Symbol der Anti-Kernkraftbewegung geworden. Der Protest entzündet sich nicht mehr so sehr an den vermeintlich unsicheren Atommeilern, sondern vor allem am möglichen Endlager Gorleben in Niedersachsen. Das ist zwar noch nicht genehmigt, doch die Gegner befürchten, dass mit jedem Transport das Schicksal von Gorleben ein Stückchen weiter zementiert wird. Bis 2008 rollen noch Transporte von der französischen Wiederaufarbeitungsanlage La Hague nach Gorleben, von 2009 an soll strahlender Abfall aus dem britischen Sellafield ins Wendland gebracht werden. Achtzig Castoren stehen bereits in einer Halle im Gorlebener Wald, dem Zwischenlager, Platz gibt es für 420.

Dass Deutschland noch immer kein Endlager für hochradioaktiven Abfall hat, ist gewissermaßen zur Achillesferse der Atomenergie geworden – die ungelöste Entsorgung behindert die Kernkraft. Mit einem »Flugzeug ohne Landeplatz« verglich einmal die *Frankfurter Allgemeine Zeitung* die Kernkraft in Deutschland. Für viele ist nicht mehr die Angst vor dem GAU, sondern das Müllproblem zum Hauptgrund dafür geworden, die Nuklearenergie abzulehnen. Solange man nicht wisse, wohin mit dem Abfall, sei es unverantwortlich, Kernkraftwerke zu betreiben.

Tatsächlich ist die Frage des richtigen Endlagers mit die schwierigste des gesamten Nuklearkreislaufs. Vielen Menschen erscheint es unheimlich, Abfälle, die Jahrtausende strahlen, in der Erde zu vergraben. Was, wenn die Behälter nicht mehr dicht sind? Wenn ein Stollen einbricht? Wenn man aus irgendeinem Grund das Zeug doch wieder nach oben holen muss? Praktische Erfahrungen fehlen, man muss sich auf geologische Abschätzungen verlassen. Viele Menschen haben das Gefühl, dass hier ein Problem auf künftige Generationen abgewälzt wird.

Genau das aber gilt auch für die Energieformen, bei denen Kohlendioxid entsteht. Das Treibhausgas gelangt entweder in die Atmosphäre und heizt den Globus auf – mit schwerwiegenden Folgen. Oder es muss ebenfalls endgelagert werden. Die Techniken der Abscheidung und Lagerung von CO_2 jedenfalls sind längst nicht ausgereift, Kosten und Risiken sind unklar. Inzwischen spricht auch einiges dafür, dass es möglich ist, ein sicheres atomares Endlager zu bauen. Viele Experten, sogar Atomkritiker, sind jedenfalls davon überzeugt. Das Argument, dass kein Land der Erde ein Endlager habe, stimmt auch nicht mehr: Finnland baut derzeit eines.

Um zu verstehen, warum die Endlagerfrage eine so mühselige ist, lohnt ein Blick zurück. Die Atompioniere der ersten Stunde machten sich überhaupt keine Gedanken über die Frage, wohin mit dem Abfall. Werner Heisenberg, immerhin Physik-Nobelpreisträger, befand im Jahr 1955, dass es ausreiche, den Müll drei Meter unter der Erde zu vergraben, um ihn unschädlich zu machen. Auch sein Kollege Carl Friedrich von Weizsäcker war überzeugt, dass man es mit einer Lappalie zu tun haben werde: Der gesamte Atommüll, der in der Bundesrepublik bis zum Jahr 2000 anfallen werde, könne in einem zwanzig Meter langen Kasten versiegelt und in einem Bergwerk versteckt werden, sagte Weizsäcker 1969.

Weizsäcker irrte gewaltig: Bis zum genannten Zeitpunkt hatte sich zwanzigmal mehr hochradioaktiver Abfall angesammelt, als er dachte. Und die Regeln der Internationalen Atomenergiebehörde, nach denen der Müll eingelagert werden muss, sind dann doch ein wenig komplizierter und fordern mehr als nur das Einsperren in einem Kasten: Sie sehen im Wesentlichen vor, dass die Abfälle so tief unter die Erde gebracht werden, dass keine Radioaktivität entweicht und dass künftige Generationen keinen Ärger damit haben. Das heißt im Prinzip, dass die Gesteinsformation sich nicht mehr verändern und dass kein Wasser ins Endlager eindringen darf. Ansonsten könnten die Müllbehälter verrotten, und die Radioaktivität würde entweichen.

Weniger problematisch ist dabei der schwach- und mittelaktive Abfall. Er stammt bislang größtenteils aus der Medizin. Große Mengen werden auch anfallen, wenn Kernkraftwerke abgebaut werden. Diese Art Müll lässt sich wegen der verhältnismäßig geringen Strahlung einfach handhaben. Zudem gibt es mit Schacht Konrad inzwischen dafür ein Endlager.

Der Streit um den Atommüll betrifft daher vor allem den hochradioaktiven Abfall – im Wesentlichen sind das die abgebrannten Brennelemente. Sie sind hochgefährlich: Eine Minute neben einem Kernbrennstab kann zu einer tödlichen Dosis führen. Da bei der Spaltung von Uran Plutonium entsteht, das mit einer Halbwertzeit von 24 000 Jahren zerfällt, strahlen die Kernbrennstäbe viele Jahrtausende lang. Deshalb werden die Stäbe in die Castor-Behälter gepackt. Die Castoren müssen einen Aufprall aus neun Metern Höhe auf eine Betonplatte sowie aus einem Meter auf einen fünfzehn Zentimeter dicken Stahldorn überstehen. Ein dreißig Minuten dauerndes Feuer darf ihnen nichts anhaben, auch nicht ein hoher Druck.

In Deutschland ist die Suche nach einem Endlager von Anfang an etwas verquer gelaufen. Nachdem Experten in den Sechzigerjahren beschlossen, dass ein Salzstock das beste Endlager sei, suchte man nur Standorte bei Salzbergwerken. Von zunächst 140 Salzstöcken kamen 24 Orte und später drei Standorte in Niedersachsen in die nähere Auswahl, Gorleben gehörte nicht dazu. Dennoch beschloss die Regierung von Niedersachsen im Jahr 1977, der Bundesregierung Gorleben als Endlager anzubieten. Kritiker monieren, dass keine richtigen vergleichenden Untersuchungen stattgefunden und geologische Argumente keine Rolle gespielt hätten, sondern vielmehr die Tatsache, dass Gorleben dicht an der damaligen Grenze zur DDR lag. Ganz von der Hand weisen lässt sich das Argument nicht. Seit der Entscheidung des damaligen niedersächsischen Ministerpräsidenten Ernst Albrecht regt sich Widerstand gegen Gorleben, der betroffene Landkreis Lüchow-Dannenberg wurde zum wichtigen Symbol des Widerstands gegen die Atomkraft. Im Mai 1980 wurde das Hüttendorf »Republik Freies

Wendland« gegründet. Der Protest blieb nicht nur die Sache von ein paar radikalen Atomgegnern: Der damalige Juso-Vorsitzende und spätere Bundeskanzler Gerhard Schröder erklärte sich mit den Besetzern solidarisch, einen Monat später wurde das Hüttendorf geräumt.

1998 wurde der Grüne Jürgen Trittin Umweltminister. Er hatte Gorleben früher als »Schwarzbau« bezeichnet, und es dauerte nicht lange, bis er die Erkundungen stoppte – kurz bevor nach zwanzig Jahren eine endgültige Bewertung von Gorleben vorliegen sollte.

Trittin beschloss 1999 ein neues Auswahlverfahren. Er berief einen Arbeitskreis Endlager, in dem auch Atomkritiker vertreten waren. Die Mitglieder sollten Kriterien für ein »transparentes und demokratisches« Auswahlverfahren aufstellen. Ende 2002 schlug der Arbeitskreis vor: Von 2010 bis 2020 sollen geologische Formationen – Salz, Ton oder Granit – an mindestens zwei Standorten untersucht werden, allerdings nur, wenn die Bevölkerung zustimmt. Der Müll soll eine Million Jahre fest verschlossen aufbewahrt werden. Eine Rückholung, wie von manchen Kernkraftgegnern gefordert, soll nicht möglich sein. Dass der Arbeitskreis sich überhaupt auf ein Verfahren geeinigt hatte, war ein Erfolg, weil auch die Kritiker zugestimmt hatten.

Zugleich wurde Gorleben mit einem Moratorium belegt, festgeschrieben in der Vereinbarung zwischen der Bundesregierung und den Energieversorgungsunternehmen über den Ausstieg aus der Atomenergie. Mindestens drei, höchsten jedoch zehn Jahre darf in Gorleben nicht mehr erkundet werden. Stattdessen sollen wieder einmal prinzipielle Fragen der Endlagerung geklärt werden. 2005 gab das Bundesamt für Strahlenschutz dazu einen Bericht ab. Wesentliches und wenig überraschendes Ergebnis: Sowohl Salz als auch Ton und Granit sind geeignete Gesteinsformationen. Damit wollte man verhindern, dass Gorleben als einzig geeignete Lagerstätte erschien, es sollen vielmehr erneute Vergleiche zwischen verschiedenen möglichen Standorten angestellt werden. Dagegen haben die Energieversorger stets protestiert. Sie verweigern eine Teilnahme an einer neuen Suche. Es spräche schließlich nichts gegen ein Endlager Gorleben, so die Stromproduzenten, zudem hätten sie bereits 1,5 Milliarden Euro in Gorleben investiert. Schützenhilfe erhielten sie von der konservativ-liberalen Koalition von Christian Wulff in Niedersachsen, die seit März 2003 regiert und die an Gorleben festhalten will.

Die Große Koalition in Berlin hat sich vorgenommen, bis zum Ende der Legislaturperiode 2009 eine Entscheidung über ein Endlager für hochradioaktive Abfälle zu treffen. Der Ausgang ist unklar, schließlich sind die Koalitionäre in Sachen Kernenergie zutiefst gespalten. Die Union würde mit Unterstützung von Wulff Gorleben möglichst schnell ausbauen, SPD-Umweltminister Sigmar Gabriel will der Empfehlung des Arbeitskreises folgen und besteht auf einer ergebnisoffenen Suche. Der Schlagabtausch geht weiter: Im Frühjahr 2007 veröffentlichte die Bundesanstalt für Geowissenschaften und Rohstoffe – immerhin eine Behörde des Bundes – eine Studie über die Eignung von Tongestein für ein Endlager. Das Fazit: Salz sei besser geeignet als Ton. Das Moratorium für Gorleben solle deshalb aufgehoben werden. Umweltminister Gabriel protestierte prompt.

In Ermangelung eines Endlagers hatte die rot-grüne Regierung im Atomgesetz von 2005 festgeschrieben, dass die abgebrannten Brennelemente jeweils dort zwischengelagert werden müssen, wo sie verwendet worden sind, also auf dem Gelände des Kraftwerks. Damit sollten Transporte ins Zwischenlager Gorleben vermieden werden. Die bis dahin übliche Verschickung der Brennstäbe in die französische Wiederaufarbeitungsanlage La Hague ist seitdem verboten. Inzwischen sind für etliche Kernkraftwerke Zwischenlager genehmigt worden.

Gorleben dürfte nicht das einzige mögliche Endlager auf deutschem Boden sein. Andererseits spricht aus geologischer Sicht nichts gegen den Salzstock. Er hat sich in mehr als 170 Millionen Jahren gebildet und Geologen zufolge seit 70 Millionen Jahren nicht mehr verändert. Experimente mit Bohrkernen aus Steinsalz haben gezeigt, dass diese extrem stabil sind und notfalls hohem Druck und extremen Temperaturen standhalten. Wenn jedes deutsche Kernkraftwerk dreißig Jahre läuft, dann müssen insgesamt 12 000 Tonnen abgebrannte Brennstäbe gelagert werden – ein Leichtwasserreaktor mit einer Leistung von einem Gigawatt produziert etwa 50 Kubikmeter pro Jahr. Im Vergleich zu der Menge an toxischem Industrieabfall ist das übrigens ziemlich wenig. Sollten die Laufzeiten der Kraftwerke verlängert werden, dann entstünde natürlich entsprechend mehr Müll. Doch ein Endlager muss ohnehin gebaut werden, und in Gorleben wäre genug Platz. Das noch fehlende Endlager ist jedenfalls kein Argument dafür, den Ausstieg zu forcieren und Kernkraftwerke vorzeitig vom Netz zu nehmen.

Manche plädieren nun für eine internationale Lösung. Sogar Kernenergiegegner nach dem Motto: »Alles außer Gorleben.« Dafür würden sie sogar den Müll nach Russland schicken, das sich bereits als Abnehmer angeboten hat. Für kleine Länder, für die eine Endlagersuche zu aufwändig und teuer ist und die vielleicht sogar keine geologisch geeigneten Standorte haben, mag das noch angehen. Doch eine Industrienation wie Deutschland, die eine große Zahl an Kernkraftwerken betreibt, muss ihren Müll selbst beseitigen. Das sagt selbst der Atomkritiker und Mitglied der Reaktorsicherheitskommission, Michael Sailer. Er hat die politische Strategie der Gorleben-Gegner, mit allen erdenklichen Tricks ein Endlager zu torpedieren, stets kritisiert. Ein großer Wunsch von ihm sei, sagte er einmal der *Zeit*, dass noch zu seinen Lebzeiten ein deutsches Endlager für hochradioaktiven Müll in Betrieb gehe.

Deutschland steht mit seinen Endlagerproblemen freilich nicht allein da. Auch die USA ringen seit Jahren um einen Standort, die Geschichte des geplanten zentralen Endlagers Yucca Mountain in der Wüste des US-Bundesstaat Nevada ähnelt in frappierender Weise der von Gorleben, wenn es auch wegen der Abgeschiedenheit dort kaum Proteste vor Ort gibt. 1978 begann das Energieministerium in Washington, den lang gestreckten Bergrücken hundert Meilen nordwestlich von Las Vegas zu untersuchen. Nachdem Mitte der Achtzigerjahre von zehn möglichen Endlagern drei ausgewählt wurden, startete eine genauere Exploration. Bereits 1987 beschloss der Kongress, dass das Ministerium sich auf Yucca Mountain konzentrieren solle. Mit der Unterstützung von Präsident George W. Bush begannen 2002 die Genehmigungsverfahren. Allerdings hat sich der Gouverneur von Nevada stets gegen das Vorhaben ausgesprochen. Auch eine Mehrheit der Bevölkerung ist gegen das Endlager; die Bürger von Nevada argumentieren, sie hätten schließlich noch nicht einmal ein Kernkraftwerk in ihrem Bundesstaat und müssten viele Transporte von abgebrannten Brennelementen ertragen. Mit dem Sieg der Demokraten bei den Kongresswahlen 2006 haben die Gegner Aufwind erhalten. Der demokratische Senator aus Nevada, Harry Reid, hat dem Endlager in seinem Bundesstaat den Kampf angesagt. Yucca Mountain sei tot, sagte er.

Zum heutigen Zeitpunkt hat ein Konsortium unter der Führung der Bechtel Corporation, des größten Bauunternehmens der USA, mit 1300 Mitarbeitern einen Tunnel in den Berg gegraben. Dort soll in Seitentunneln 300 Meter unter der Erdoberfläche der Abfall gelagert werden. Insgesamt 7 Milliarden Dollar sind bis jetzt investiert worden – Yucca Mountain gilt als das geologisch am besten erforschte Gelände der Welt. Nun soll eine neue unabhängige Kommission unter der Leitung des Oakridge Labors den Berg erneut prüfen. Strittig ist vor allem, wie wahrscheinlich ein Wassereinbruch ist. Zuletzt hatten Hydrologen des U.S. Geological Survey gemutmaßt, dass Gutachten bezüglich der Sicherheit manipuliert wurden.

Möglicherweise aber wird das finnische Endlager nun der Suche in Deutschland und anderen Ländern Auftrieb geben. In Finnland wird seit 2003 an der Südwestküste am Standort des Kernkraftwerks Olkiluoto im Granit ein Endlager für hochradioaktiven Müll gebaut. Für schwach- und mittelaktiven Abfall gibt es dort bereits ein Lager. Nach einem Beschluss des Parlaments in Helsinki von 2001 war es zu einem Auswahlverfahren gekommen, vier Gemeinden hatten sich um den Standort beworben und miteinander regelrecht konkurriert. Der Ort Eurajoki erhielt nach einer Bürgerabstimmung, bei der sich zwei Drittel für das Endlager aussprachen, den Zuschlag. Die Brennelemente sollen 700 Meter tief unter der Erde in einem Tunnelsystem im Granit verbracht werden. Dazu werden sie in Kupferbehälter gepackt, die ihrerseits mit Ton ummantelt und in vertikale Bohrungen versenkt werden. Darauf packt man dann Ton und Geröll und schließt das Loch mit einem Betondeckel.

Das finnische Verfahren könnte als vorbildlich in die Geschichte der Endlagersuche eingehen, weil Suche und Entscheidung transparent waren und die betroffenen Bürger befragt wurden. Im atomfreundlichen Finnland, wo zurzeit der erste Reaktor seit Tschernobyl gebaut wird, war das wohl auch möglich. Ob diese Art der Bürgerbeteiligung im atomskeptischen Deutschland funktionieren würde, ist fraglich. Wünschenswert wäre es. Aber möglicherweise wird man gar keine andere Wahl haben, als den Standort per Gesetz festzulegen. Im Fall Gorleben jedenfalls kann man sich kaum vorstellen, dass die Anwohner zustimmen würden.

Ein Endlager braucht Deutschland jedoch spätestens im Jahr 2030. Denn alle Visionen von Kraftwerken, die keinen hochradiaktiven Müll produzieren, oder Techniken, die diesen in ungefährlichen Abfall verwandeln, liegen noch in ferner Zukunft. Manche Forscher sind vor allem fasziniert von der Idee der »Transmutation«, die langlebiges Plutonium in harmlosere Schadstoffe umwandelt. Die Idee ist gut, und sie könnte sowohl in Reaktoren als auch Teilchenbeschleunigern gelingen. Doch Experten gehen davon aus, dass noch einige Jahrzehnte Forschung nötig sein werden. Und selbst dann wäre die Transmutation sehr aufwändig.

In ferner Zukunft mag es andere Lösungen als die direkte Endlagerung geben, auch werden neue Reaktortypen erheblich weniger hochradioaktiven Müll produzieren. An einem Endlager führt dennoch kein Weg vorbei. Nach all dem, was man über Gorleben weiß, scheint es, als ob die Vorbehalte eher psychologischer Art wären. Aber das sind meistens die hartnäckigsten.

Atome für den Frieden

»Atome für den Frieden« hatte Dwight D. Eisenhower seinen Vortrag im Jahr 1953 vor den Vereinten Nationen überschrieben. Es war auch das schlechte Gewissen, das den US-Präsidenten dazu trieb, der Welt die friedliche Nutzung der Kernenergie anzubieten. Acht Jahre zuvor, am 6. und 9. August 1945 hatte Amerika Hiroshima und Nagasaki in Schutt und Asche gelegt und die mörderische Wirkung der Kernspaltung demonstriert. Doch die Vereinigten Staaten blieben nicht lange allein mit ihren Atomwaffen. Bereits 1949 zündete die Sowjetunion ihre erste Bombe, 1953 folgte Großbritannien. Ein heißes Wettrüsten hatte eingesetzt, begünstigt durch den Kalten Krieg.

Eisenhower wollte die Länder, die noch nicht im Besitz der Bombe waren, zum Verzicht bewegen. Andererseits ging es ihm auch um Wiedergutmachung für die Toten von Hiroshima und Nagasaki. In seiner historischen und pathetischen Rede vor den Vereinten Nationen beschwor der Präsident die Weltgemeinschaft: »Die Vereinigten Staaten werden all ihre Kräfte des Herzens und des Verstandes daran setzen, einen Weg zu finden, des Menschen wunderbare Erfindungsgabe nicht zu seiner Vernichtung zu gebrauchen, sondern dem Leben zu weihen.« Eisenhower bot der Welt das amerikanische Know-how der Kernenergie an. Zugleich warb er dafür, eine Internationale Atombehörde zu gründen. Sie sollte die zivile Nutzung der Kernspaltung überwachen und den militärischen Missbrauch verhindern. Diese Internationale Atomenergieagentur (IAEA) entstand dann 1957 in Wien, ihr immer noch bestehendes Motto »Atome für den Frieden« war freilich damals schon ein Euphemismus. Denn Eisenhower trieb – neben der Begeisterung für die zivile Nutzung der Kernenergie – die Sorge vor einer nuklearen Aufrüstung um.

Atombombe und Atomkraftwerk: Beide beruhen auf der nuklearen Kettenreaktion. Mit dem Unterschied, dass die Spaltung im Reaktor kontrolliert abläuft, während eine einmal gezündete Bombe nicht mehr in Schach zu halten ist. Ein Teil des negativen Image der Kernkraft liegt denn auch darin, dass viele Menschen sich einen Reaktor als Atombombe vorstellen, die gerade noch unter Kontrolle gehalten wird. Dabei können Kernbrennstäbe selbst nicht explodieren, sondern allenfalls schmelzen. Wenn es tatsächlich im Kraftwerk knallt, dann ist das in der Regel eine Wasserstoffexplosion.

Ein wenig zu simpel ist auch die Annahme, aus dem Material der Brennstäbe ließe sich eine Bombe bauen. Eine herkömmliche Waffe braucht entweder hoch angereichertes Uran, das zu mindestens vier Fünfteln aus dem Isotop Uran-235 besteht, oder aber man nimmt Plutonium. Brennelemente bestehen dagegen aus schwach angereichertem Uran mit nur zwei bis vier Prozent U-235, der Rest ist U-238. Dennoch: Bombe und Kraftwerk seien »siamesische Zwillinge«, warnte die Abgeordnete der Grünen im Europaparlament und erklärte Kernenergiegegnerin Rebecca Harms.

Die Trennung zwischen ziviler und militärischer Nutzung kann funktionieren, wenn die Wege des spaltbaren Materials gut überwacht werden. Eisenhowers Plädoyer führte einerseits zur Gründung der IAEA, deren Hauptaufgabe die Kontrolle ist, andererseits zum Atomwaffensperrvertrag. Die frühen Besitzer der Bomben – USA, Sowjetunion, China, Frankreich und Großbritannien, die Siegermächte des Zweiten Weltkriegs also – unterzeichneten 1968 den Atomwaffensperrvertrag. Er soll verhindern, dass spaltbares Material, das für den Bombenbau taugt, weiterverbreitet (»proliferiert«) wird.

Dieses »Nuclear Non Proliferation Treaty«(NPT), dem inzwischen 188 Staaten beigetreten sind, ruht auf drei Säulen:

1. Der Kreis der Nuklearmächte bleibt auf die fünf genannten begrenzt.
2. Die anderen dürfen, zum Ausgleich sozusagen, Kernkraftwerke bauen.
3. Die Atommächte verpflichten sich, ihre Arsenale abzurüsten.

Von Anfang an hat die IAEA, deren Emblem ein Atommodell ziert, deshalb zwei Ziele verfolgt: Laut Statut sollen die knapp 2300 Mitarbeiter der IAEA einerseits Nukleartechnik verbreiten. Deshalb kommen aus der Wiener Behörde jährlich Statistiken über neue Kernkraftwerke, über den Nuklearanteil an der Stromerzeugung oder über verbesserte Sicherheitstechnik. Andererseits muss die IAEA dafür sorgen, dass spaltbares Material aus Atomanlagen nicht für den Bombenbau missbraucht wird. Atomgegner haben die IAEA deshalb auch immer als Lobby der Kernenergie gesehen. Als die Wiener Agentur 2005 den Friedensnobelpreis erhielt, protestierten Umweltaktivisten.

Die Vereinigung »Internationale Ärzte für die Verhütung des Atomkrieges« (IPPNW) lobte zwar IAEA-Chef Mohammed el-Baradei für sein Engagement im Kampf gegen die Verbreitung von Atomwaffen. Tatsächlich hat el-Baradei sich als Jäger verbotener Nuklearbestände profiliert. Während die Wiener Inspekteure zuvor eher buchhalterisch die Mengen an spaltbarem Material registrierten, haben sie sich inzwischen zu wahren Detektiven weiterentwickelt, die alle technischen Möglichkeiten nutzen, um illegale Mengen an strahlendem Material aufzuspüren. Zwar musste sich auch schon el-Baradeis Vorgänger Hans Blix als Atomschnüffler im Irak bewähren, doch Blix sah sich noch sehr stark als Promoter der Kernenergie und spielte auch nach der Reaktorkatastrophe von Tschernobyl selbst offenkundige Folgen herunter. Die »neue« IAEA konzentriert sich auf den Kampf gegen die Proliferation, also gegen die Verbreitung spaltbaren Materials und Atomwaffen. Kernenergiegegner bleiben aber skeptisch: Die Bemühungen im Kampf gegen die Ausbreitung von Atomwaffen würden durch die Verbreitung der Technologie zur »so genannten« friedlichen Nutzung »konterkariert«, so IPPNW. Die IAEA habe »eine gefährliche Technik verharmlost«.

Die zentrale Frage aber lautet: Funktioniert das Kontrollsystem überhaupt? Oder gibt es Länder, die das Angebot Eisenhowers inzwischen irgendwie falsch verstehen und ihr ziviles Nuklearprogramm dazu missbrauchen, um Atomwaffen herzustellen? Das Beispiel Iran zeigt, dass der Grat zwischen ziviler und militärischer Nutzung sehr schmal ist.

Denn möglicherweise hat man sich zu lange auf das Wettrüsten der Supermächte konzentriert, die bis in die Achtzigerjahre ihre Arsenale aufstockten. Inzwischen sind deren Kernwaffenbestände weniger problematisch als die heimlichen Bemühungen mancher Staaten, sich Atomwaffen zu beschaffen. Sorgen bereitet auch die Vorstellung, dass spaltbares Material in die Hände von Terroristen gelangt. Spätestens die Machenschaften von Iraks Diktator Saddam Hussein haben deutlich gemacht, dass das Kontrollsystem der IAEA löchrig geworden ist. Und der Deal, die zivile Nutzung bei Waffenverzicht zu erlauben, kann eben – siehe Iran – schnell ins Wanken geraten.

Allerdings offenbarten sich schon früh Lücken im Atomwaffensperrvertrag NPT. Seit Ende der Fünfzigerjahre stand Israel im Verdacht, eigene Kernwaffen zu entwickeln. Dann, im

Jahr 1974, zündete Indien eine Bombe, Nachbar Pakistan folgte Ende der Neunzigerjahre. Inzwischen glauben viele Fachleute, dass die gesamte Grundlage des NPT bröckelt. Denn Länder wie Nordkorea und Iran lassen ihre Muskeln spielen. Nordkorea, ursprünglich Mitglied des NPT, trat 2003 vom Vertrag zurück und kündigte zwei Jahre später an, im Besitz der Bombe zu sein. Iran dagegen hat den Vertrag unterzeichnet und beharrt deshalb auf seinem Recht, Atomkraft zivil zu nutzen. Zu diesem Zweck will Teheran Uran anreichern – die westliche Welt argwöhnt, dass das Regime damit Bomben bauen will.

Erschwert wird die Einhaltung des Atomwaffensperrvertrags aber nicht nur durch Außenseiter wie Iran und Nordkorea (das sich inzwischen jedoch wieder gesprächsbereit zeigt), sondern auch durch die klassischen Atommächte selbst. Ihre Bereitschaft, entsprechend den Regeln des NPT das eigene Waffenarsenal zu reduzieren, war in den vergangenen Jahren eher gering, was den Unmut vieler atomwaffenfreier Staaten hervorgerufen hat. Auch der Nuklearpakt zwischen der Regierung Bush und Indien verstößt, streng genommen, gegen den Atomwaffensperrvertrag. Der Deal sieht vor, dass Washington Kernbrennstäbe an den bisherigen Atom-Paria Indien liefern darf und das Land bei seiner zivilen Nutzung der Atomspaltung unterstützt, obwohl es den Vertrag nicht unterzeichnet hat. Der Pakt, mit dem die USA ihre geostrategische Achse mit Indien stärken wollen, gilt auch als Belohnung dafür, dass Indien – im Gegensatz zu Pakistan – seine Nukleartechnologie nicht an andere weitergegeben hat. Doch die Belohnung Indiens könnte ein falsches Signal an die Welt aussenden. Die wachsende Zahl an Nuklearmächten zeigt jedenfalls schon jetzt den gefürchteten Dominoeffekt. Japan, wo es bislang Konsens war, keine Atomwaffen zu besitzen, verweist auf Nordkorea und diskutiert zum ersten Mal die Möglichkeit der Bombe.

Ein besonders gruseliges Beispiel ist Pakistan, das sich illegal Technik und Wissen beschafft hat. Zentrale Figur im Bombenspiel war der pakistanische Physiker Qadir Khan, der inzwischen als Nationalheld gefeiert wird. Khan verschwand in den Siebzigerjahren praktisch über Nacht von seinem Arbeitsplatz in einer holländischen Firma und kehrte in seine Heimat zurück. Mit im Gepäck hatte er Unterlagen über Zentrifugen, mit denen sich Uran anreichern lässt. Die bot er der Regierung an. Am 28. Mai 1998 zündete Pakistan seine erste Atombombe. Seitdem wird dieser Tag gefeiert, schließlich sind viele Pakistaner davon überzeugt, dass nur die Bombe das Gleichgewicht des Schreckens mit dem Erzfeind Indien sichere. Pakistans Atomarsenal ist schon deshalb bedenklich, weil die politische Lage im Land völlig instabil ist. Noch halten sich die Militärs an der Macht, doch ein Putsch durch Islamisten ist nicht ausgeschlossen. Besonders verwerflich ist, dass das Land jahrzehntelang die Atomwaffentechnik weiterverbreitet hat, wie Khan vor einigen Jahren zugab. Als gewiss gilt, dass Iran die Technik zur Urananreicherung erhielt, ebenso Nordkorea und vermutlich auch Libyen. Seit Khans Bekenntnis lebt die Welt in Angst, dass auch Osama bin Laden mit Nukleartechnik versorgt wurde.

Im Grunde müssten die Vertragsstaaten einen neuen Anlauf nehmen, um die Verbreitung der brisanten Technik zur Herstellung nuklearen Brennstoffs einzudämmen. Das setzt voraus, dass vor allem die Supermächte USA und Russland sich für eine Neufassung des Vertrags einsetzen. Diesen Willen lassen sie jedoch bisher nicht erkennen. Die amerikanische Regierung hat zwar ein paar Programme gegen den Nuklearschmuggel und gegen den Diebstahl russischen Spaltmaterials entwickelt, doch das reicht nicht aus. Abrüstungsexperten favorisieren seit längerem die Einrichtung internationaler Brennstoffzentralen, die von der IAEA kontrolliert werden, verbunden mit Liefergarantien von Brennelementen an die Staaten, die den Atomwaffensperrvertrag unterschrieben haben. Noch aber gibt es Widerstand seitens einiger »nuklearer Habenichtse« – jener Länder, die keine Atombombe haben, dafür jedoch zumindest selbst anreichern wollen.

Doch wie sehr begünstigt eigentlich die zivile Nutzung die Weitergabe von Atomwaffen? Wird das Beispiel Iran Schule machen? Teheran beharrt auf der Urananreicherung im Lande mit dem Argument, es wolle den gesamten Brennstoffzyklus beherrschen, um unabhängig von Lieferanten zu sein. Müsste man nun auf Kernkraft verzichten, um sicherzugehen, dass Länder wie Iran sich nicht heimlich eine Bombe beschaffen? Muss man den Atomausstieg aus Gründen der Proliferation befürworten? Die Frage ist hypothetisch, denn erstens ist, soweit man weiß, aus deutschen Kernkraftwerken nie Uran entwendet worden. Zweitens würde es keinen weltweiten Konsens geben, auf die Kernenergie zu verzichten. Es lohnt sich aber, die Frage zu stellen, um zu verstehen, ob der Atomausstieg wenigstens einen sinnvollen Nebeneffekt hätte.

Die Antwort ist: In der Theorie ja, in der Realität nein. Israel besitzt vermutlich seit 1967 Kernwaffen (obwohl die politische Führung es nie zugegeben hat), ohne jemals einen Reaktor betrieben zu haben. Im Falle Israels war es noch nicht einmal illegal, weil das Land den Atomwaffensperrvertrag nicht unterschrieben hat. Für die Bombe reicht es aus, sich Uran (illegal) zu beschaffen und es mit Zentrifugen anzureichern.

Gegenbeispiele zu Israel sind Indien, Nordkorea und Südafrika: Sie begannen scheinbar harmlos mit zivilen Atomprogrammen und bauten später Atomwaffen. Nur Südafrika hat seine Bomben zwischenzeitlich aufgegeben. Allerdings starteten die genannten Staaten ihre Atomprogramme nicht mit kommerziellen Kraftwerken, sondern mit speziellen Forschungsreaktoren, die mit hoch angereichertem Uran gefahren werden. Ob Indien und Nordkorea diese später benutzt haben, um waffentaugliches Plutonium herzustellen, oder ob sie hierfür eigene militärische Anlagen gebaut haben, ist nicht ganz geklärt.

Fest steht jedoch, dass Forschungsreaktoren wie der umstrittene FRM II in Garching bei München gefährlicher für die Proliferation sind als Atomkraftwerke, die bombentaugliches Uran nur in homöopathischen Dosen verwenden. Zudem ist es technisch höchst kompliziert, das Uran-235 aus den Brennelementen herauszutrennen. Bisher hat, soweit man weiß, noch niemand eine funktionierende Waffe aus dem Material kommerzieller Reaktoren gebaut. Immerhin beträgt auch die kritische Masse, bei der eine Uranbombe zündet, knapp 50 Kilogramm. Für eine Plutoniumbombe braucht man nur 10 Kilogramm, allerdings ist die Konstruktion technisch weitaus komplizierter.

Das ist auch ein gewichtiger Grund gegen die Wiederaufarbeitung von Kernbrennstäben, bei der Plutonium entsteht. Zu diesem Ergebnis kommt eine umfangreiche interdisziplinäre Studie des renommierten Massachusetts Institute of Technology (MIT) in den USA aus dem Jahr 2003. Darin schätzen Forscher ab, unter welchen Bedingungen Kernenergie künftig eine wichtige Rolle spielen kann, vor allem um den Klimawandel aufzuhalten. Sie warnen dabei eindringlich vor jeglicher Art von Reaktor mit geschlossenem Brennstoffkreislauf – etwa dem Schnellen Brüter. Diese Technik mag Brennstoff sparen und die Endlagerung erleichtern, doch zugleich steigt das Risiko der Proliferation. Solange Brennelemente chemisch aufbereitet werden und Plutonium abgetrennt wird, besteht die Gefahr, dass das Bombenmaterial in falsche Hände gerät. Und unter dem Strich erhöhen sich durch die Aufarbeitung die

Kosten der Stromerzeugung. Uran gebe es jedenfalls in ausreichenden Mengen, so die Studie, um dieses Jahrhundert lang Reaktoren zu befeuern.

In den letzten Jahren ist immer wieder Nuklearmaterial auf dem Schwarzmarkt aufgetaucht. Das unabhängige Nuclear Control Institute (NCI) in Washington, das sich der Rüstungskontrolle verschrieben hat, wies bereits 1994 auf potenzielle Schlupflöcher hin: Damals fehlten in der Bilanz einer japanischen Brennelementefabrik 70 Kilogramm Plutonium, ohne dass die IAEA Alarm geschlagen hätte. Selbst nach einer 100 Millionen Dollar teuren Aufräumaktion blieben neun Kilogramm verschwunden. Die Internationale Atomenergiebehörde wollte das nie kommentieren und auch nicht, welche Anlagen besonders gefährdet sind. Man wisse schließlich nicht, was in den Köpfen der Terroristen vorgehe, so ein früherer IAEA-Sprecher.

Ohnehin kontrolliert die UN-Behörde nur einen Teil des weltweiten Nuklearinventars, nämlich in Staaten, die keine Atomwaffen besitzen. Alles andere wäre zwecklos, Atommächte mit ihren Plutoniumlagern können schließlich nach Belieben über den Stoff verfügen. Das bedeutet, dass nur 45 Prozent des weltweiten Plutoniums der Kontrolle der Wiener Inspektoren unterliegen.

Das amerikanische Heimatschutzministerium veröffentlichte Ende 2006 eine Statistik, wonach sich die Zahl der Versuche von Nuklearschmuggel in den vergangenen fünf Jahren mehr als verdoppelt hat: Im Jahr 2000 wurden hundert Vorfälle gezählt, 2005 waren es mehr als doppelt so viele. Was mit Sicherheit auch damit zusammenhängt, dass inzwischen – auch eine Folge des 11. September 2001– in den USA verstärkt nach radioaktivem Material gefahndet wird. Bei den aufgedeckten Fällen handelte es sich meist nicht um waffenfähiges Material.

Doch versuchen Kriminelle auch immer wieder, hoch angereichertes Uran oder Plutonium zu verschieben. Der IAEA zufolge sind zwischen 1993 und 2005 sechzehn Fälle registriert worden. Die schlimmsten betrafen 360 Gramm Plutonium, die 1994 am Münchner Flughafen beschlagnahmt wurden, sowie der Fall eines Mannes in Sankt Petersburg, der 1993 knappe drei Kilogramm hoch angereichertes Uran verkaufen wollte, die er aus einer Atomanlage gestohlen hatte.

Ein gewisser Trost ist die komplizierte Technik der Atombombe. Selbst wenn es Terroristen gelingen sollte, waffenfähiges Material in ausreichender Menge zu stehlen, sind der Bau und das gezielte Zünden einer Bombe nicht von Laien zu bewältigen. Es müsste schon, so das Fazit einer Studie des Washingtoner NCI, ein technisch versiertes Team zusammenkommen. Vor allem wenn Verbrecher nur Material in Mischform oder niedriger Anreicherung besitzen, benötigen sie Knowhow, um damit eine Waffe zu bauen. Auch deshalb vermuten die Washingtoner Experten, dass Terroristen vermutlich die Hilfe eines Staates bräuchten.

Gefährlicher als »echte« Atomwaffen könnten in Zukunft jedoch »schmutzige« Bomben werden: Statt mit Nägeln könnten Terroristen konventionellen Sprengstoff mit strahlendem Material versetzen. Eine Kettenreaktion würde nicht in Gang kommen, aber es würde trotzdem erhebliche Radioaktivität freigesetzt werden. Stoff für solche schmutzigen Bomben gibt es in Atomkraftwerken in großer Menge, allerdings auch in Krankenhäusern. Das Material würde kaum ausreichen, um viele Menschen zu gefährden, dafür wären hochradioaktive Substanzen nötig. Allerdings kann man mit einer schmutzigen Bombe ein paar Quadratkilometer auf Jahre hin kontaminieren, Panik und vor allem enorme wirtschaftliche Schäden hervorrufen. Nach einer Modellrechnung der Zeitschrift *Scientific*

American wäre nach einem Attentat mit einer größeren Menge Cäsium-137 in einer Großstadt eine Fläche von bis zu einigen hundert Quadratkilometern so stark verseucht, dass sie unbewohnbar wäre. Experten betrachten schmutzige Bomben eher als Schreckensinstrument denn als Waffe zur Massentötung.

Hartnäckige Legenden

Die Kernkraft umranken zahlreichen Mythen, zwei davon sind besonders hartnäckig: Kernenergie ist viel teurer als andere Energiequellen, denn im Strompreis sind bei weitem nicht alle anfallenden Kosten enthalten, zum Beispiel für die Endlagerung oder die Folgen eines Unfalls. Zweitens werden die Uranvorräte allmählich knapp und teuer, der Brennstoff reicht nur noch für dreißig bis vierzig Jahre.

Die Frage, wie viel abbaubares Uran es auf der Erde noch gibt, ist inzwischen hochpolitisch geworden. Wäre der Brennstoff für Atommeiler tatsächlich in dreißig oder vierzig Jahren erschöpft, dann könnte man sich eine Menge Diskussionen sparen, weil man ziemlich bald die Reaktoren abschalten müsste. Doch die Meinungen über die Reserven gehen weit auseinander: Zum Beispiel haben Forscher der Ludwig-Bölkow-Systemtechnik in München, einer Firma, die sich für Solarenergie stark macht, die Menge des noch abbaubaren Urans geschätzt: Demnach würden schon in den nächsten dreißig Jahren die weltweit nachgewiesenen Vorkommen, die sich bei Preisen von unter 40 Dollar pro Kilogramm Uran ausbeuten lassen, erschöpft sein. 130 Dollar teures Uran würde noch siebzig Jahre reichen. Mit Engpässen wäre aber schon lange vor 2050 zu rechnen, so die Forscher, die ein baldiges Aus für die Kernenergie vorhersagen.

Auch andere Studien kommen zu diesem Ergebnis. Allerdings beruhen die Schätzungen auf der aktuellen Lage und berücksichtigen nicht elementare Regeln von Angebot und Nachfrage. Seit Jahren hinkt der Abbau von natürlichem Uran dem Verbrauch in den Kernkraftwerken hinterher. Das aber liegt nicht an mangelnden Reserven, sondern hat historische Gründe. Mitte der Siebzigerjahre erreichte der Uranpreis einen Rekord, weil in der heißen Phase der Aufrüstung die Militärs der Supermächte USA und Sowjetunion Kernwaffen horteten. Gleichzeitig wuchs die zivile Nachfrage, weil immer mehr Kraftwerke gebaut wurden. Ende der Siebzigerjahre fielen die Preise wieder, da wegen des Reaktorunglücks von Harrisburg und später Tschernobyl die Nachfrage nach spaltbarem Brennstoff sank. Außerdem überschwemmten mit dem Ende des Kalten Krieges und dem Beginn der Abrüstung plötzlich große Mengen an Uran und Plutonium den Brennstoffmarkt. Bis etwa 2000 hatten die Energieversorger genügend Uran aus militärischen Beständen zur Verfügung. Die Suche nach neuen Lagerstätten und der Abbau waren kaum attraktiv, zumal keine neuen Kraftwerke gebaut wurden. Zudem hatten sich einige der bekannten Lagerstätten als ergiebiger erwiesen als gedacht. Außerdem lässt sich in neueren Kraftwerken der Brennstoff effizienter auszunutzen als in denen der ersten Generation. Kurzum, man brauchte weniger Uran.

Mit der Renaissance der Kernkraft stieg Ende 2006 der Preis an der Börse für ein Kilogramm Uran auf 160 Dollar, ein neuer Rekord. Auch der wurde inzwischen gebrochen: Im April 2007 übersprang Uran die Marke von 220 Dollar pro Kilogramm. Ein rasanter Anstieg: Ende 2000 war das Kilo auf dem Weltmarkt noch für 15 Dollar zu haben – das bedeutet eine fünfzehnfache Preissteigerung in gut sechs Jahren.

Das aber macht es nun wirtschaftlich interessanter, nach neuen Vorkommen zu suchen – und damit dürften die Preise auch wieder sinken. Selbst wenn sie hoch bleiben, erfreut das zwar nicht die Kraftwerksbetreiber, doch die Kernenergie bleibt trotzdem konkurrenzfähig, weil die Brennstoffkosten nur einen Bruchteil der Gesamtkosten der Stromerzeugung ausmachen.

Im Jahr 2006 verfeuerten die weltweit über 440 Kernkraftwerke etwa 68 000 Tonnen Uran, 20 000 Tonnen wurden in Europa verbrannt. Das ist weit mehr als die Jahresproduktion von etwa 40 000 Tonnen. Die Lücke wird mit Lagerbeständen oder Material geschlossen, das eigentlich für Atomwaffen vorgesehen war, wovon derzeit vor allem Russland profitiert. Doch irgendwann wird auch das Kernwaffenmaterial der Sowjetunion aufgebraucht sein. Dann werden die wichtigsten Förderländer – Kanada, Kasachstan, Namibia, Australien, Südafrika, und Nigeria – ihre Produktion hochfahren müssen. Wie schnell das geht, ist nicht klar. Beim atomkritischen World Information Service on Energy (WISE) in Amsterdam rechnet man mit kurzfristigen Problemen bei der Uranversorgung. Peter Diehl vom WISE warnt davor, dass die Reserven nicht lange ausreichen werden, falls Nationen wie China und Indien tatsächlich ihre ehrgeizigen Kernkraftprogramme verwirklichen. Nach seiner Berechnung würde es nur bis zum Jahr 2050 genügend Uran für alle Meiler geben.

Energieversorger dagegen bestreiten, dass der Brennstoff in den kommenden Jahrzehnten knapp werden könnte. In ihrem »Red Book« veröffentlicht die Internationale Atomenergiebehörde zusammen mit der Atomagentur der OECD (NEA) jährlich die wirtschaftlich förderbaren Uranreserven. Das ist die Menge an Uran, die sich nach dem heutigen Stand der Technik und zu dem heutigen Preis gewinnbringend aus den Gruben holen lässt. Demnach gelten insgesamt noch zwischen 1,73 und 9,4 Millionen Tonnen Uran als wirtschaftlich abbaubar, zu Kosten von weniger als 130 Dollar pro Kilogramm.

Rechnet man vermutete Vorräte hinzu, die sich zu diesem Preis möglicherweise fördern ließen, beläuft sich der Bestand auf insgesamt 16,9 Millionen Tonnen Uran. Das würde ausreichen, um die heutigen Kernkraftwerke noch 260 Jahre lang zu befeuern.

Geologen sind der Meinung, dass angeblich fehlende Uranreserven kein Grund sind, die Kernkraft abzulehnen. Bei der Bundesanstalt für Geowissenschaften und Rohstoffe schätzt man die weltweiten Reserven sogar auf 21,5 Millionen Tonnen. Daraus ergebe sich, auch bei steigender Zahl von Kraftwerken, eine ausreichende Versorgung für mindestens zweihundert Jahre. Allein Kanada, der größte Uranlieferant der Welt, hat nach Angaben der Bundesanstalt seine Investitionen in den Uranabbau 2006 auf umgerechnet 64 Millionen Euro im Vergleich zum Vorjahr verdoppelt. Erheblich Summen werden auch in Australien und in Kasachstan ausgegeben, den zweit- und drittgrößten Lieferländern. Auch Russland gibt etwa in der Region Irkutsk 43 Millionen Euro für neue Minen aus.

Auch wenn der Uranpreis hoch bleibt, bedeutet das nicht den wirtschaftlichen Ruin der Kraftwerksbetreiber. Kernkraftwerke zeichnen sich nämlich – im Vergleich zu kohle- und gasbefeuerten Meilern – durch ihre anteilig niedrigen Brennstoffkosten aus. Nach Angaben der Kernenergieagentur NEA macht Uran nur 5 Prozent der Kosten für eine Kilowattstunde aus. Der gesamte Kreislauf beläuft sich auf ein Fünftel der Kosten. Darin ist alles inbegriffen, von der Förderung des Urans über die Konversion in Uranhexafluorid, der Anreicherung, der Herstellung der Brennstäbe bis hin zur Entsorgung. Das ist erheblich weniger als bei einem Kohlekraftwerk, bei dem die Kohle mit gut 30 Prozent zu Buche schlägt (wobei die Entsorgungskosten für CO_2 nicht mitgerechnet sind). Bei einem Gaskraftwerk macht der Brennstoff sogar fast zwei Drittel der Kosten aus.

Dafür sind freilich die Investitionen für ein Kernkraftwerk

teuer. Sie machen die Hälfte der gesamten Kosten aus. Laut NEA muss ein Energieversorgungsunternehmen mit Kapitalkosten von 2000 Dollar pro Kilowatt Leistung rechnen. Das summiert sich für einen Kraftwerksblock von einem Gigawatt auf zwei Milliarden Dollar Planungs- und Baukosten. Im Vergleich dazu kosten Kohlekraftwerke nur 1200 Dollar und moderne Gaskraftwerke sogar nur 500 Dollar pro Kilowatt. Auch Betrieb und Wartung sind bei Kraftwerken, die mit Uran befeuert werden, teurer als solche, die Kohle oder Gas verbrennen.

Trotz der hohen Investitionskosten ist laut einer Untersuchung der Europäischen Kommission aus dem Jahr 2000 Atomstrom wettbewerbsfähig. Aus den Betriebsdaten der Kernkraftwerke haben EU-Experten die Kosten pro Kilowattstunde abgeschätzt: Sie liegen zwischen 3,4 und 5,9 Cent. Kohlestrom kostet zwischen 3,2 und 5 Cent, Gasstrom zwischen 2,6 und 3,5 Cent. Von den erneuerbaren Energien sind halbwegs konkurrenzfähig die Biomasse mit 3,4 bis 34,5 Cent pro Kilowattstunde und Windenergie mit 6,7 bis 7,2 Cent. Besonders schlecht schneidet die Stromerzeugung mit Solarzellen ab: Hier bewegen sich die Kosten für eine Kilowattstunde zwischen satten 51 und 85 Cent.

Entgegen den Vorurteilen enthalten die Kosten für Atomstrom durchaus externe Faktoren: Zum Beispiel sind Entsorgung und Stilllegung berücksichtigt. Vom Kohlestrom kann man das nicht behaupten, denn die Belastungen durch das Treibhausgas Kohlendioxid für das Klima fallen nicht ins Gewicht. Erst neuerdings hat eine Tonne CO_2 durch den Emissionshandel einen Preis erhalten, der allerdings noch nicht dem Marktwert entspricht und sich nicht auf den Strompreis niederschlagen kann, weil die deutschen Stromerzeuger ausreichend Freischeine für den CO_2-Ausstoß von der Bundesregierung zugeteilt bekommen. In einer Studie hat die Europäische

Kommission die externen Kosten für verschiedene Energiequellen abgeschätzt und dabei nicht nur Kosten für Abfalllagerung, sondern auch die Auswirkungen auf die öffentliche Gesundheit berücksichtigt. Demnach belaufen sich die externen Kosten pro Kilowattstunde Strom für Kohle zwischen 1,8 und 15 Cent. Für Gas sind es 0,5 bis 3,5 Cent, für Windturbinen 0,05 bis 0,25 Cent, für Kernkraft zwischen 0,3 und 0,7 Cent. Diese schneidet also vergleichsweise gut ab.

Sollten die fossilen Quellen mit einer CO_2-Steuer belegt werden, dann würde sich der Preis des Kohlestroms zwangsläufig verteuern. Bei einem Preis von 150 Dollar pro Tonne wäre das einer Untersuchung der NEA zufolge eine Verdoppelung.

Eine umfangreiche interdisziplinäre Studie von Forschern des Massachusetts Institute of Technology aus dem Jahr 2003 kommt zu einem ähnlichen Ergebnis. Die Wissenschaftler untersuchten, unter welchen Bedingungen Atomstrom im Jahr 2050 einen wesentlichen Beitrag zur Stromerzeugung sowie zur Verringerung der Treibhausgase leisten könne. Basierend auf einem Zukunftsszenario, dass sich im Jahr 2050 die installierte Kapazität auf etwa 1000 Gigawatt verdreifache, haben sie die Kosten abgeschätzt: Demnach wird Atomstrom in Zukunft 6,7 US-Cent pro Kilowattstunde kosten, während Strom aus Kohle und Gas für 4,2 US-Cent zu haben sein wird.

Das aber berücksichtigt nicht die Klimakosten. Schon bei einem Preis von 50 Dollar pro Tonne CO_2 werde sich die Kilowattstunde Kohlestrom auf 5,4 US-Cent erhöhen, so die Untersuchung. Bei 100 Dollar pro Tonne liegen Kohle und Kernkraft praktisch gleichauf, bei 200 Dollar pro Tonne Kohlendioxid steigt der Preis für die Kilowattstunde Kohlestrom auf satte 9 US-Cent und wäre damit 50 Prozent teuer als Kernkraft. In diesem Fall wäre auch ein Gaskraftwerk kaum mehr konkurrenzfähig. Dessen Stromkosten hängen sehr stark von den

Brennstoffkosten ab: Sind sie hoch, dann steigt die CO_2-bereinigte Kilowattstunde auf 7,7 US-Cent.

Die Berechnung lässt die Kosten der Kernkraft in einem anderen Licht erscheinen. Billig werden Atommeiler dennoch nie sein, wie die MIT-Forscher betonen, denn die Anschaffungskosten werden immer hoch sein. Das bedeutet zum einen, dass die Anlagen möglichst lange laufen sollten. Deshalb versuchen Betreiber weltweit eine Laufzeitverlängerung zu erreichen. In den USA ist nach Angaben der IAEA für 70 der insgesamt 103 Kraftwerke eine Laufzeit von sechzig statt vierzig Jahren bereits genehmigt oder beantragt. Das setzt natürlich voraus, dass die Sicherheitsstandards gleich hoch bleiben. Zum anderen machen die hohen Baukosten neue Anlagen kaum attraktiv. Ob der Bau eines neuen Kraftwerks sich lohnt, hängt laut NEA im Wesentlichen davon ab, wie hoch der Diskontsatz ist. Wenn dieser 5 Prozent jährlich beträgt, sind die Kosten des Atomstroms in fünf von zwölf Ländern billiger als andere Stromarten. Wenn der Diskontsatz allerdings 10 Prozent beträgt, lohnen sich neue Reaktoren nicht. Ohne eine Senkung der Investitionskosten – etwa durch standardisierte Bauteile und Serienfertigung – dürften auch nach Überzeugung der NEA neue Kernkraftwerke nicht wettbewerbsfähig sein.

Zu diesem Schluss kommt auch die MIT-Studie. Die Forscher halten es für vertretbar, dass – aus Gründen des Klimaschutzes – neue Anlagen von einem staatlichen Bonus profitieren. Sie schlagen deshalb günstige Kredite vor, die den Kraftwerksbauern eine Ermäßigung von etwa 200 Dollar pro installiertem Kilowatt garantieren würde. Mit diesem Abschlag sowie mit vereinfachten Genehmigungsverfahren und schnelleren Bauzeiten könnte sich der Preis einer Kilowattstunde Nuklearstrom sogar auf 4,2 US-Cent drücken lassen, so die Prognose.

Einige Regierungen haben schon Schritte in diese Richtung gemacht: US-Präsident George W. Bush hat den Energieversorgern Anreize und Sicherheiten in Aussicht gestellt, falls sie neue Kraftwerke bauen – unter dem Strich bedeuten diese Anreize eine Subvention der Kilowattstunde Atomstrom von 1,7 US-Cent. Was im Übrigen genau dem von den MIT-Forschern vorgeschlagenen Abschlag entspricht. Auch in Großbritannien hat die Labour-Regierung versprochen, dass es in Zukunft einfacher sein soll, eine Baugenehmigung für einen Reaktor zu erhalten. Sie hat aber gleichzeitig deutlich gemacht, dass der Staat keine Subventionen für den Bau selbst geben werde. Das ist im Prinzip ökonomisch vernünftig. Atomstrom darf keinen Bonus erhalten, sondern muss auf dem Markt konkurrenzfähig sein. Das heißt allerdings auch, dass die Preise für Kohle- und Gasstrom umweltgerecht sein müssen, was derzeit nicht der Fall ist.

Der Bau des neuen Druckwasserreaktors EPR in Finnland – des ersten in Europa nach Tschernobyl – hätte ein Beleg dafür sein können, dass es sich wieder lohnt, Reaktoren hochzuziehen. Allerdings leidet das Projekt Olkiluoto 3 unter hohen Kosten und Zeitverzögerung. Inzwischen hinken die Ingenieure achtzehn Monate hinter dem Plan her. Den ersten Strom wird der 1600-Megawatt-Reaktor wohl nicht wie vorgesehen 2009 liefern, sondern wohl erst 2011.

Bei einem Festpreis von 3 Milliarden Euro dürfte auch der Reaktorbauer Areva keinen Gewinn machen. Die Reaktorsparte des französischen Konzerns vermeldete allein in der ersten Hälfte von 2006 einen Verlust von 266 Millionen Euro. Areva-Chefin Anne Lauvergeon hat bereits zugegeben, dass die Firma mit dem finnischen Vorzeigeprojekt kein Geld verdienen werde. Sie sieht es allerdings als eine Investition in die Zukunft, eine »weltweit einmalige Erfahrung«, wie sie in einem Interview mit der französischen Tageszeitung *Le Figaro* sagte. Auch Frankreichs früherer Wirtschaftsminister Thierry Breton analysierte, dass Areva eine »schwierige Phase« durchmache. Auf den EPR in Olkiluoto wird die Welt jedenfalls genau schauen. Denn wenn wieder Kernkraftwerke gebaut werden, dann ist der EPR ein wichtiger Kandidat im Konkurrenzkampf um das neue Nukleargeschäft, in dem der Hauptgegenspieler von Areva die US-Firma Westinghouse Electric ist. Immerhin haben die Chinesen sich kürzlich entschlossen, in den USA vier Kraftwerke des Typs AP-1000 von Westinghouse zu bestellen, obwohl es diesen erst auf dem Reißbrett gibt.

Bald wird sich zeigen, ob es sich für die Konzerne lohnt, im Geschäft zu bleiben. Ein gewichtiger Grund aber spricht dafür, die Reaktorentwicklung nicht einfach aufzugeben, selbst wenn in den Industrieländern keine neuen Meiler gebaut würden. Russland schlüpft nämlich derzeit in seine alte Rolle: Die Sowjetunion hatte ihre Satellitenstaaten jahrzehntelang mit eigenen Modellen beglückt. Was vom RBMK-Reaktortyp zu halten ist, muss man nach Tschernobyl nicht mehr erklären. Aber auch die WWER-Linie entspricht nicht westlichen Sicherheitsstandards, etliche Reaktoren in den neuen EU-Mitgliedsländern mussten vor dem Beitritt nachgerüstet werden. Jetzt bietet Moskau günstige, kleine Leichtwasserreaktoren der WWER-Baureihe. Mit 300 bis 400 Megawatt Leistung sollen sie auch für Länder mit schmalen Budgets geeignet sein. Zudem kosten die russischen Reaktoren nur knapp 700 Euro pro Kilowatt installierter Leistung, westliche sind zweieinhalbmal so teuer. Es fragt sich allerdings, ob diese Billigmodelle so erstrebenswert sind. In Bezug auf Sicherheitsphilosophie haben die Russen eine etwas andere Einstellung: Dem US-Magazin *Newsweek* sagte der Chef des Reaktorbauers Atomstroyexport, Sergej Shmatko, sein Traum sei es, Export und Konstruktion seiner Reaktoren einfach und schnell zu machen – ähnlich wie man eben ein Ikea-Regal zusammensetze.

Russland baut bereits Reaktoren in Indien und China sowie den Reaktor von Bushehr im Iran, was den USA ein Dorn im Auge ist. Ob Teheran allerdings russische Technik genutzt hat, um sein Anreicherungsprogramm weiterzutreiben, ist umstritten. Russland betont stets, dass es sich an die internationalen Spielregeln halte. Doch der Austausch an Forschern zwischen der östlichen Supermacht und dem aufstrebenden islamischen Regime war immer rege.

Die Vorstellung jedenfalls, dass in den Schwellenländern reihenweise Reaktoren russischer Bauart stehen werden, weil diese Staaten ihren Strom möglichst billig produzieren wollen, ist nicht besonders beruhigend. Dieses Geschäft sollte der Westen nicht Moskau überlassen. Die Industrieländer müssen ihre Sicherheitsstandards als internationalen Maßstab für die gesamte Welt durchsetzen.

Spalten für das Klima

Kurz vor dem G-8-Gipfel Anfang Juni 2007 in Heiligendamm, als die Stimmung ohnehin aufgeheizt war, da mochte Condoleezza Rice sich nicht mehr zurückhalten. Eines verstehe sie gar nicht, sagte die US-Außenministerin mit leicht zusammengekniffenen Lippen. Wenn die Deutschen unbedingt das Klima schützen wollten, warum sie dann nicht auf Atomkraft setzten. Das war die Retourkutsche für die unverhohlene deutsche Kritik an US-Präsident George W. Bush, der sich weigerte, verbindlichen Zielen für die Begrenzung der Treibhausgase zuzustimmen. Überraschend war, dass in Deutschland niemand auf Rices spöttische Bemerkung reagierte. Vielleicht ging sie im Vor-Gipfel-Trubel unter, vielleicht aber fiel auch niemand eine wirklich schlüssige Antwort ein.

Vielen Atomkraftgegnern geht es nach eigenen Worten mittlerweile gehörig auf die Nerven, dass die Befürworter immer auf das Klima verweisen. »Eine konzertierte Aktion der Atomlobby«, sagen sie gerne und wischen das Argument vom Tisch. Oder: »Mit Uran kann man schließlich keine Häuser heizen«, und überhaupt mache Atomstrom nur 10 Prozent des Energiebedarfs aus. Oder: »Kernkraft verursacht auch Kohlendioxid« – und der SPD-Vorsitzende Kurt Beck hätte früher hinzugefügt, dass ein Atommeiler unter dem Strich sogar mehr klimaschädliches CO_2 produziert als ein Kohlekraftwerk.

Auf beiden Seiten wird scharf geschossen. Es stimmt, dass die Befürworter der Kernkraft die Klimakarte weidlich spielen.

Schließlich ist die Tatsache, dass diese Energieform kaum Treibhausgase verursacht, eines der überzeugendsten Argumente für die Kernkraft. Denn wenn auch für den Uranabbau und den Bau sowie den späteren Rückbau des Kraftwerks Energie gebraucht und damit CO_2 erzeugt wird, so ist das doch weitaus weniger, als wenn Kohle verfeuert wird. Nach einer Berechnung des Freiburger Öko-Instituts enthält eine Kilowattstunde Atomstrom dreißigmal weniger CO_2 als eine Kilowattstunde aus Braunkohle. Womit Kurt Beck schon einmal widerlegt wäre. Und auch wenn Strom – und folglich Uran – in der Regel nicht zum Heizen verwendet wird: Wenn dieser Strom aus Kohle hergestellt werden muss, so ist das eben schädlich fürs Klima.

So einfach, wie die Gegner es sich machen, ist es jedenfalls nicht. Es besteht nämlich ein deutlicher Zusammenhang zwischen Öl- und Gasimporten und Atomenergie. Bleibt es beim Fahrplan für den Ausstieg, dann müssen zumindest mittelfristig vor allem Kohle- und Erdgaskraftwerke die wegfallenden Atommeiler ersetzen. Denn ob Sonne, Wind und Biomasse ausreichend und vor allem schnell genug Ersatz liefern können, ist fraglich. Im Übrigen würde die zusätzliche Menge des Treibhausgases Kohlendioxid, die nach Abschalten der Kernkraftwerke dann in die Atmosphäre geblasen würde, an den CO_2-Börsen den Preis für Kohlendioxidzertifikate in die Höhe treiben. Und das kann letztlich nicht nur den Strom, sondern auch Benzin und Flugbenzin verteuern. Alles, was sich nicht im Strombereich an Kohlendioxid einsparen lässt, muss woanders eingebracht werden, um die ehrgeizigen Klimaschutzziele zu erreichen.

Das legen etliche Studien nahe. Ein Papier von McKinsey zum Beispiel: 2006 hatte die Unternehmensberatung in einer weltweiten Energiestudie nochmals auf das Dilemma des berühmten Zieldreiecks einer sauberen, billigen und sicheren Energieversorgung hingewiesen. Das sei in Deutschland vor dem Hintergrund der globalen Energietrends und mit dem vorliegenden politischen Programm »mittelfristig nicht zu erreichen«. heißt es in der Studie »Global Integrated Electric Power Perspective«. Kompromisse werde man entweder beim Klimaschutz oder beim Atomausstieg machen müssen.

Das Bundesumweltministerium betont stets, die geplanten Energiesparprogramme der Regierung und der Ausbau erneuerbarer Energien genügten, um die wegfallenden Atomkraftwerke zu ersetzen. Doch das ist eine unsichere Wette auf die Zukunft der Energieversorgung. Denn die siebzehn deutschen Atomkraftwerke liefern immerhin 30 Prozent des Stroms und sogar 50 Prozent der Grundlast: Das ist Strom, der in den Leitungsnetzen ständig gehalten werden muss, um keine Spannungsschwankungen zu riskieren. Erneuerbare Energien, allen voran die Windkraft, stehen jedoch nicht verlässlich genug zur Verfügung, um als Lieferanten von Grundlaststrom zu dienen und können deshalb nur als so genannte Spitzenlast-Kraftwerke eingesetzt werden.

Im Prinzip lassen sich Biomasse-Kraftwerke, Solarstrommodule und Windräder so zusammenzuschalten, dass auch sie gleichmäßigen, grundlastfähigen Strom erzeugen. Doch das dürfte nur europaweit funktionieren – mit dem Wind aus dem Norden, der Biomasse aus mittleren Breiten und der Sonnenenergie aus dem Süden. Denn nur ein europäischer Ökostromverbund kann die geografischen und klimatischen Unterschiede zwischen Lappland und Malta optimal ausgleichen.

Auch eine gemeinsame Untersuchung des Energiewirtschaftlichen Instituts der Universität Köln und des Beratungsunternehmens Prognos kommt zu dem Schluss, dass eine Verlängerung der Laufzeiten für Atomkraftwerke um zwanzig

Jahre ein deutlich wirksameres Mittel im Kampf gegen den Klimawandel ist als ein umfassender Ausbau der erneuerbaren Energien. Zudem läge der künftige Strompreis beim Festhalten an der Atomenergie klar unter dem Wert, der beim Ausstieg anfiele.

In der Studie entwerfen die Forscher drei Energieszenarien für die Zeit von 2007 bis 2020. Das erste entspricht den Vorgaben des Koalitionsvertrags, das heißt: Ausstieg aus der Kernkraft. Das zweite sieht den Ausstieg vor und fordert zusätzlich, dass bis 2020 die erneuerbaren Energien einen Anteil von 17 Prozent am Energiemix ausmachen sollen. Im dritten Szenario würden die Restlaufzeiten der Atomkraftwerke um zwanzig Jahre verlängert. Zwar wird in allen drei Szenarien das Klimaschutzziel der Bundesregierung – Verringerung der Kohlendioxidemissionen bis 2020 um 40 Prozent – erreicht. Mit einer Verlängerung der Restlaufzeiten verringern sich aber die Treibhausgase deutlicher als in den beiden anderen Fällen, und zwar um insgesamt 45 Prozent, entsprechend 60 Millionen Tonnen CO_2 jährlich.

Nicht nur für das Klima, auch für den Staatshaushalt und den Geldbeutel der Verbraucher würde es sich rechnen, die Laufzeiten zu verlängern. Das Erneuerbare-Energie-Szenario würde nämlich den Bundeshaushalt mit 4,5 Milliarden Euro mehr belasten als die beiden Varianten eins und drei. Den Strompreis haben die Forscher für das Jahr 2020 mit 20,5 Cent pro Kilowattstunde beziffert, während er beim vorgesehenen Ausstieg bei 19,5 und bei der Laufzeitverlängerung bei 18,4 Cent läge.

Ebenfalls skeptisch sieht eine Studie der Deutschen Bank die Folgen des Atomausstiegs für das Klima. Deutschland, so warnt ein 60-Seiten-Papier des Geldinstituts von Anfang 2007, wird seine ehrgeizigen CO_2-Ziele verpassen, wenn es aus der Kernenergie aussteigt. Mehr noch: Die Strompreise werden steigen, und das Land wird noch abhängiger von russischem Gas werden. Die Kanzlerin müsse sich entscheiden, so Energieanalyst und Autor der Studie, Mark Lewis. Immerhin müssten wegen veralteter Kraftwerke und wegen des Ausstiegs bis 2022 insgesamt 42 Gigawatt elektrischer Leistung ersetzt werden.

Eine dritte Studie schließlich plädiert ganz deutlich dafür, die Restlaufzeiten der Kernkraftwerke zu verlängern. Forscher der Deutschen Physikalischen Gesellschaft haben detailliert vorgerechnet, warum die ehrgeizigen Klimaziele der Bundesregierung kaum zu schaffen sind, insbesondere wenn Berlin am Atomausstieg festhält. Sie haben untersucht, wie die bisherigen Zielmarken eingehalten worden sind und abgeschätzt, was die Zukunft bringt. Es lohnt sich, einen Blick in die umfangreiche, nüchterne Zahlenbilanz zu werfen.

Bis 2005 wollte die Bundesregierung die Kohlendioxidemissionen um ein Viertel reduzieren – im Vergleich zu 1990. Das konservativ-liberale Kabinett hatte diese Marke 1995 beschlossen, sie stand auch im Koalitionsvertrag der neuen rotgrünen Regierung von 1998. Das Ziel wurde zum zentralen Punkt des Nationalen Klimaschutzprogramms von 2000 und war von der deutschen Wirtschaft für realistisch gehalten worden. Trotzdem ist es nicht eingehalten worden.

Das 25-Prozent-Ziel bedeutete, dass die CO_2-Emissionen von 1023 Millionen Tonnen im Jahr 1990 auf 775 Millionen Tonnen hätten sinken müssen – entsprechend 1,9 Prozent pro Jahr. Am Anfang sah es auch ganz gut aus: Die jährlichen Zahlen lagen unter den Zielmarken. Denn der Zusammenbruch der DDR-Industrie und die Schließung völlig maroder Braunkohlekraftwerke führten zu einer schlagartigen Reduktion des klimaschädlichen Gases. Von 1996 bis 1999 folgte die Emissionskurve noch der Zielgeraden, doch dann öffnete sich die Schere immer weiter.

Das Ziel wurde grandios verfehlt – und ohne die Wiedervereinigung wäre es noch peinlicher gewesen. Denn sieht man von den untypischen Jahren 1990 und 1991 ab, in denen aus historischen Gründen der Kohlendioxidausstoß drastisch sank, dann hat Deutschland statt einer jährlichen Abnahme von 1,5 Prozent nur schlappe 0,6 Prozent erreicht – also zweieinhalbmal so langsam reduziert wie vorgesehen. Das ist deshalb so enttäuschend, weil die Anstrengungen so groß waren: Zum Beispiel wird die Bundesregierung nach eigenen Schätzungen allein im Jahr 2007 insgesamt 5,5 Milliarden Euro für die Bezuschussung der 50 Milliarden Kilowattstunden Ökostrom ausgeben.

Und im April 2007 verkündete das Umweltbundesamt auch noch eine Hiobsbotschaft: Im Jahr 2006 ist der Ausstoß des Klimagiftes noch nicht einmal gesunken sondern um 0,6 Prozent gestiegen. Das lag daran, dass die Wirtschaft kräftig gewachsen und der Energieverbrauch merklich zugenommen hat.

Wie geht es jetzt weiter? Parallel zum deutschen Klimaschutzprogramm hatte sich die Europäische Union im Rahmen des KyotoProtokolls verpflichtet, die Treibhausgase zwischen 2008 und 2012 im Durchschnitt um 8 Prozent zu reduzieren. Die Bundesrepublik, die sowohl von der Gesamtmenge als auch pro Kopf der größte Klimasünder in der EU ist, wollte mit gutem Beispiel vorangehen. Sie verpflichtete sich, die Klimagase um 21 Prozent zu verringern. Und beim EU-Gipfel in Brüssel im März 2007 wiederholte Deutschland sein bereits geleistetes Versprechen, bis 2020 die Kohlendioxidemissionen um 40 Prozent zu reduzieren. Auf das einzelne Jahr umgerechnet bedeutet das eine Verringerung von jährlich 1,2 Prozent bis spätestens 2010 und von da an 2,7 Prozent bis 2020.

Würden die Emissionen so langsam wie bisher sinken, dann hätte Deutschland im Jahr 2020 immer noch einen Ausstoß von 786 Millionen Tonnen CO_2, was eigentlich das nationale Ziel für 2005 war. Die Studie der Deutschen Physikalischen Gesellschaft schätzt nun Schritt für Schritt ab, welchen Beitrag die einzelnen Maßnahmen bringen könnten. Einige vielversprechende Techniken werden allerdings bis 2020 nicht ins Gewicht fallen, weil sie erst danach einsatzfähig sind. Das Abscheiden und Endlagern des Kohlenstoffs aus den Schornsteinen der Kohlekraftwerke könnte zum Beispiel sehr viel CO_2 einsparen, aber realistischerweise erst nach 2020. Das Gleiche gilt für solarthermische Kraftwerke, die im Süden Europas oder Norden Afrikas sauberen Strom auch für die wenig sonnenreichen Landstriche Europas liefern können und die von den Physikern für besonders aussichtsreiche Energielieferanten gehalten werden.

Was ist nun mit den anderen Faktoren, die sich günstig auf die Kohlenstoffbilanz auswirken können? Und wie viel können sie einsparen?

Da ist erst einmal der Zuwachs an Ökostrom. Das Potenzial der erneuerbaren Energien schätzen die Physiker auf 104 bis 119 Milliarden Kilowattstunden jährlich, wobei die Unsicherheit durch die Biomasse entsteht, die mit einer Spanne von 5 bis 20 Milliarden Kilowattstunden Strom beziffert wird. Auch andere Untersuchungen kommen zu ähnlichen Ergebnissen. Wenn die Prognosen mehrerer Studien zusammengefasst werden, dann liegt das Potenzial von Sonne Wind, Wasser und Biomasse bei 89 bis 119 Milliarden Kilowattstunden jährlich, wobei die obere Grenze mit der Schätzung der früheren rot-grünen Bundesregierung zusammenfällt: Wenn erneuerbare Energien einmal ein Fünftel des gesamten Strombedarfs decken sollen, dann müssen sie 120 Milliarden Kilowattstunden jährlich erbringen. Das allerdings setzt eine schnellere Zunahme des Ökostroms voraus als in den Jahren bis 2005. Angenommen, man schafft das Ziel: Dann können die erneuerbaren Energien 8 bis 15 Millionen Tonnen Kohlendioxid jährlich einsparen, je nachdem welche konventionellen Kraftwerke sie ersetzen. Sind es Kohlemeiler, dann fällt zwangsläufig die CO_2-Einsparung deutlicher aus, als wenn ein Windpark ein Kernkraftwerk ersetzt.

Darüber hinaus muss der Kraftwerkspark zu einem erheblichen Teil erneuert werden. Neue Anlagen sind – wegen des technischen Fortschritts – effizienter und sauberer als alte. Wenn bis 2020 fortlaufend die schlechtere Hälfte der Kraftwerke durch solche mit moderner Technik ersetzt und zusätzlich der Anteil des verfeuerten Erdgases auf ein Drittel verdoppelt wird, dann wird eine Kilowattstunde Strom im Mittel nur noch 700 Gramm statt der bisher 858 Gramm Kohlendioxid verursachen. Insgesamt lassen sich so um die 23 Millionen Tonnen Kohlendioxid einsparen.

Zudem lässt sich beim Verkehr eine erhebliche Menge an CO_2 vermeiden. Wenn möglichst viel Benzin und Diesel durch Biotreibstoffe ersetzt werden, dann lassen sich schätzungsweise 8 Prozent weniger CO_2 pro gefahrenem Kilometer einsparen. Das würde etwa 20 Millionen Tonnen Kohlendioxid ausmachen.

Und schließlich wird sich das Abschalten der Atomkraftwerke auf die CO_2-Bilanz auswirken – allerdings negativ. Zurzeit werden etwa 168 Milliarden Kilowattstunden Atomstrom jährlich produziert. Diese müssen – falls es beim Ausstieg bleibt – durch erneuerbare Quellen und fossile Kraftwerke ersetzt werden. Die Menge an Kohlendioxid würde sich dann um 117,5 Millionen Tonnen erhöhen. Etwas besser sieht es aus, wenn der Anteil des Stroms aus Erdgas auf 40 Prozent gesteigert werden kann. Dann käme man auf 111,7 Millionen Tonnen. Das ist der Wert, den die Physikerstudie annimmt.

Das Zusammenrechnen aller Faktoren ergibt: Mit weiterlaufenden Kernkraftwerken werden im Jahr 2020 zwischen 813 und 820 Millionen Tonnen Kohlendioxid in die Atmosphäre geblasen. Falls die Kraftwerke abgeschaltet werden, sind es zwischen 925 und 932 Millionen Tonnen.

Im besten Fall also beträgt die Differenz 105 Millionen Tonnen oder etwa 11 Prozent der Emissionen. Anders ausgedrückt: Wenn die deutschen Kraftwerke abgeschaltet werden, erhöht sich die Menge an Kohlendioxid um 105 Millionen Tonnen. Verlängert man hingegen die Laufzeiten der Atommeiler, dann ließen sich diese 105 Millionen Tonnen CO_2 einsparen.

Wie jede Prognose ist auch diese ungenau. Es kann sein, dass bestimmte Trends zu wenig berücksichtigt sind. Falls zum Beispiel der Ölpreis rasant steigt, wäre es möglich, dass Hausbesitzer und Autofahrer mehr sparen. Allerdings betont die Studie, dass dies sich nur bemerkbar macht, wenn tatsächlich sehr viele Menschen sich ganz anders verhalten als bislang. Gerade beim Autofahren scheint das nach den bisherigen Erfahrungen eher unwahrscheinlich zu sein. Bis jetzt haben steigende Benzinpreise kaum jemanden vom Fahren abgehalten.

In dem für das Klima günstigsten Fall – Kernkraftwerke laufen weiter, und die erneuerbaren Quellen werden maximal ausgebaut – wird das CO_2-Minderungsziel im Jahr 2020 immer noch um 60 Millionen Tonnen verfehlt. Im Fall des Ausstiegsszenarios aber wäre nach Meinung der Verfasser der Studie das Ergebnis von drei Dekaden Klimaschutz im Jahr 2020 nicht mehr als ein Absenken von einem Viertel im Vergleich zu 1990 – also das Erreichen des Klimaschutzziels von 2005. Deutschland, die Nation, die sich so gern als Musterschüler beim Klimaschutz aufspielt, hätte trotz aller Bemühungen bestenfalls die

Note »ungenügend« erreicht. Dass andere Länder wie Kanada oder Österreich ihren Ausstoß um 25 beziehungsweise 15 Prozent gesteigert haben, statt ihn um 6 beziehungsweise 13 Prozent zu verringern, ist wohl nur ein schwacher Trost.

Im Grunde besteht der wunde Punkt darin, dass Klimapolitik in Deutschland, aber natürlich auch in vielen anderen Ländern, die ihre Kyoto-Ziele verfehlen, offensichtlich langsamer greift als gedacht. Die Verbraucher nutzen die staatlichen Anreize weniger, als sie könnten. Es ist eben bequemer und erst einmal billiger, keine neue Heizung oder Fenster einzubauen. Und die Industrie versucht, sich an der CO_2-Reduzierung vorbeizumogeln. Im Grunde ist das passiert, wovor Umweltexperten gewarnt hatten: Der Emissionshandel hat nicht gegriffen. Dabei ist er ein im Prinzip sehr sinnvolles Instrument, das nach den Regeln des Marktes funktioniert: Unternehmen erhalten Zertifikate für den Ausstoß von CO_2. Wenn sie jedoch mehr Kohlendioxid, als ihnen zusteht, verpuffen lassen, dann müssen sie dafür zahlen, indem sie sich fehlende Emissionsrechte kaufen. Doch Lobbyaktionen der Konzerne haben dazu geführt, dass zum einen zu viele Zertifikate ausgegeben worden sind, was deren Preis gedrückt hat. Zum anderen hatten Stromversorger für die Zeit von 2005 bis 2007 die Zertifikate gratis bekommen, den Marktwert dieser Rechte aber in den Strompreise hineingerechnet, was ihnen Gewinne von jährlich etwa 4 Milliarden Euro einbrachte. Wenn die Zertifikate aber zu billig werden, lohnt es sich für die Firmen nicht mehr, Kohlendioxid zu sparen.

Dennoch – vor radikalen Schritten, Verbraucher und Industrie zum Stromsparen zu zwingen, schreckt die Regierung zurück. Man will weder die Menschen verprellen noch die Wirtschaft verstimmen und ihre internationale Wettbewerbsfähigkeit schmälern. Deshalb wird das Klimaziel, bis 2020 den

Kohlendioxidausstoß um 40 Prozent zu senken, nicht zu verwirklichen sein. Dieses Ziel ist sehr ehrgeizig. Wenn man sich ihm nähern will, führt kein Weg daran vorbei, die Kernkraftwerke länger laufen zu lassen.

Das freilich ist eine Kröte, die für umweltbewusste Atomgegner schwer zu schlucken ist – und ein Argument, das sie womöglich auch kaum überzeugen wird. Wer glaubt, dass Kernkraftwerke sehr gefährlich sind, wird womöglich die vermeintlich unmittelbare Gefahr eines lokalen Unfalls in Deutschland als risikoreicher ansehen als die globalen Folgen des Klimawandels, der Afrika weitaus härter treffen wird als Deutschland. Vielleicht würde mancher es anders sehen, wenn Dürre und Wirbelstürme uns hierzulande unmittelbar bedrohten. Das ist, zum Glück, nicht der Fall. Dennoch: Ein gewisses Gefühl der Verantwortung auch für den Rest der Welt sollten wir uns schon leisten.

Ausblick: Energiewende für Deutschland

Vom Helden zum Verräter: Für viele radikale Umweltschützer ist Patrick Moore eine Hassfigur. Dabei hat der heute 60-jährige Kanadier vor über 35 Jahren Greenpeace mitbegründet, hat spektakuläre Aktionen geleitet und war jahrelang Präsident der Umweltschutzorganisation. Doch inzwischen nennen manche ihn »Öko-Judas« und werfen ihm vor, käuflich zu sein. Moore hat eines der größten Tabus gebrochen, das es für überzeugte Umweltschützer gibt: Er plädiert für Atomkraft.

Der Aktivist der ersten Stunde hatte schon länger an den ehernen Wahrheiten seiner Kampfgefährten gezweifelt. Anfang der Achtzigerjahre, so erzählte er einmal, habe er vom *sustainable development*, von der nachhaltigen Entwicklung, gehört. Er habe begriffen, dass es um konkrete Veränderungen gehe und nicht mehr um unverbindliche Appelle und symbolische Proteste. Dazu gehörten damals in Kanada auch »Runde Tische«, an denen Industrie und Umweltschützer zusammensaßen. Doch Greenpeace war gegen eine Teilnahme und begann eine Kampagne gegen »Pragmatismus und Kompromisse«.

Damit hatte nach Meinung von Moore die Stunde der Ideologen geschlagen. Er sagte sich von der Umweltorganisation los. Zum endgültigen Bruch kam es, als er im Jahr 2005 vor einem Ausschuss des US-Kongresses die Kernkraft verteidigte. Sie sei die einzige Energiequelle, die keine Treibhausgase emittiere, sagte Moore. Sie ersetze fossile Brennstoffe und könne die weltweite Nachfrage befriedigen. Angesichts der Erderwärmung sei der konsequente Ausbau der Atomenergie ein Gebot der Vernunft.

Der Hass, der Patrick Moore wegen seines Atombekenntnisses entgegenschlägt, macht vor allem eines deutlich: Wie ideologisch der harte Kern der Umweltschutz- und Antikernkraftbewegung ist. Es geht nicht mehr um die Sache, sondern um das Prinzip.

So wie Moore muss sich wohl manchmal Sigmar Gabriel fühlen, wenn auch mit umgekehrten Vorzeichen. Der deutsche Umweltminister hält offiziell an dem Ausstieg fest. Schließlich hat er ein SPD-Parteibuch. Doch Gabriel ist intelligent genug zu wissen, dass sein Job einer der schwierigsten in der Republik ist und dass ein riesiges Problem auf ihn zukommt. Im kleinen Kreis soll der SPD-Mann schon zugegeben haben, dass es unmöglich sei, gleichzeitig das Kohlendioxid aus deutschen Schornsteinen drastisch zu reduzieren und die Kernkraftwerke abzuschalten.

So vorbildlich Deutschland sich auf der internationalen Bühne gibt, beim heimischen Klimaschutz ist das Land alles andere als ein Musterknabe. Schon die derzeitige Bilanz sieht nicht sonderlich gut aus. Die Bundesrepublik gehört zum Klub der vier weltweit größten Schmutzfinken. Mit 12,4 Tonnen Kohlendioxid pro Kopf liegt Deutschland zwar mit Abstand hinter den USA und Kanada, aber an der Spitze der europäischen Industrienationen und auch vor Japan. Und für jeden Dollar Bruttoinlandsprodukt werden 473 Gramm CO_2 in die Luft gepustet, auch das ist mehr als irgendwo sonst in Europa. Schlimmer noch: 2006 sind die Emissionen, die eigentlich um knapp 3 Prozent sinken müssten, damit die Klimaziele erreicht werden, um 0,6 Prozent gestiegen. Und nun will der selbst ernannte Vorreiter, der beim G-8-Gipfel im Juni 2007 in Heiligendamm die ganze Welt zum Klimaschutz drängte, neue

Kohlekraftwerke bauen. Logisch ist das nicht. Verantwortungsbewusst auch nicht.

Deutschland ist in der Zwickmühle. Es hat den Atomausstieg beschlossen. Und es will die Erde vor dem drohenden Klimakollaps retten. Beides gleichzeitig geht nicht, zumindest nicht zu ökonomisch vernünftigen Bedingungen.

Deutschland, das anderen Ländern gern eine Lektion in Sachen Umweltschutz erteilt, muss verstehen, dass es nicht allein auf der Welt ist. Dass es als rohstoffarmes Land von dem abhängt, was sich derzeit auf dem Weltmarkt abspielt. Milliarden Menschen wollen so leben wie in den reichen Industrienationen üblich: die heiße Dusche, das Auto, die Urlaubsreise. Man wird es ihnen nicht verwehren können, zumindest nicht so lange, wie wir darauf bestehen, so zu leben. Das aber bedeutet, dass die Preise für Öl und Gas davongaloppieren werden. Und dass wir uns, sofern wir uns nicht von fossilen Quellen abnabeln, in die Abhängigkeit einiger weniger Lieferanten begeben.

Die Folgen des ungezügelten Energieverbrauchs der Industrienationen haben bereits eine unauslöschliche Spur hinterlassen: den Treibhauseffekt. Der Klimawandel droht, weil die reichen Staaten Energie verprasst haben und weil in Zukunft sehr viel mehr Menschen als bisher in Wohlstand leben wollen. Immerhin gibt es einen positiven Aspekt des Kampfes gegen die Erderwärmung: Sie zu bremsen, so sagen Ökonomen voraus, würde zwar ein Prozent des Bruttosozialprodukts kosten. Unter dem Strich ist das aber weitaus weniger, als wenn nichts gegen den Treibhauseffekt unternommen wird.

Wenn Deutschland das Kyoto-Protokoll ernst nimmt, muss es handeln. Der Vertrag ist ein erster Schritt für mehr Klimaschutz, weitere werden folgen. Wenn jedoch wichtige Unterzeichner wie Deutschland die Ziele nicht einhalten, dann steht die Glaubwürdigkeit der gesamten Klimapolitik auf dem Spiel.

Was muss geschehen? Am vordringlichsten ist, dass Kohlendioxid nicht mehr kostenlos in die Atmosphäre gelangen darf. Vielmehr muss der Klimakiller mit einer Gebühr belegt werden. Wenn die Tonne CO_2 in Zukunft 50 oder 100 Euro kostet, dann werden Stromproduzenten solche Quellen bevorzugen, die wenig Kohlendioxid produzieren. Genau das will man mit dem Emissionshandel erreichen.

Nun mag man einwenden, dass die kohlenstofffreien Energiequellen Wind, Sonne und Biomasse schon heute unterstützt werden. Doch deren Subvention verzerrt den Markt völlig. Zum Beispiel können sich heute die sonnenreichen Länder, die oft die ärmeren sind, Solarzellen kaum mehr leisten. Die Preise für Solarpanels jedenfalls sind in die Höhe geschossen, seitdem die Bundesregierung eine Kilowattstunde Solarstrom mit 50 Cent vergütet.

Doch auch ohne diese fragwürdige Subvention funktioniert der Handel mit Verschmutzungsrechten bislang nicht. Denn erstens erhalten die Stromproduzenten Freischeine auch für Kohlekraftwerke – sodass der Anreiz, diese abzuschalten, gering ist. Zweitens haben Unternehmen in effektiver Lobbyarbeit dafür gesorgt, dass sie ausreichend Emissionsrechte erhalten. Als Folge ist der Preis für eine Tonne CO_2 an der Leipziger Klimabörse zeitweilig auf 50 Cent gefallen. Im Prinzip müsste für eine Tonne des Klimakillers der Preis verlangt werden, den es kostet, CO_2 aus dem Schornstein eines Kraftwerks abzutrennen und zu lagern, was derzeit auf 40 bis 250 Euro geschätzt wird.

Erst ab 2008 soll der Handel ein Stück weit marktgerechter werden. Dann will man 10 Prozent der Emissionsrechte, die derzeit immerhin 20 Euro pro Tonne wert sind, versteigern. Auch das ist noch zu wenig, um den Ausstoß an Kohlendioxid wirksam zu drücken. Denn schon jetzt wird eifrig geschachert, wer wie viele Lizenzen zum Klimafrevel erhält. Dass Kohlekraftwerke – entsprechend ihres Ausstoßes – weiterhin doppelt so viele Verschmutzungsrechte erhalten sollen wie Gaskraftwerke, lässt nichts Gutes ahnen.

Neben fairen Kohlenstoffpreisen brauchen wir einen breiten Energiemix, den »goldenen Energiemix«, wie der Chefökonom der Internationalen Energieagentur, Fatih Birol, ihn nennt. Dazu gehören alle Quellen, die in der Schnittmenge von sauberer, billiger und zuverlässiger Energie liegen. Also müssen wir möglichst alle kohlenstoffarmen Quellen nutzen. Dazu gehört auch das Sparen von Energie, das der US-Physiker Amory Lovins als Erzeugung von Negawatts bezeichnet hat. Hierzu kann auch Kohle zählen, sobald es zu vertretbaren Preisen möglich ist, das CO_2 zu sammeln und zu lagern.

Deutschland kann mehr Windräder aufstellen, nicht an Land, sondern auf dem Meer – damit lässt sich in Zukunft möglicherweise ein Siebtel des Strombedarfs decken. In der Biomasse schlummert noch viel Potenzial, doch in näherer Zukunft werden Pflanzen wohl erst einmal Treibstoff liefern. Zumindest sind Wind und Biomasse konkurrenzfähig, ihr Preis pro Kilowattstunde liegt derzeit nur ein paar Cent höher als der aus fossilen Quellen – anders die Solarenergie, die als Stromquelle für Deutschland maßlos überschätzt wird. Strom aus Solarzellen ist der teuerste überhaupt und in deutschen Breitengraden schon gar nicht konkurrenzfähig. Sinnvoll wäre es nur, wenn wir uns in Südeuropa an solarthermischen Kraftwerken beteiligten, die verhältnismäßig billigen Strom produzieren und ins europäische Netz speisen könnten.

In den nächsten zwanzig, dreißig Jahren aber wird es nicht möglich sein, den gesamten benötigten Strombedarf aus erneuerbaren Quellen oder aus effizienten, relativ umweltschonenden Gaskraftwerken zu beziehen. Schon aus technischen

Gründen wird man Sonne, Wind und Biomasse nicht so schnell ausbauen können, auch nicht aus ökonomischer Sicht – es kostet einfach zu viel. Noch schwerwiegender aber ist, dass Deutschland nach den bisherigen Energieplänen der Bundesregierung seine Klimaziele nicht wird einhalten können.

Nicht ohne Kernkraft jedenfalls. Viel zu überstürzt hat Deutschland den Ausstieg beschlossen, als einen »typisch deutschen Kurzschluss« hat der frühere Hamburger Innensenator Fritz Vahrenholt und jetzige Chef der Windenergiefirma Repower den Ausstieg bezeichnet. Ein klimapolitischer, geopolitischer und wirtschaftspolitischer Kurzschluss.

Wohl wahr. Klimapolitisch ist der Ausstieg ein Desaster. Man muss schon verblendet sein oder eine politische Agenda haben, um wie Umweltminister Gabriel felsenfest zu behaupten, das Klimaziel der Regierung sei auch ohne Atomkraftwerke zu schaffen. Das widerlegen zahlreiche Abschätzungen, unter anderem die sehr minutiöse Studie der Deutschen Physikalischen Gesellschaft. Inzwischen trauen sich sogar bekennende Kernenergiegegner, den Optimismus von Gabriel öffentlich in Zweifel zu ziehen. Stephan Kohler, Geschäftsführer der Deutschen Energie-Agentur, die für die Bundesregierung den Ausbau der erneuerbaren Energien vorantreiben soll, hält das Ziel für unrealistisch. Ohne Änderung des Atomausstiegs seien statt 40 maximal 25 Prozent Verringerung des Kohlendioxids möglich. Wenn es beim Ausstieg bleibt, seien 25 Prozent das Ende der Fahnenstange. Auch der eher atomkritische Ökonom Hans-Joachim Ziesing vom Deutschen Institut für Wirtschaftsforschung in Berlin hält die Klimaschutzziele nur auf dem Papier für realistisch.

Dass im kommenden Jahrzehnt in Deutschland etwa sechzehn neue Kohlekraftwerke entstehen dürften, ist ein Zeichen klimapolitischer Hilflosigkeit, um nicht zu sagen Verlogenheit.

Als Ersatz für das Kernkraftwerk Neckarwestheim I, das laut Ausstiegsgesetz im Jahr 2009 vom Netz gehen muss, baut der Energiekonzern EnBW in Karlsruhe ein Steinkohlekraftwerk. Denn für Gas bekomme man derzeit keine langfristigen Lieferverträge zu zumutbaren Konditionen, sagte EnBW-Chef Utz Claasen in einem Interview mit dem Magazin *Der Spiegel.* So wird nun Steinkohle die Grundlast abdecken, die bisher das Kernkraftwerk gestellt hat.

Geopolitisch wird der Atomausstieg Deutschland abhängiger als zuvor von Öl und Gas machen. Deren Preise schrauben sich unaufhaltsam nach oben – und jede Krise in Nahost, jeder Streit mit Teheran, jedes Muskelspiel in Moskau lässt die Rohstoffnotierung ausschlagen. Die Länder mit großen Reserven spielen ihre Macht längst aus. Wer glaubt, mit Gaskraftwerken ließe sich der Atomausstieg wettmachen, geht ein hohes Risiko ein. Mit jedem Kubikmeter Gas mehr, der zu Strom verfeuert wird, begeben wir uns einen Schritt weiter in die Abhängigkeit von Ländern wie Russland oder Iran. Und mit jedem zusätzlichen Kubikmeter Gas steigt auch Deutschlands Stromrechnung. Noch ist Strom aus Gas verhältnismäßig billig, doch die Nachfrage aus China und Indien wird dafür sorgen, dass die Preise steigen.

Deshalb muss man fragen, ob es sinnvoll ist, Kernkraftwerke ohne Mängel nach 32 Jahren herunterzufahren. Wenn die Konzerne aber meinen, sie könnten an der Sicherheit sparen, dann irren sie. Was im Sommer 2007 in Krümmel und Brunsbüttel passiert ist, mag von Gegnern der Atomkraft zu Unrecht zu einer gravierenden Pannenserie stilisiert worden sein. Übel nehmen kann man es ihnen nicht, schließlich wird auf beiden Seiten hart gekämpft. Die Energiekonzerne spekulieren darauf, einige ihrer älteren Reaktoren in die nächste Legislaturperiode retten zu können. Doch wer wie der Betreiber

Vattenfall die Laufzeiten verlängert haben will, muss es mit der Sicherheit und mit der Transparenz besonders genau nehmen. Falls es aber gelingt, den Sicherheitsstandard zu halten, erscheint es wirtschaftspolitisch eher unsinnig, funktionierende Anlagen vom Netz zu nehmen. In vielen Ländern der Welt werden deshalb die Laufzeiten der Atommeiler verlängert. Abgeschrieben sind die Kraftwerke bereits, und der zusätzliche Müll von zehn, zwanzig Jahren fällt nicht erheblich ins Gewicht.

Kurzschlüsse lassen sich bekanntlich überbrücken. Laut Gesetz müssen die Kernkraftwerke bis 2021 abgeschaltet sein, weil bis dahin die letzte Kilowattstunde Reststrommenge verbraucht sein wird. Doch es spricht nichts dagegen, die Kraftwerke länger laufen zu lassen. Man muss eben das Gesetz umschreiben.

Wie realistisch ist das? Wohl kaum in dieser Legislaturperiode, zumindest nicht solange die Große Koalition regiert. Noch klammert die SPD am Ausstieg, sie hat ihn schließlich bereits 1986 beschlossen, und für viele Genossen grenzt es an Verrat, daran zu rütteln. Nur gelegentlich regen sich vorsichtig Stimmen, man möge doch andere Optionen bedenken. Mancher Sozialdemokrat im Bundestag gibt hinter vorgehaltener Hand zu, man könne sich mit längeren Laufzeiten anfreunden. Noch aber mag sich in Deutschland kein prominentes Parteimitglied als Kernkraftbefürworter outen, noch mag niemand den »Öko-Judas« spielen. Doch in Brüssel agitiert eine Handvoll sozialdemokratischer EU-Parlamentarier gegen den Ausstieg. Im Kontakt mit europäischen Kollegen wächst wohl auch die Weitsicht.

Angesichts des finnischen Wegs könnten auch die Deutschen umdenken. Die Skandinavier gelten schließlich als skrupulöse Zeitgenossen, die nicht einfach aus einer Laune heraus sich und ihre Umwelt gefährden. Im Land wird derzeit der fünfte Reaktor hochgezogen und ein Endlager angelegt. Gegen Pläne, ein sechstes Kernkraftwerk zu bauen, haben die meisten Finnen nichts. Ihre Industrie braucht viel Strom, und sie wollen nicht mehr so abhängig vom Nachbar Russland sein, der ihnen bisher einen Großteil des Stroms liefert.

Der Blick über die Grenzen sollte die Deutschen nachdenklich machen. Sicher, es gibt andere Aussteiger, Österreich und Italien etwa. Doch unter den großen Industrienationen hat die Bundesrepublik einen Sonderweg gewählt. Ihn jetzt weiterzugehen, wird sehr schwerfallen, wenn man an den Klimazielen festhält. Ehrgeiziger Klimaschutz und Atomausstieg – das geht im Moment noch nicht zusammen.

Die Kernenergie ist nicht *die* Lösung des Energieproblems. Sie ist aber zumindest vorübergehend ein Teil der Lösung. In Abwägung aller Kosten und Gefahren wäre es vernünftiger, zumindest die Kernkraftwerke länger laufen zu lassen. Dann wäre Zeit gewonnen, auch um andere Energiequellen auszubauen. Vielleicht wird man in zehn, zwanzig Jahren überlegen, ob Hochtemperaturreaktoren sicher und marktreif genug sind, um ihren Bau in Betracht zu ziehen. Das gerne vorgebrachte Argument, die Kernkraft bremse die Entwicklung der Energienutzung von Sonne, Wind und Biomasse, verfängt jedenfalls nicht. Noch sind die alternativen Quellen nicht so weit, um eine zuverlässige Grundlastversorgung zu sichern. Zudem könnte man sich Möglichkeiten überlegen, bei denen das Geld, das Kraftwerksbetreiber mit den länger laufenden Atommeilern verdienen, zumindest zum Teil in die Förderung erneuerbarer Energieformen gesteckt werden muss.

Wie hatte Patrick Moore, der »Verräter«, gesagt? Die Atomenergie sei angesichts der Gefahren der Klimaerwärmung ein »Gebot der Vernunft«. Ich jedenfalls habe den gelben Aufkleber mit »Atomkraft? Nein danke« vom Papierkorb gerissen.

Literaturhinweise

Erich Follath/Alexander Jung (Hg.): *Der neue Kalte Krieg – Kampf um die Rohstoffe.* München 2006. Eine Sammlung spannender *Spiegel*-Reportagen über Öl, Gas, Kohle und andere Rohstoffe.

Konrad Kleinknecht: *Wer im Treibhaus sitzt – Wie wir der Klima- und Energiefalle entkommen.* München 2007. Der Mainzer Physikprofessor erklärt, wie Energieversorgung funktioniert und was wir tun müssen, um den Treibhauseffekt zu bekämpfen.

Karin Kneissl: *Der Energiepoker – Wie Erdöl und Erdgas die Weltwirtschaft beeinflussen.* München 2006. Das Buch konzentriert sich auf die wirtschaftlichen und politischen Facetten von Öl und Gas, mit einem Schwerpunkt der OPEC-Politik.

Jürgen Petermann (Hg.): *Sichere Energie im 21. Jahrhundert.* Hamburg 2006. Das reich bebilderte Buch mit hervorragenden Grafiken ist geeignet, ein Klassiker zu werden. Übersichtliche Kapitel, Analysen und Kommentare von Experten machen es zu einem Muss für alle, die sich einen Überblick über Energiefragen verschaffen wollen.

Stefan Rahmstorf/Hans Joachim Schellnhuber: *Der Klimawandel.* München 2006. Der schmale Band aus der Feder führender Klimaforscher enthält alles, was man über den Treibhauseffekt und seine Folgen wissen muss.

Ernst Ulrich von Weizsäcker/Amory B. Lovins/Hunter Lovins: *Faktor Vier – Doppelter Wohlstand, halbierter Naturverbrauch*. München 1997. Der »neue Bericht an den Club of Rome«, ein Klassiker für Umweltschützer und zugleich das Bekenntnis des amerikanischen Energiesparexperten Lovins.